ESTUDIOS SOBRE LIRICA ANTIGUA

LITERATURA  Y SOCIEDAD

DIRECTOR
ANDRÉS AMORÓS

Colaboradores de los primeros volúmenes

José Luis Abellán. Emilio Alarcos. Jaime Alazraki. Earl Aldrich. Xesús Alonso Montero. Manuel Alvar. Andrés Amorós. Enrique Anderson-Imbert. René Andioc. José J. Arrom Francisco Ayala. Max Aub. Mariano Baquero Goyanes. Giuseppe Bellini. Rubén Benítez. Andrés Berlanga. Alberto Blecua. Jean-François Botrel. Carlos Bousoño. Antonio Buero Vallejo. Eugenio de Bustos. Jesús Bustos. Richard J. Callan. Jorge Campos. José Luis Cano. Alfredo Carballo. Helio Carpintero. José Caso. Elena Catena. Gabriel Celaya. Ricardo de la Cierva. Víctor de la Concha. Maxime Chevalier. John Deredita. Mario Di Pinto. Manuel Durán. Julio Durán-Cerda. Pedro Gimferrer. Eduardo G. González. Luciano García Lorenzo. Alfonso Grosso. Miguel Herrero. Pedro Laín. Rafael Lapesa. Fernando Lázaro. Luis Leal. C. S. Lewis. Robert Escarpit. Francisco López Estrada. Vicente Lloréns. José Carlos Mainer. Joaquín Marco. Eduardo Martínez de Pisón. José María Martínez Cachero. Marina Mayoral. G. McMurray. Seymour Menton. Franco Meregalli. José Monleón. Martha Morello-Frosch. Antonio Muñoz. Antonio Núñez. Julio Ortega. Roger M. Peel. Rafael Pérez de la Dehesa. Enrique Pupo-Walker. Richard M. Reeve. Hugo Rodríguez-Alcalá. Emir Rodríguez Monegal. Serge Salaün. Noël Salomon. Gregorio Salvador. Alberto Sánchez. Manuel Seco. Jean Sentaurens. Alexander Severino. Gonzalo Sobejano. Darío Villanueva. Francisco Ynduráin. Alonso Zamora Vicente.

MARGIT FRENK ALATORRE

Estudios sobre lírica antigua

EDITORIAL CASTALIA

SUMARIO

PROLOGO

Reúno en este tomo dieciséis artículos publicados en re-
vistas y homenajes entre 1952 y 1973. Salvo los dos primeros, que se refieren a las jarchas mozárabes,* todos estu-
dian aquella lírica de tipo popular que, nacida en la Edad
Media, aparece documentada sólo a partir de la segunda
mitad del siglo XV y hasta mediados del XVII (o se ocupan
de manifestaciones en alguna forma emparentadas con ella).
Los artículos no aparecen ordenados cronológicamente,
sino que se agrupan conforme al enfoque adoptado en ellos.
Se verá primero la presencia de los cantares de tipo popular en las letras renacentistas y posrenacentistas (Dignificación de la lírica popular en el Siglo de Oro) y la perduración excepcional de algunos de esos cantares en el folklore
actual (Supervivencias de la antigua lírica popular). Los estudios que siguen, en la sección de DESLINDES, tratan de
enfrentarse a una serie de problemas que plantea esa escuela
poética, en parte por la forma misma en que se nos conserva: injertada en una literatura de otra índole. ¿Podemos
—¿y cómo?— probar que ciertos cantares eran realmente
tradicionales y antiguos? (La autenticidad folklórica de la
antigua lírica «popular».) ¿Qué poesías incluiremos bajo el
rubro «de tipo popular»?, y ¿de qué manera resolveremos

---

* A este tema he dedicado un libro reciente: Las jarchas mozárabes
y los comienzos de la lírica románica, El Colegio de México, México,
1975.

ciertas cuestiones difíciles de edición privativas de esta lírica, que está a caballo entre el folklore y la literatura? (Problemas de la antigua lírica popular.) *¿Qué relación había entre los refranes y las cancioncillas de tipo popular?* (Refranes cantados y cantares proverbializados.)

La tercera sección comprende cuatro estudios en torno a ciertos textos concretos. El intitulado Sobre los textos poéticos en Juan Vásquez, Mudarra y Narváez —*que es aquí el primogénito y que he acogido más bien por razones de piadosa auto-arqueología*— *tiene un enfoque básicamente temático.* El segundo (Una fuente poética de Gonzalo Correas) *aborda una cuestión de índole bibliográfica. Sigue un intento de explicación filológica de un oscuro villancico vicentino* («Quien maora ca mi sayo») *y luego la publicación de* Un desconocido cantar de los Comendadores *y sus relaciones con otros textos poéticos y con la comedia de Lope.*

La última parte vuelve a cuestiones más amplias, esta vez relativas a ciertos subgéneros y a ciertas manifestaciones formales. Comprende un comentario Sobre las endechas en tercetos monorrimos *(las «endechas de Canarias»); un estudio que pretende situar cronológica y socialmente el nacimiento de la seguidilla, género semipopular que luego se hace folklórico* (De la seguidilla antigua a la moderna); *el planteamiento de una hipótesis sobre el origen de las canciones formadas por estrofas heterogéneas* (Historia de una forma poética popular); *un análisis de la relación existente* —*en la expresión y en el contenido*— *entre el villancico o estribillo popular y su glosa* (Glosas de tipo popular en la antigua lírica), *y, finalmente, en respuesta a una vieja duda mía, una indagación sobre el zéjel, que me ha llevado a negar el carácter «popular» de la glosa zejelesca española y a descubrirle un origen juglaresco* (El zéjel: ¿forma popular castellana?)

Para quien lea este libro de corrido, la falta de un orden cronológico puede ocasionar, en algún caso, cierta desazón. Por ejemplo, en el sexto ensayo, publicado en 1969, propongo transcribir los textos prescindiendo, en la distribución de los versos, de las normas gráficas convencionales y atendiendo, en cambio, a las unidades de sentido, sintácticas y rítmicas; pero en varios estudios que figuran aquí después de éste, y que fueron escritos antes, me sigo guiando por las suso-dichas convenciones gráficas. Me ha parecido preferible no alterar, en un aspecto tan importante, la forma original de los artículos.

En general he hecho pocos cambios, y éstos pertenecen en su mayoría al terreno bibliográfico. Convenía, por ejem-plo, adaptar las muchas citas del Vocabulario de refranes de Correas *a la reciente edición de L. Combet, primera hecha a base del manuscrito original; convenía remitir al libro* Lírica hispánica *de Torner, y no a su versión original, más breve, publicada en varias entregas de la revista* Symposium. *También resultaba ya innecesario tanto dato bibliográfico sobre los textos, habiendo ahora antologías donde figuran muchos de ellos. Remito sobre todo a mi* Lírica hispánica de tipo popular *(que abrevio F) y también a las antologías de Alonso-Blecua (A-B) y de Alín (A). Verdad es que el com-plemento más cabal de estos* Estudios *será la edición del corpus íntegro de la antigua lírica de tipo popular, obra que me debo a mí misma y que espero poder concluir pronto.*

Otros cambios han consistido en uniformar las abrevia-turas y las referencias bibliográficas. Por razones prácticas he modernizado casi en todos los casos la ortografía de los textos antiguos (en la edición aparecerá en su forma origi-nal), añadido referencias cruzadas y proporcionado un Indice de primeros versos. Los retoques a la redacción son míni-mos. Los cambios de contenido, casi nulos. El propósito era el de presentar reunidos en un todo compacto —haciéndo-los así más accesibles— estos estudios sobre un tema apa-sionante, que hace veinte años estaba aún prácticamente inexplorado.

M. F. A.

El Colegio de México,
  junio de 1974

ABREVIATURAS

A: José María Alín, *El cancionero español de tipo tradicional,* Madrid, 1968.

A-B: Dámaso Alonso y José M. Blecua, *Antología de la poesía española. Poesía de tipo tradicional,* Madrid, 1956.

Acad: Obras de Lope de Vega, ed. M. Menéndez Pelayo, Real Academia Española, 15 vols., Madrid, 1890-1913.

AcadN: Obras de Lope de Vega, ed. E. Cotarelo, Real Academia Española, Nueva ed., 13 vols., Madrid, 1916-1930.

Al-An: Al-Andalus. Madrid.

Alonso, *Cancioncillas:* Dámaso Alonso, «Cancioncillas de amigo mozárabes. (Primavera temprana de la lírica europea)», *RFE,* 33 (1949), pp. 297-349.

Alvar, *Cantos:* Manuel Alvar, *Cantos de boda judeo-españoles,* Madrid, 1971.

An-M: Anuario Musical. Barcelona.

Asensio, *Poética:* Eugenio Asensio, *Poética y realidad en el cancionero peninsular de la Edad Media,* Madrid, 1957.

BAE: Biblioteca de Autores Españoles (de Rivadeneyra).

B.C.B.: Biblioteca Central. Barcelona.

BHi: Bulletin Hispanique. Bordeaux.

BHS: Bulletin of Hispanic Studies. Liverpool.

B.N.M.: Biblioteca Nacional. Madrid.

B.N.P.: Bibliothèque Nationale. París.

BRAE: Boletín de la Real Academia Española. Madrid.

Cancionero sevillano: Cancionero sevillano de la H.S.A. *(ca.* 1568), ms. B2486. [Véase mi descripción en *NRFH,* 16 (1962), pp. 355-394.]

Cancionero de Upsala: Cancionero de Upsala (Venecia, 1556), ed. J. Bal y Gay, México, 1944.

Cantares: Cantares de diuersas sonadas con sus deshechas muy graciosas ansi para baylar como para tañer, pl.s. gót. s.l.n.a., reimpreso en *Cancionero de galanes y otros rarísimos cancionerillos góticos*, pról. M. Frenk Alatorre, Valencia, 1952. (Ed. fasc. en *Pliegos poéticos B.N.M.*, t. 1, pp. 173-180.)

Cartapacios salmantinos: R. Menéndez Pidal, «Cartapacios literarios salmantinos del siglo XVI», *BRAE*, 1 (1914), pp. 43-55, 151-170, 298-320.

Cejador, *Floresta:* Julio Cejador y Frauca, *La verdadera poesía castellana. Floresta de la antigua lírica popular*, 10 vols., Madrid, 1921-1930.

CFM: M. Frenk Alatorre *et al.*, *Cancionero folklórico de México*, t. 1: «Coplas del amor feliz», México, 1975; t. 2, en prensa.

CMP: Cancionero musical de Palacio, ed. H. Anglés y J. Romeu Figueras, en *La música en la corte de los Reyes Católicos*, ts. II, III, IV-1 y IV-2, Barcelona, 1947-1965.

Correas, *Arte:* Gonzalo Correas, *Arte de la lengua española castellana* [1625], ed. E. Alarcos García, Madrid, 1954.

Correas, *Vocabulario:* Gonzalo Correas, *Vocabulario de refranes y frases proverbiales* (1627), ed. L. Combet, Bordeaux, 1967.

Cotarelo, *Colección:* Emilio Cotarelo y Mori, *Colección de entremeses, loas, bailes, jácaras y mojigangas*, 2 vols., Madrid, 1911. *(NBAE*, ts. 17, 18.)

Covarrubias, *Tesoro:* Sebastián de Covarrubias, *Tesoro de la lengua castellana o española* (1611), ed. M. de Riquer, Barcelona, 1943.

CuN: Cultura Neolatina. Roma.

F: Margit Frenk Alatorre, *Lírica hispánica de tipo popular. Edad media y Renacimiento*, México, 1966. (Una reedición, con el título lo *Lírica española de tipo popular*, aparecerá en breve en Ediciones Cátedra.)

Fernández de Heredia, *Obras:* Juan Fernández de Heredia, *Obras* (Valencia, 1562), ed. F. Martí Grajales, Valencia, 1913.

Flecha, *Ensaladas* 1581: Mateo Flecha, El Viejo, *Las ensaladas de Flecha, Maestro de capilla que fue de las Serenissimas Infantas de Castilla*. Recopiladas por F. Matheo Flecha su sobrino... BAXO, Praga, 1581.

Flecha, *Ensaladas* 1955: Mateo Flecha, *Las ensaladas*, ed. H. Anglés, Barcelona, 1955.

Flor de enamorados: Cancionero llamado Flor de enamorados (Barcelona, 1562), ed. A. Rodríguez-Moñino y D. Devoto, Valencia, 1954.

Fuenllana: Miguel de Fuenllana, *Libro de música para vihuela, intitulado Orphenica Lyra*, Sevilla, 1554.

Gallardo, *Ensayo:* Bartolomé José Gallardo, *Ensayo de una biblioteca española de libros raros y curiosos*, 4 vols., Madrid, 1863-1889.

gót.: gótico.

Horozco, *Cancionero:* Sebastián de Horozco, *Cancionero*, ed. Bibliófilos Andaluces, Sevilla, 1874.

HR: Hispanic Review. Philadelphia.

H. S. A.: Hispanic Society of America, New York.

Laberinto amoroso: Laberinto amoroso de los mejores y mas nueuos Romances..., recopilado por Juan de Chen (Barcelona, 1618), ed. J. M. Blecua, Valencia, 1953.

Lasso de la Vega, *Manojuelo:* Gabriel Lobo Lasso de la Vega, *Manojuelo de romances* [1601], pról. E. Mele y A. González Palencia, Madrid, 1942.

Le Gentil, *La poésie:* Pierre Le Gentil, *La poésie lyrique espagnole et portugaise à la fin du moyen âge*, t. 2, *Les formes*, Rennes, 1953.

Le Gentil, *Le virelai:* Pierre Le Gentil, *Le virelai et le villancico. Le problème des origines arabes*, Paris, 1954. *(Collection portugaise.)*

Mal Lara: Juan de Mal Lara, *La philosophia vulgar... Primera parte que contiene mil refranes glosados*, Sevilla, 1568. (Reedición: *Filosofía vulgar*, ed. A. Vilanova, 4 vols., Barcelona, 1958-1959.)

Menéndez Pelayo, *Antología:* Marcelino Menéndez Pelayo, *Antología de poetas líricos castellanos*, ed. E. Sánchez Reyes, Santander, 10 vols., 1944-1945.

Menéndez Pidal, *Cantos:* Ramón Menéndez Pidal, «Cantos románicos andalusíes continuadores de una lírica latina vulgar», *BRAE*, 31 (1951), pp. 187-170.

Menéndez Pidal: *La primitiva poesía:* Ramón Menéndez Pidal, «La primitiva poesía lírica española», *Estudios literarios*, Madrid, 1920, pp. 255-344.

Menéndez Pidal, *Romancero:* Ramón Menéndez Pidal, *Romancero hispánico... Teoría e historia*, 2 vols., Madrid, 1953.

Milán, *Cortesano:* Luis Milán, *Libro intitulado El Cortesano...*, Valencia, 1561. (Reedición: Madrid, 1874.)

Montemayor, *Cancionero:* Jorge de Montemayor, *El cancionero del poeta...,* ed. A. González Palencia, Madrid, 1932.

Moñino, *Dicc.:* Antonio Rodríguez-Moñino, *Diccionario de pliegos sueltos poéticos (siglo XVI),* Madrid, 1970.

MPh: Modern Philology. Chicago.

NBAE: Nueva Biblioteca de Autores Españoles.

NRFH: Nueva Revista de Filología Hispánica, México.

Núñez, *Refranes:* Hernán Núñez, *Refranes o proverbios en romance que nuevamente colligio y glosso el Comendador Hernan Nuñez...,* Salamanca, 1555.

Padilla, *Thesoro:* Pedro de Padilla, *Thesoro de varias poesias,* Madrid, 1580.

Pisador: Diego Pisador, *Libro de musica de vihuela...,* Salamanca, 1552.

pl.s.: pliego suelto.

Pliegos poéticos B.N.M.: Pliegos poéticos góticos de la Biblioteca Nacional, 6 vols., Madrid, 1957-1961. *(Joyas Bibliográficas).*

Primavera: F. Wolf y C. Hofmann, *Primavera y flor de romances* (1856), reimpresa en Menéndez Pelayo, *Antología,* ts. VIII y IX.

Primavera y flor: Primavera y flor de los mejores romances, recogidos por el Licdo. Arias Pérez (Madrid, 1621), ed. J. F. Montesinos, Valencia, 1954.

Primeira parte dos autos: Primeira parte dos autos e comedias portuguesas. Feitas por Antonio Prestes, e por Luis de Camoes, e por outros autores portugueses..., Lisboa, 1587.

RABM: Revista de Archivos, Bibliotecas y Museos. Madrid.

RBAM: Revista de la Biblioteca, Archivo y Museo del Ayuntamiento de Madrid.

RDTP: Revista de Dialectología y Tradiciones Populares. Madrid.

RF: Romanische Forschungen. Köln.

RFE: Revista de Filología Española. Madrid.

RFH: Revista de Filología Hispánica. Buenos Aires.

RHi: Revue Hispanique. Paris.

Rodríguez Marín: Francisco Rodríguez Marín, *Cantos populares españoles,* 5 vols., Sevilla, 1882-1883.

Romancerillos de Pisa: R. Foulché-Delbosc, «Les romancerillos de Pise», *RHi,* 65 (1925), pp. 153-263.

Romancero general: Romancero general (1600, 1604, 1605), ed. A. González Palencia, 2 vols., Madrid, 1947.

Rouanet: Leo Rouanet, *Colección de autos, farsas y coloquios del siglo XVI,* 4 vols., Madrid, 1901.

Salinas, *De musica:* Francisco Salinas, *De musica libri septem,* Salamanca, 1577.

Séguedilles: R. Foulché-Delbosc, «Séguedilles anciennes», *RHi,* 8 (1901), pp. 309-331.

s.l.n.a.: sin lugar ni año.

Timoneda, *Sarao:* Juan Timoneda, *Sarao de amor,* Valencia, 1561.

Torner, *Lírica:* Eduardo M. Torner, *Lírica hispánica. Relaciones entre lo popular y lo culto,* Madrid, 1966.

Valdivielso, *Doce actos:* Josef de Valdivielso, *Doze actos sacramentales y dos comedias divinas,* Toledo, 1622.

Vásquez, *Recopilación:* Juan Vásquez, *Recopilación de sonetos y villancicos a quatro y a cinco* (Sevilla, 1560), ed. H. Anglés, Barcelona, 1946.

Vásquez, *Villancicos:* Juan Vásquez, *Villancicos y canciones a tres y a cuatro* (Osuna, 1551); extractado en Gallardo, *Ensayo,* t. 4, cols. 921-926.

Gil Vicente, *Copilaçam:* Gil Vicente, *Copilaçam de todalas obras...* (Lisboa, 1562), ed. facs., Lisboa, 1928.

ZRPh: Zeitschrift für Romanische Philologie. Tübingen.

I
LAS JARCHAS

EL NACIMIENTO DE LA LIRICA ESPAÑOLA
A LA LUZ DE LOS NUEVOS
DESCUBRIMIENTOS*

Allá en los primeros años del siglo XII, un escritor árabe refería que en la ciudad de Cabra había vivido siglos atrás un poeta ciego llamado Mucáddam, inventor de un nuevo género de poesía árabe. Uno de los rasgos notables de estas poesías era que solían incluir versos en la lengua de los cristianos, en español.

Es fácil imaginar que esta noticia ha inquietado a varias generaciones de filólogos. ¿Muchísimo antes, pues, de aparecer los primeros documentos de la lírica románica —de la lírica europea, en general— había ya en España una poesía en lengua romance? Pero todas las búsquedas emprendidas resultaron infructuosas; unas cuantas e inseguras palabras españolas halladas en tres textos árabes no permitían sacar conclusiones de ninguna clase.

Así las cosas, de pronto se publicaron en una revista científica nada menos que veinte poemitas del siglo XI al XIII, incluidos en poesías del tipo inventado por Mucáddam, aunque no precisamente árabes, sino hebreas (los poetas judíos de España adoptaron muchas de las formas poéticas de los árabes). Entre los autores de esas poesías hebreas hay nombres tan ilustres como Jehudá Haleví y Mosé ben Ezra. Se encon-

* Conferencia leída en el Ateneo Español de México en septiembre de 1952, y publicada en *Cuadernos Americanos*, 12 (1953), núm. 1, pp. 159-174. No la hubiera incluido aquí si no fuera porque K. Heger se interesó por las pocas aportaciones personales que contiene y las citó en su ya clásica edición de las jarchas.

traron los textos en una serie de manuscritos provenientes casi todos de la trastera *(Guenizá)* de una sinagoga de El Cairo. Al clima seco del Egipto, salvador de tantos papiros antiguos, debemos también la conservación de los papeles que se fueron amontonando siglo tras siglo en ese rincón de sinagoga, entre ellos —por fortuna nuestra— copias de los poemas de Jehudá Haleví y de otros poetas judíos contemporáneos.

La mayoría de los poemas que nos interesan se escribió entre los años de 1090 y 1140; pero uno de ellos es anterior al año 1042. ¡1042! Todo un siglo antes del *Poema del Cid,* hasta ahora considerado primer monumento de la literatura española, y más de medio siglo antes de las primeras poesías provenzales, supuestas iniciadoras de toda la lírica europea.

Lo curioso de este descubrimiento, que es sin duda alguna el más sensacional de la filología románica de las últimas décadas, es que se presentó en forma modestísima. Su autor es un joven hebraísta llamado S. M. Stern, radicado actualmente en Oxford; publicó los textos en la revista madrileña *Al-Andalus* de 1948, con el humilde título erudito de «Los versos finales en español de las muwashahas hispano-hebraicas», palabras que sólo para los iniciados podían tener algún sentido. De hecho, únicamente los lectores de esa revista especializada se enteraron del acontecimiento. La noticia no se divulgó hasta un año después, cuando Dámaso Alonso escribió en la *Revista de Filología Española* un extenso y fascinador ensayo titulado «Cancioncillas de amigo mozárabes; primavera temprana de la lírica europea». Señaló ahí la importancia del hallazgo, situándolo en el tiempo y el espacio, esbozando con admirable intuición todas sus consecuencias y todos sus problemas. Este artículo tuvo el resultado que no podía dejar de tener: sembró el asombro y el entusiasmo, y puso en movimiento por todas partes una serie de ruedas que sentimos que están girando, sin que todavía sepamos a punto fijo adónde irán a parar. Ya don Ramón Menéndez Pidal ha dado en el *Boletín de la Real Academia Española* (1951) su contribución a este hallazgo, que viene a ser milagrosa corroboración de una de sus más geniales intuiciones: la existencia de una «primitiva lírica española». Pero, claro está, el suceso es aún demasiado reciente para sacar conclusiones definitivas. Se espera también la aparición de nuevos textos; por lo pronto, Emilio García Gómez ha anunciado la próxima publicación de otra veintena de canciones, intercaladas esta vez, no en poemas hebreos, sino en poemas árabes.

Las jarchas

Pero vengamos a los hechos. ¿Qué son estas cancioncillas españolas del siglo XI? Para enterarnos es preciso tener una idea aproximada de lo que eran las poesías que las incluían, el género inventado por Mucáddam de Cabra a comienzos del siglo X y adoptado después por los poetas judíos. El nombre árabe de ese tipo de composiciones es *muwashaha*. Consiste en una introducción o «cabeza» de dos, tres o cuatro versos, seguida de una serie de estrofas; estas estrofas rematan en unos versos que vienen a ser como «remedo» de la introducción, pues repiten exactamente sus rimas (su nombre técnico es *qufl;* corresponde aproximadamente a la «vuelta» del villancico español). Las rimas vienen a quedar así (escojo uno de los varios tipos existentes): a a (cabeza) — d d d («bayt»)+a a (qufl») — e e e («bayt»)+a a («qufl»), etc.

Ahora bien, el último de estos «qufls» suele estar escrito en lengua de cristianos, en español. Su nombre técnico es *jarcha* (la *ch* reproduce imperfectamente el sonido [ŷ] de la palabra árabe).

Las jarchas podían escribirse también en árabe vulgar, o aun en árabe clásico, como el resto de la muwashaha; de hecho, sólo en esa forma se conocían hasta ahora. ¿Por qué tardaron tanto en aparecer las muwashahas con jarcha en español? Es muy explicable: porque los copistas las más de las veces no eran españoles, y al no entender la jarcha española la omitían, o más bien dejaban de copiar la muwashaha entera, porque la jarcha era elemento demasiado importante del poema.

Ese extraño final no era mera adición exótica a la muwashaha, sino que constituía su culminación; más aún: era su punto mismo de partida, pues el poeta que quería escribir una muwashaha escogía primero la jarcha y sobre ella construía toda la composición, empleando la rima de la jarcha en la cabeza y en los «qufls» anteriores. Un escritor egipcio del siglo XII nos dice de la jarcha:

> Una de sus reglas es que debe estar escrita en árabe vulgar y con palabras del habla popular callejera...; en ocasiones, la jarcha puede estar escrita en lengua española, pero aun entonces hay que cuidar que sea cálida, abrasadora, penetrante, asada al fuego del populacho y de los ladrones.

La jarcha, añade ese autor, es la «sal, ámbar y azúcar» del poema.

Tomemos un ejemplo. Jehudá Haleví escribe una muwashaha de condolencia a la muerte del hermano de un poeta amigo suyo; en la última estrofa dice (todavía en hebreo): «El canto del hermano solitario abrasa mi corazón como el canto de la doncella cuyo corazón late agitado porque llega el plazo de la cita y el amado no viene.» Y sigue la jarcha en romance, que dice (traduciéndola al español moderno):

> Viene la Pascua, y yo sin él.
> ¡Cómo arde mi corazón por él!

Es lástima que no podamos percibir el choque producido por la diferencia de idiomas, ni ver propiamente por qué la jarcha era la «sal, ámbar y azúcar» del poema. Sin duda, además de la diferencia de idiomas había una diferencia de tono; esos dos versos españoles son seguramente más directos, más llanos y sencillos que el resto del poema, y en contraste con él parecerían vulgares y hasta toscos (véase esa repetición de palabras en la rima). Pero hay otro contraste muy notable: el de los temas. ¿Qué tiene que ver el canto de una doncella que espera al amado con la muerte del hermano de un amigo?

El mismo contraste se ve en otras muwashahas; hay varios poemas panegíricos cuya jarcha es igualmente el canto de una muchacha enamorada; lo único que la liga al resto del poema es, en la última estrofa, una comparación análoga a la que hemos visto: «un canto entre quejas prepara, *cual* gacela (='enamorada') graciosa, sobre el amado...» ¿De qué manera explicar este hecho, si no como prueba de que en la jarcha los poetas recogían una canción popular, conocida de todos, que se cantaba por las calles andaluzas en el momento de escribirse la muwashaha, y quién sabe si no ya desde mucho antes...? Esta es, al menos, la opinión de los que se han ocupado de la materia hasta ahora.

Problemas

Al escribir la jarcha románica al final de sus muwashahas, los poetas hebreos y árabes no usaban caracteres latinos, sino los caracteres mismos de su lengua. Como el alfabeto hebreo y el árabe constan casi únicamente de consonantes y no tienen sino signos muy imprecisos para las vocales, la reconstrucción de una jarcha romance constituye toda una aventura. Así, al final de una muwashaha hebrea Stern encuentra las siguientes letras (sustituyo los caracteres hebreos por los latinos correspondientes):

kfr' m.mh myw 'lhbyb 'st'dy'nh

Si para nosotros este conglomerado amorfo de consonantes no tiene ningún sentido, Stern logra descubrir en él todo un poema. Lee:

¿Qué faré, mi mamma?
Meu -l-habib estad...

«¿Qué haré, mi madre? / Mi *al-habib* (es expresión árabe y equivale a 'amigo, amado') está...», y quedan sin resolver las últimas letras. El hebraísta español Francisco Cantera nos las descifrará, dándonos una versión completa y corregida:

¿Qué faré, mamma?
Meu al-habib est' ad yana (F, 4).

«¿Qué haré, madre? / Mi amado está a la puerta» *(yana,* del latín *janua,* que no sobrevivió en español): el cantar de una enamorada que no sabe si dejar entrar a su amigo, pues conoce los peligros.

Quedan patentes las dificultades. A veces no hay ningún signo de vocal; otras veces los hay, pero referidos a varias vocales: el alef (′), por ejemplo, puede ser *e* o *a;* la yod *(y)* puede ser *e* o *i,* y la uau *(w),* o o *u;* así *myw* puede leerse *meu* o *mio,* o también, como diptongo, *mieo* o *mieu.* Para decidir qué forma es, hacen falta los conocimientos lingüísticos: hay que conocer las formas que se usaban en la lengua de esa época. Menéndez Pidal ha aclarado ya una serie de voces dudosas; pero hay casos en que él mismo vacila, como, justamente, en el de *myw.*

A estos problemas se añade el hecho de que los copistas, que muchas veces no sabían español, equivocaban las letras, de modo que al hacer la interpretación hay que contar siempre con esta circunstancia. De las veinte jarchas conocidas, muchas no están aún bien descifradas. En todo caso es asombroso que tantas se hayan podido aclarar. He aquí ocho jarchas que casi no ofrecen ya dificultad (la numeración es la establecida por Stern y aceptada hasta ahora por todos; adopto en general la versión de Menéndez Pidal, que es la última y lingüísticamente más elaborada):

4) *Garid vos, ay, yermaniellas,*
¿cóm' conteneré mieu mali?
sin el habib *non vivreyu*
advolaréi demandari
(cf. F, 8).

Decid vosotras, ay, hermanillas,
¿cómo resistiré a mi pena?
Sin el amado no podré vivir,
volaré en su busca.

5) *Viénid la Pasca ed yo* (?) *sin*
[*ellu.*
¡Cóm' caned (?) *mieu co-*
[*rachon por ellu!*

Viene la Pascua, y yo sin él.
¡Cómo arde mi corazón por él!

9) *Vaise mio corachón de mib,*
ya Rab, *¿si se me tornarad?*
¡tan mal mio doler li-l-habib!
enfermo yed, ¿cuánd
[*sanarad?* (F, 10).

Vase mi corazón de mí.
Oh Dios, ¿acaso se me tornará?
¡Tan fuerte mi dolor por el
                                    amado!
Enfermo está, ¿cuándo sanará?

14) *¿Qué faré, mamma?*   ¿Qué haré, madre?
    Mio al-habib *est ad yana*   Mi amado está a la puerta.
    (F, 4).

15) *Gar, ¿qué farayu?*   Di, ¿qué haré?
    ¿cómo vivrayu?   ¿cómo viviré?
    est al-habib *espero,*   A mi amado espero,
    por él murrayu (F, 11).   por él moriré.

16) *¿Qué fareyo ou qué serad de*   ¿Qué haré, o qué será de mí,
                            [*mibi,*   amado?
    habibi?
        ¡Non te tuelgas de mibi!   ¡No te apartes de mí!
    (F, 19).

17) Al-sabah *bono, garme d'on*   Aurora buena, dime de dónde
                            [*vienis.*   [vienes.
    Ya l'i sé que otri amas,   Ya sé que a otra amas,
    a mibi non quieris (F, 20).   a mí no me quieres.

19) *Ve, ya* raqi, *ve tu vía,*   Ve, oh impertinente, ve tu vía,
    que non me tienes al-niyya   que no me tienes buena fe.
    (F, 21).

La lengua de estas jarchas no es castellana, sino mozárabe, esto es, el romance hablado en la España musulmana por
los cristianos y también por los árabes bilingües. En el siglo XI, el castellano estaba ya mucho más adelantado en su
evolución, mucho más cercano al español actual de lo que
lo están estos textos. Pero el castellano era una excepción:
todos los demás dialectos de la Península —el mozárabe entre
ellos— conservaban rasgos de mayor arcaísmo. Cuando el
castellano decía ya *hermanillas, es, él, puerta,* el mozárabe
empleaba *yermaniellas, yed, ellu, yana,* y usaba toda clase de
arcaísmos, como *mibi* («mí») el futuro *vivreyu, farayu, murrayu (-eyu, -ayu* vienen del latín *habeo),* y ese extraño *gar,
garme, garid,* desconocido antes del descubrimiento de las
jarchas, que evidentemente equivale a «di», «dime», «decid».
Otra característica del dialecto mozárabe es la abundancia
de arabismos. Nuestras jarchas son magnífico reflejo de este
fenómeno: *habibi* y *al-habib, al-sabah, raqi, al-niyya;* entre las

demás jarchas hay varias escritas mitad en árabe, mitad en romance. No deja de ser curiosa tal profusión de arabismos en jarchas incluidas en poemas hebreos. Se nos revela aquí claramente la triple contextura de esa sociedad: cristianos, árabes y judíos, y se nos revela además, en forma simbólica, un aspecto del papel desempeñado por cada uno de esos elementos: las cancioncillas mozárabes, concebidas en romance y en el estilo de los cristianos, sirven de inspiración a una nueva creación cultural de los árabes, que los judíos habrán de adoptar y continuar.

Lírica andaluza, lírica gallego-portuguesa, lírica castellana

Los primeros textos poéticos de la Romania provienen, pues, de Andalucía —la «eterna Andalucía», como dice Menéndez Pidal, famosa ya en tiempo de Marcial por sus cantos y danzas—. Este hecho servirá seguramente de nuevo argumento a la teoría del origen andaluz de la lírica española y europea. Ya ahora, Dámaso Alonso cree posible que los mozárabes trasmitieran sus canciones al resto de España, dando lugar a la lírica tradicional gallego-portuguesa y castellana. Alonso funda esta conjetura en una circunstancia realmente asombrosa: la semejanza que hay entre las cancioncillas mozárabes y la lírica posterior de la Península: la gallego-portuguesa de los siglos XII y XIII y la lírica popular castellana recogida en los siglos XV a XVII.

Hemos visto que casi todas las jarchas son confesiones de amor de una doncella. ¿Qué otra cosa son las llamadas «canciones de amigo» gallego-portuguesas?

Moyro d'amores que mi deu meu amigo...

¿Y qué cosa son tantas canciones femeninas castellanas de los siglos XV a XVII?

Amores me matan, madre... (A, 278).

Aquel gentilhombre, madre,
caro me cuesta el su amor (F, 315).

Y aquí tenemos ya otra coincidencia notable: «¿Qué faré, *mamma?*», «Amores me matan, *madre*». Esta invocación a la madre, convertida en consejera de amores, se encuentra en varias otras jarchas, y es frecuentísima en la lírica tradicional galaico-portuguesa y en la castellana, tan frecuente que Lope pudo decir: «Sin niña y madre no hay letra.» En la jarcha 4 la invocación se hace a las hermanas, a las *yermaniellas;* este rasgo, desconocido en la lírica castellana, es común en la gallega antigua:

> *Bailemos nós ja todas tres, ai irmanas...* (F, 53).

Coincidencia también en los temas: lamentos de ausencia, reproches de celosa, rechazo del infiel o del atrevido. Es cierto que son temas universales, que pueden surgir independientemente en todas épocas y lugares; pero aquí aparecen expresados con el mismo clima poético, con giros y fraseología a menudo idénticos. La doncella mozárabe «cuyo corazón late agitado porque llega el plazo de la cita y el amado no viene» canta:

> *Viénid la Pasca ed yo sin ellu.*
> *¡Cóm' caned mieu corachón por ellu!*

Un siglo después, una joven gallega exclamará:

> *Non ven o que ben queria!*
> *ai Deus, val!*
> *Cóm' estou d'amor ferida!*

Y otros tres siglos más tarde oiremos a Melibea cantar en ansiosa espera:

> La media noche es pasada,
> y no viene;
> ¡sabed si hay otra amada
> que lo detiene! (F, 222).

El mismo tono patético y exaltado; las mismas exclamaciones.

Y así, también, esas preguntas enfáticas de las canciones mozárabes: *¿Qué faré?*, *¿Qué farayu? ¿cómo vivrayu?* tienen su paralelo posterior; en la lírica gallega:

> *Que farei agor', amigo?*
> *pois que non queredes migo*
> *viver.*

> *...pois non ven meu amigo,*
> *pois non ven, que farei?...*
> *Mia madre, como viverei?*

En la lírica popular castellana:

> ¿Adónde iré? ¿qué haré?,
> que mal vecino es el amor (F, 338).

> No duermen mis ojos,
> madre, ¿qué harán?
> Amor los desvela,
> ¿si se morirán? (A, 751).

Por él murrayu, dice la misma jarcha 15, y una canción de amigo:

> *Foi-s' un dia meu amigo d'aqui...*
> *madre, ora morrerei;*

en castellano:

> Por aquí daréis la vuelta,
>   el caballero;
> por aquí daréis la vuelta,
>   si no, me muero (F, 164).

La jarcha 9 comienza *Vaise mio corachon de mib*, y en el siglo XVI es muy conocido el principio de canción «Vanse mis amores», «Vaisos amores»; y hasta el *¿si se me tornarad?* reaparece en una cantiga de Gil Vicente:

Vanse mis amores, madre,
luengas tierras van morar,
yo no los puedo olvidar,
¿quién me los hará tornar? (F, 243)

También es del siglo XVI la canción:

¿De dónde venís, amore?
—Bien sé yo de dónde (F, 224),

que nos recuerda el *garme d'on vienis* de la jarcha 17.
Y aun podrían multiplicarse los paralelos:

Ve, ya raqi, ve tu vía,
que non me tienes al-niyya,

y el cantar castellano:

Caballero, andá con Dios,
que sois falso enamorado...

El origen popular

La remota lírica mozárabe no se nos presenta, pues, como
un hecho aislado, sino extrañamente enlazada con la lírica
tradicional española de los siglos posteriores. De ahí su importancia para explicar los orígenes de ésta. Ahora, por vez
primera, las especulaciones sobre el nacimiento de la lírica
española pueden pisar terreno más firme, aunque no tan
firme que no quepan en él las más variadas y contradictorias
hipótesis. Algunos considerarán el descubrimiento como una
solución ya definitiva: toda la lírica posterior proviene de
esa lírica creada en el siglo XI. Para otros, el hallazgo no será
sino nuevo trampolín para lanzarse a un pasado aún más
remoto; explicarán la lírica mozárabe como mero eslabón
de una cadena mucho más antigua. Tal es el caso de Menéndez Pidal. Para él el descubrimiento ha sido feliz comproba-

ción de una idea que le ha acompañado a lo largo de su vida de investigador: detrás de los primeros testimonios escritos hay una larga tradición —escrita u oral—, cuyos vestigios se han perdido. Muchas obras no llegaron jamás a escribirse, por no creerse en aquella época de suficiente valor literario, y las que se escribieron han estado sujetas a un constante peligro de destrucción, del cual no se han salvado sino por milagro. Antes de cada documento milagrosamente conservado hay, pues, una serie de producciones desconocidas, mantenidas en lo que Menéndez Pidal llama «estado latente».

Hace treinta años, cuando de la lírica popular peninsular no se conocía sino la contenida en los antiguos cancioneros gallego-portugueses y en los castellanos del Renacimiento, Menéndez Pidal explicaba ambas manifestaciones como «fragmentos de un conjunto peninsular» anterior, como dos derivaciones de una «primitiva poesía lírica española», de la cual él encontraba testimonios en las crónicas antiguas. Ahora, ante el nuevo descubrimiento, Menéndez Pidal no canta victoria, no dice: he aquí la primitiva poesía lírica peninsular; sino que, fiel a sus principios, se remonta aún más allá: las canciones mozárabes no son sino otra rama de ese tronco lírico antiquísimo. Dice:

> Al lado de la poesía latina, escrita por clérigos de la alta Edad Media, hubo una lírica en lengua latina vulgar y románica primitiva, poesía cantada por el pueblo iletrado, lírica que nadie pensaba escribir...

De estas palabras se desprende otra idea fundamental: en la base de la lírica española está una lírica popular. Así como el idioma español es producto de la evolución del latín hablado en boca del pueblo iletrado, así también los elementos más autóctonos de la poesía lírica española son producto espontáneo del pueblo bajo.

La idea del origen popular de la lírica no es nueva. Tiene sus raíces en el romanticismo. Aplicada a la literatura francesa, por ejemplo, contó con ilustres representantes en la crítica literaria del siglo XIX y comienzos del XX. Pero hubo después contra ellos una violenta reacción; se dijo que la literatura era siempre literatura, esto es, engendro de espíritus letrados, cultos, y que el pueblo era incapaz de crear nada. Esta tendencia tiene hoy muchos representantes; pero parece haber, por otro lado, un retorno a la teoría del origen popular.

Podrían hacerse varias objeciones a la teoría popularista. El pueblo bajo, según ella, cantaba canciones desdeñadas por las demás clases sociales y desatendidas por la producción literaria culta. Pero ¿no ocurre más bien que la poesía folklórica suele andar, no sólo en boca del pueblo bajo, sino en la de todos los amantes de la alegría y del canto, sean de la clase que fueren, y que a pesar de cantarlas la gente culta no se les concede dignidad artística alguna? De la segunda mitad del siglo xv sabemos positivamente que los nobles y cortesanos se complacían en los romances y villancicos, que cantaban con armonizaciones hechas por los músicos de la corte. Y sin embargo, pocas colecciones de poesía de la época incluyen romances o villancicos tradicionales. Hoy mismo, con toda nuestra pasión por el folklore, no se nos ocurriría incluir un corrido mexicano o «La llorona» en una antología de la lírica mexicana contemporánea. Mantenemos la poesía popular bien aisladita en publicaciones especiales, destinadas, ya a los amantes del canto, ya a los investigadores del folklore: nunca a los lectores de poesía. La única poesía popular que ha merecido hasta ahora el aprecio literario de los cultos es la del pasado.

Así que el hecho de que en la alta Edad Media las canciones populares no merecieran la atención de los poetas cultos no prueba que fueran patrimonio exclusivo del vulgo iletrado, sino sólo que, como en todas las épocas, su total fusión con la música, su lenguaje rústico, su falta de artificio y simplicidad y a menudo su pobreza las hacían incompatibles con la «poesía de arte».

Poesía popular, pues, pero con esta salvedad. Y con otra salvedad más. La idea romántica de que la poesía popular es brote espontáneo del alma humana, humilde flor de los campos, nacida al calor de las emociones sinceras, expresión por eso del verdadero espíritu nacional, parece descartada desde hace mucho, y sin embargo la verdad es que constituye aún el supuesto básico de muchos de los que apoyan la teoría del origen popular. Y es un hecho que en la poesía popular suele haber mucho de literatura, que sus autores mismos tienen a menudo cierta cultura erudita. En esas canciones populares de la alta Edad Media ¡cuántas reminiscencias de la Biblia y de los clásicos no habría! [1]

Así, variedad del elemento humano, complejidad de orígenes, y además diversidad de tipos, porque la poesía popular de una época no constituye un conjunto uniforme, sino que se desgaja en una serie de géneros diferentes. Ahora mismo, en México, por ejemplo, hay canciones rancheras, corridos narrativos y corridos líricos, sones, huapangos, etc. No hay por qué suponer que en otras épocas, por remotas que sean, el panorama fuera menos complejo. Al lado de las cancioncillas de amigo, los andaluces del siglo XI cantarían también canciones humorísticas, satíricas, canciones narrativas, y quién sabe cuántas cosas más. Y en el resto de la Península se conocían quizá algunas de esas canciones y otras de tipo distinto.

Es difícil creer, por lo tanto, en un tronco único de primitiva poesía lírica, que se conservara intacto a lo largo de muchos siglos. Porque entre los distintos tipos de poesía cantada de cierta época, algunos tienen la fortuna de sobrevivir largo tiempo, otros son de vida más breve; algunos logran viajar y ganar partidarios en lugares lejanos, mientras que otros, más humildes, nunca salen del pueblo, de la ciudad, de la región que les dio origen. Podemos imaginarnos el panorama como un mapa fluvial, sembrado de ríos de todas proporciones, atravesado por grandes corrientes, que a veces fluyen paralelas e independientes, otras se entrecruzan, otras unen sus aguas en un solo cauce, para volver quizá a separarse nuevamente; con afluentes y subafluentes, con efímeros riachuelos y arroyos sin futuro.

---

[1] Sobre el carácter «popular» de las jarchas, véase también *infra*, pp. 115 s., y el libro citado arriba, p. 1, nota.

Esta perspectiva nos obliga en realidad a mantenernos en una posición de reserva. Adivinamos un panorama complejísimo, del cual no conocemos sino algunos —poquísimos— elementos. ¿Qué son las jarchas, las canciones de amigo gallego-portuguesas, los villancicos castellanos? En realidad, otros tantos testimonios de esa complejidad. Porque debemos reconocer que no todo son semejanzas entre esas tres tradiciones; que, por lo contrario, las diferencias son muchas y grandes. Ya entre las escasas veinte jarchas que conocemos hay temas que ni por asomo aparecen en la lírica posterior, y sobra decir que en ésta hay muchísimos temas que nada tienen que ver con las jarchas; no sólo temas: expresión, ambiente poético. Para citar un ejemplo, es evidente que al lado del *pathos* suele haber en los villancicos castellanos una ligereza, una gracia absolutamente extraña a las canciones mozárabes conocidas:

> Morenica me era yo,
> dicen que sí, dicen que no.
>
> Unos que bien me quieren
> dicen que sí;
> otros que por mí mueren
> dicen que no.
>
> Morenica me era yo,
> dicen que sí, dicen que no (F, 204).

Primitiva lírica de la Romania

Pero antes de quedarnos sin un palmo de tierra firme que pisar, volvamos a las certidumbres, que también las hay. Hemos admitido ya, como un hecho indudable, la existencia en España de poesías líricas cantadas en romance desde tiempos muy remotos, muchísimo antes de aparecer los primeros testimonios escritos, antes también de escribirse las canciones mozárabes. Lo malo —o lo bueno— de esta afirmación es que trae como consecuencia ineludible otra afirmación aún más ambiciosa. Para decirlo con las palabras de Menéndez Pidal: que «todos los pueblos románicos tuvieron en la Edad Media cantos líricos populares, aunque no se conserven». «Esos cantos, añade, indudablemente nacieron en toda la Romania a la vez que las lenguas románicas nacían, diferenciándose cada vez más del latín escrito.»

Cuando Menéndez Pidal y también Dámaso Alonso asentaron esta tesis como mera deducción lógica, no sospechaban quizá que los hechos, examinados de cerca, la corroborarían plenamente. Concentrémonos en Francia. En los siglos XII a XIV existía la costumbre de intercalar en ciertos poemas cultos breves cancioncillas, *refrains*, que no son otra cosa que «canciones de amigo» a la francesa. Se les ha dado el nombre de *chansons de femme*, y muchos han visto en ellas restos o reflejos de una lírica popular muy anterior. Unas tienen ya todo el carácter dialéctico de la lírica cortesana del tiempo, pero en otras hay una frescura e inmediatez que contrasta fuertemente con ella:

> *E ai! ke ferai?*
> *je muir d'amourettes!*
> *comant garirai?*

«Ay, ¿qué haré? De amores muero, ¿cómo sanaré?» ¿No es esto extrañamente parecido a las jarchas mozárabes?[2] El «ke ferai?», el «comant garirai?» (recuérdese la jarcha 9: «¿cuánd sanarád?»), y esa alternancia de exclamaciones y preguntas. En la jarcha 9, desde el segundo verso, después de la exclamación «oh, Dios» ('ya Rab'), viene la pregunta «¿si se me tornarád?»; en seguida, otra exclamación: «tan mal mio doler li-l-habib», y, después de «enfermo yed», nueva interrogación: «¿cuánd sanarád?» En la canción francesa: «E ai!» (exclamación), «ke ferai?» (pregunta), «je muir d'amourettes!» (exclamación) «comant garirai?» (pregunta).

El *ke ferai?* es muy frecuente en las *chansons de femme*; una dice «¡Ay, Dios!, ¡dulce Dios!, ¿qué haré? / ¡por su gran

---

belleza moriré!» (como en la jarcha 15: «¿Qué farayu?... por él murrayu»). Y otras preguntas: una jarcha no incluida en nuestra selección dice:

> ...garme cuánd me vernad mio habibi Ishaq

(«dime cuándo me vendrá mi amado Isac»). En Francia: «Dios, demasiado tarda, / ¿cuándo vendrá? / Su tardanza me matará.»

Estos lamentos de nostalgia amorosa son tan frecuentes en los *refrains* franceses como en las jarchas mozárabes. Así: «¡Ay, Dios! ¿cuándo veré a aquel que amo?», «¡Ay, Dios! ¿cuándo vendrá mi dulce amigo *(mes tres doux amis)?»*,

> Revenez, revenez,
> dous amis, trop demourez

(también, como en España, con la palabra «amigo»).

Por otra parte, el rechazo del pretendiente atrevido. Una jarcha aún no bien descifrada comienza:

> Non me tancas, ya habibi,

«no me toques, oh amado»; y las doncellas francesas dicen:

> N'atouchiés pas a mon chainse, sire chevalier

«no me toquéis la camisa, el caballero».

La relación es evidente. Pero, claro, sucede lo mismo que con la lírica española: las diferencias son igualmente visibles. *Mes tres doux amis:* hay en la mayoría de las cancioncillas francesas un tono blando, apacible, idílico, que suele manifestarse hasta en relación con los temas de ausencia y olvido:

> He amis, li biaulz, li doz,
> trop m'aveis obliée.

Más frecuente que estos temas es la afirmación alegre y confiada del amor:

J'ai amin coente et joli,
et je seux sa loiaul amie;

y este amor es a menudo adúltero y trae consigo el escarnio del marido, viejo y villano.

Esto ya es otra cosa: esto ya es Francia.

De modo que tenemos el mismo fenómeno observado dentro de España: semejanzas, pero también diferencias. Se ha hablado de un gran conjunto lírico primitivo de la Romania; más probable es la existencia de diversas tradiciones, aisladas unas, emparentadas otras; algunas puramente regionales, otras nacionales, otras comunes a toda la Romania. El mismo panorama fluvial que imaginamos para España.

Vemos, pues, qué torbellino de problemas suscita este descubrimiento, estas veinte canciones encontradas en viejos papeles arrumbados en un rincón de sinagoga egipcia.

¿Qué fareyo ou qué serad de mibi,
habibi?
¡Non te tuelgas de mibi!

Detrás de la sencilla belleza de estas palabras acechan mil preguntas escabrosas, preguntas de orden lingüístico, preguntas sobre los orígenes: los de la lírica española y los de la lírica europea.

En las «canciones de amigo» gallego-portuguesas de los siglos XII y XIII, en los cantares tradicionales castellanos del Renacimiento y hasta en las *chansons de femme* francesas de los siglos XII a XIV hemos encontrado elementos asombrosamente parecidos a los de la primitiva lírica mozárabe: el «¿qué haré?», la invocación al amigo *ami-habibi*, las preguntas angustiosas, las exclamaciones patéticas; todo ello para expresar los mismos temas de ausencia, de espera, de nostalgia amorosa. Esto no puede ser mera coincidencia. Es inconcebible que esos elementos comunes surgieran independientemente en Andalucía, en el norte de España, en Castilla y en Francia. O tienen una fuente común, o —lo que es más probable— se crearon en un lugar determinado y desde ahí irradiaron hacia las demás regiones. Pero ¿dónde se encuentra ese lugar de origen?

¡Cuántas lanzas no se romperán en los años venideros sobre esta pregunta! ¡A qué disputas, sarcasmos, violencias no darán lugar estas inocentes cancioncillas mozárabes, bellas durmientes de un sueño milenario! Nosotros tenemos ahora el incalculable privilegio de contemplarlas aún en su virginal pureza, de verlas salir vacilantes del cascarón, de seguir embelesados sus primeros pasos. No pensemos en su futuro de grandes señoras, conocidas de todos, aclamadas y vituperadas por quienes ya no sabrán ver su belleza, demasiado pregonada.

JARCHAS MOZARABES Y REFRAINS FRANCESES *

«Primavera temprana de la lírica europea» es el subtítulo
que Dámaso Alonso dio a su revelador ensayo sobre la lírica
mozárabe, prueba para él de que en toda Europa existía un
cancionero popular mucho antes de aparecer la primera lírica
escrita. Prueba también para Menéndez Pidal: «Todos los
pueblos románicos tuvieron en la Edad Media cantos líricos
populares, aunque no se conserven.» Pensamos en seguida
en los *refrains* medievales franceses, en que Bartsch y Wak-
kernagel, entre otros, quisieron ver reliquias y Jeanroy imitaciones de antiguos cantos populares. Jeanroy llegó a la conclusión de que los *refrains* se escribieron casi todos en los
siglos XIII y XIV y llevan el sello de la poesía cortesana del
tiempo, pero que algunos, más populares, demostraban la
existencia de una lírica de mucha mayor antigüedad; de éstos,
gran parte son canciones puestas en boca de una doncella,
chansons de femme.

Si a la luz de las jarchas mozárabes examinamos esas
canciones femeninas de la alta Edad Media francesa, encon-
traremos una serie de asombrosas coincidencias, tan asombrosas como las halladas en las canciones de amigo gallego-
portuguesas y castellanas. Coincidencia de temas: lamentos
de nostalgia y ansiosa espera, rechazo del atrevido, pero ante

* Esta nota se publicó en la *NRFH*, 6 (1952), pp. 281-284. Igual que
el artículo anterior, se limita, como es obvio, a las jarchas de la serie
hebrea, puesto que las de la serie árabe no se habían publicado aún.

todo —y esto es lo importante— coincidencia en la expresión, en el clima poético.

Son típicas en las jarchas las interrogaciones angustiosas, que a menudo alternan con patéticas exclamaciones (cito en general la versión de Menéndez Pidal): *¿Qué faré, mamma?* (jarcha 14 en la numeración de Stern), *¿Qué fareyo ou qué serad de mibi, / habibi? / ¡Non te tuelgas de mibi!* (jarcha 16), ...*¡Ya Rab! ¿si se me tornarad?* (jarcha 9), etc. Estas preguntas y exclamaciones aparecen en muchos estribillos franceses: [1]

> *Biaus doz amis, por quoi demorés tant?*
>
>   (Raynaud, I, p. 13, v. 29);

> *Qu'ai je forfet*
> *a bon amor qui traï m'a?*
>
>   (Gennrich, núm. 106);

> *Hareu! coument mi mainterrai?*
> *amours ne mi laissent durer.*
>
>   (Gennrich, núm. 46);

> *He Diex! quant verrai*
> *cheli que j'aim?*
>
>   (Gennrich, núm. 76).

He Diex! equivale evidentemente a *¡Ya Rab!* Muchas son las coincidencias verbales de este tipo:

1) *¿Qué faré?* (jarcha 14), *¿qué farayu?*, *¿qué fareyo?* (jarchas 15 y 16):

---

[1] Cito por las siguientes obras: GASTON RAYNAUD, *Recueil de motets français des xii⁰ et xiii⁰ siècles*, 2 vols., Paris, 1882-1884; FRIEDRICH GENNRICH, *Rondeaux, Virelais und Balladen aus Ende des 12., dem 13. und dem ersten Drittel des 14. Jahrhunderts*, 2 vols., Desden, 1921-1927 (*Gesellschaft für romanische Literatur*, vols. XLIII y XLVII); KARL BARTSCH, *Altfranzösische Romanzen und Pastourellen*, Leipzig, 1870 (los números romanos indican las secciones del libro).

Amors ai!
qu'en ferai?...
(Bartsch, I, núm. 53*b*);

Aymi, Dieus! aymi! aymi!
qu'en ferai?
(Gennrich, núm. 109);

E bone amour,   je me mur, ke ferai?
par ma follour   mon amin perdu ai.
(Bartsch, II, núm. 51).

2) *Gar, ¿qué farayu? / ...por él murrayu* (jarcha 15):

Hé, Dieus! dous Dex! que ferai?
Pour sa grant biautei morrai.
(Gennrich, núm. 55);

O! que ferai?
d'amer morrai,
ja nen vivrai [cf. non vivreyu, jarcha 4].
(Bartsch, III, núm. 46, vs. 30-32);

Duez en mi ai ai!
J'ai a cuer les malz dont je morrai.
(Bartsch, II, núm. 32).

3) *...¿cuánd sanarad?* (jarcha 9):

E ai! ke ferai?
je muir d'amourettes,
comant garirai?
(Gennrich, núm. 195);

Au cuer les ai, les jolis malz:
coment en guariroie?
(Bartsch, I, núm. 25).[2]

2 La idea suele presentarse también en otra forma: «E[n] non Dieu,
amors me tienent, / ja n'en garirai» (RAYNAUD, I, p. 11, vs. 84-85); «Coment
garira dame sens ami, / cui amors mehaigne?» (BARTSCH, I, núm. 38,

4) *Garme cuánd me vernad / mieu habibi Ishaq* (jarcha 2):

> *Hé Dieus! quant vandra*
> *mes tres doux amis?*
>
> (Gennrich, núm. 105);

> *Dex! Trop demeure, quant vendra?*
> *sa demourée m'ocirra.*
>
> (Gennrich, II, p. 158);

> *Dex! Trop demeure, quant vendra?*
> *loing est, entroubliee m'a.*
>
> (Bartsch, III, núm. 28, vs. 9-10).

5) Para el *Non me tancas, ¡ya habibi!* de la jarcha 8, Menéndez Pidal no encuentra paralelo exacto en la lírica peninsular; la francesa nos ofrece:

> *A moi n'atouchies vos ja...*
>
> (Bartsch, II, núm. 99, vs. 10-11);

> *N'atouchies pas a mon chainse,*
> *sire chevalier.*
>
> (Bartsch, I, núm. 49, vs. 29-30).

6) El *Ven, cidi, veni* de la jarcha 1 hace pensar en un estribillo del *Cléomadès* de Adenet le Roy (GENNRICH, núm. 323):

> *Revenez [or] revenez,*
> *dous amis, trop demourez.*

No serán éstas las únicas coincidencias. Por otra parte, habrá que tener cuidado en no considerar rasgo común de las primitivas canciones románicas giros que podían ser co-

---

vs. 89-90). Nótese que en todos estos casos es la *amada* la enferma, y, en uno de los ejemplos, su corazón. Esto viene a dar apoyo a la versión de Todros Abulafia. No he encontrado en los estribillos franceses la idea del amado enfermo.

rrientes en las lenguas romances y hallarse sólo al azar en sus producciones líricas. [3] Tampoco será acertado reparar únicamente en las semejanzas: las diferencias entre la lírica francesa y la lírica mozárabe son más y mayores (lo mismo que las diferencias entre ésta y las canciones gallego-portuguesas y castellanas). Falta en las *chansons de femme* la importante invocación a la madre y a las hermanas. También es evidente que mucho más que los lamentos de amor y ausencia abundan en esos estribillos las afirmaciones alegres y confiadas del amor feliz:

> *Biaus amis dos,*
> *tote la joie que j'ai*
> *me vient de vos.*
>
> (Bartsch, III, núm. 35, vs. 57-59),

y que hasta el tema de la nostalgia suele expresarse en ese tono blando e idílico:

> *He amis, li biauls, li doz,*
> *trop m'aveis obliee.*
>
> (Bartsch, II, núm. 11, vs. 10-11).

No cabe hablar, probablemente, de una gran tradición lírica conjunta de la Romania (ni tampoco, a mi ver, de un

---

[3] No me atrevo por eso a asociar el *Ve, ya raqi, ve tu vía* con el «Lévati dalla porta, / vàtten alla tu via» de la cantilena 52 de Carducci (cf. JEANROY, *Les origines de la poésie lyrique en France*, 3.ª ed., Paris, 1925, p. 148). En el mismo caso está, en mi opinión, el *Corazón, sigue tu vía* aducido por MENÉNDEZ PIDAL, *Cantos*, p. 237. Podría decirse que también el *¿qué haré?* era demasiado común en el habla de toda España y de Francia para que se le pueda emplear como punto de comparación entre sus líricas; pero la frecuencia del giro, empleado para las mismas situaciones, en la lírica mozárabe, la gallego-portuguesa y la francesa, es demasiado notoria. En cambio, no parece característica de la poesía lírica la doble construcción *¿Qué fareyo ou qué serad de mibi?* de la jarcha 16: «¡Mesquina! ¿qué faré o qué será de my?», exclama doña Urraca en la *Crónica de Veinte Reyes* (en la *Crónica de 1344* el pasaje dice: «¿Qué faremos o qué será de nos?»; cf. MENÉNDEZ PIDAL, *art. cit.*, p. 240, nota), y en la anónima *Farsa Penada* del siglo XVI: «Ah, Joãme, que faremos / ou que sera de nos?»

tronco único dentro de España), sino de una serie de tradiciones distintas, de las cuales unas viajaron, mientras otras quedaron confinadas en una sola región. En cuanto al lugar de origen de esas tradiciones viajeras, difícil, si no ya imposible, será precisarlo. [4]

[4] Terminada ya esta nota, he leído el interesante artículo de AURELIO RONCAGLIA sobre «una tradizione lirica pretrovadoresca in lingua volgare», *CuN*, 11 (1951), pp. 213-249; establece también el paralelo jarchas-*refrains*, desde un punto de vista formal a la vez que temático, citando algunos ejemplos. Compara la jarcha 17, *ya l'i sé que otri amas, / a mibi non quieris*, con el verso (no de estribillo) *autri amastes, si obliastes nos* de «Bele Erembor». — El *Traiés vos la, qui n'amés mie par amor* y el *Va t'en la qui n'aimme mie, va t'en la* corresponden a un tema distinto del de *Ve, ya raqi, ve tu vía...* (rechazo individual de un amante infiel o desatento): los que no saben de amor no tienen derecho a participar en el baile. [Ver también L. Spitzer, *Comparative Literature*, 4 (1952), pp. 1-22; K. Heger, *Die bisher veröffentlichten Hargas und ihre Deutungen*, Tübingen, 1960, *passim*.]

II

VIDA Y SUPERVIVENCIA
DE LA
CANCION POPULAR

DIGNIFICACION DE LA LIRICA POPULAR
EN EL SIGLO DE ORO *

A José F. Montesinos

«Si queremos acercarnos de veras a la literatura de los siglos XV y XVI —dice Américo Castro—, [1] hemos de tener muy presente aquel místico fervor de los humanistas, que soñaban con un mundo que se bastase a sí mismo, libre de los malos afeites con que lo habían rebozado el tiempo, el error y las pasiones: terso y brillante como al salir del divino y natural troquel. En dos direcciones principales se proyecta ese anhelo. Una va hacia un pasado quimérico, la edad dorada o de Saturno; otra hacia el presente, con aspiración a hallar realmente algo que pertenezca a esa pura naturaleza. El Re-

---

* Este trabajo, publicado en *Anuario de Letras* (México), 2 (1962), pp. 27-54, es reelaboración del primer capítulo de mi tesis *La lírica popular en los Siglos de Oro*, impresa en México, 1946 (tirada de 100 ejemplares). Cf. la reseña de J. F. MONTESINOS, NRFH, 2 (1948), pp. 292-295. De mi tesis procede en gran parte el planteamiento general de la cuestión; no, en cambio, el estudio concreto de la trayectoria que la lírica popular recorrió dentro de las letras hispánicas. Seguiré esta trayectoria que la lírica popular recorrió dentro de las letras hispánicas. Seguiré esta trayectoria a través de los géneros literarios, estudiando dentro de ellos las principales manifestaciones de la dignificación y mencionando los autores que más utilizaron la lírica popular. [Sobre este tema puede consultase también mi estudio *Entre folklore y literatura. (Lírica hispánica antigua)*, México, 1971.] Empleo como equivalentes los términos «poesía popular», «poesía folklórica» y, alguna vez, «poesía tradicional». La expresión «poesía de tipo popular» designa no sólo la poesía auténticamente folklórica, sino también la escrita a imitación de ella.
1 *El pensamiento de Cervantes*, Madrid, 1925, p. 178.

nacimiento idealizará los niños y sus juegos; el pueblo, sus cantares y sus sentencias, que se juzgan espontáneas y primitivas (refranes); el salvaje no adulterado por la civilización; se menospreciará la corte y se alabará la aldea.»

Desde hace tiempo se ha abandonado ya la creencia de que España no tuvo Renacimiento. España vivió el Renacimiento con todo su complejo de ideas, de tendencias, de corrientes artísticas, y lo vivió de una manera original, confiriéndole perfiles propios. Basta ver la amplia y fecunda floración que alcanzó una de sus tendencias primordiales: la exaltación de lo natural y primitivo. Nació este impulso de una idea típica del neoplatonismo renacentista: que el hombre es perfecto por naturaleza. Al «salir del divino y natural troquel», el hombre era bueno y feliz, porque llevaba en sí, inalterados y puros, los gérmenes de lo divino. Pero después vinieron la cultura y la civilización, y con ellas los afeites y las máscaras, la codicia, el fraude, las guerras, que corrompieron a la humanidad. De ahí la utopía pre-rousseauniana de la «edad de oro», suma de todas las perfecciones: «todo era paz entonces, todo amistad, todo concordia». Y además, la otra «dirección» de que habla Castro: la búsqueda tenaz de cuanto en la realidad contemporánea representara más fielmente a aquella perfecta humanidad primitiva; los seres que no habían pasado aún por el cedazo destructor de la civilización y que conservaban el resplandor de lo divino.

Surgió así la idealización del salvaje —el «villano del Danubio»—, fomentada por el descubrimiento y la conquista de América. Y el auge de la literatura pastoril: la novela, con sus Filis y Cardenios; la égloga con sus pastores refinadamente toscos. Ambas manifestaciones no son menos ficticias ni menos utópicas que la «edad dorada». Y es que se trata siempre de una construcción del espíritu, y aun podemos decir, de la razón; es que, añade Américo Castro, «lo rústico y aldeano fue tomado como base para proyectar desde ella cierta visión de la vida perfecta; mas como esa visión procede de una serie de deducciones racionales y esquemáticas, al amoldarse dentro de un género literario, forzosamente había de conservar su carácter esencialmente quimérico y racionalista» (*op. cit.*, p. 187).

El anhelo de lo natural condujo además a la dignificación del refrán, que fue considerado «expresión de la sabiduría inmanente, por modo místico, en el ser humano» *(ibid.,* p. 192). Dijo Juan de Valdés: «Lo mejor que los refranes tienen es ser nacidos en el vulgo»; y Mal Lara, en el Preámbulo de su colección de refranes intitulada *La philosophia vulgar:* «no hay refrán que no sea verdadero, porque lo que dice todo el pueblo no es de burla.»

El pueblo: aquel otro representante de la humanidad primitiva y perfecta, que había quedado lejos del cauce perturbador de la civilización. En este caso no fue el vulgo mismo el idealizado, sino los productos de su sabiduría natural y de su «musa ingenua». Porque no sólo se glosaron y coleccionaron sus refranes: también se recogieron sus poesías y sus canciones. Y esas canciones del pueblo, esos romances y cantarcillos, tenían un sabor muy peculiar, una sencillez y una facilidad que resaltaban agradablemente frente a la conceptuosa poesía cortesana de la época; era como brisa refrescante después de sequía. Se descubrieron en ellas bellezas insospechadas, y se halló confirmado aquello que decía Montaigne: «La poesía popular y puramente natural tiene ingenuidades y gracias por las cuales compite con la mayor belleza de la poesía perfecta según el arte.» *(Essais,* I, 54.)

Es verdad que esa idealización está en contradicción con otras tendencias contemporáneas; que «se llega a la dignificación de lo popular en una época que desprecia soberanamente al vulgo, como incapaz de juicio y razonar propio»; ello se explica por la compleja ideología renacentista. «El Renacimiento —dice Castro (pp. 193-194)— rinde culto a lo popular, como *objeto de reflexión,* pero lo desdeña como sujeto operante; el Renacimiento lleva su interés a la materia popular, sirviéndose de la razón afinada y de la cultura, instrumentos no populares.» (p. 210.) Tal contradicción de la dignificación de lo popular con el «desdén infinito por la masa» se manifiesta frecuentemente, desde Erasmo, el gran coleccionador de los *Adagia*, según el cual la gente vulgar es «ciega y tarda de ingenio», hasta Cervantes: «No hay refrán que no sea verdadero», pero «no soy tan frágil que me deje ir con la corriente del vulgo, las más veces engañado».

Análoga paradoja encontramos ya en los comienzos de la dignificación renacentista de la poesía lírica popular. Uno de los primeros testimonios es el famoso «Villancico a unas tres fijas suyas», comúnmente atribuido al Marqués de Santillana, al mismo Santillana que había tachado de «ínfimos» a los poetas populares «que sin ningún orden, regla nin cuento façen estos romances e cantares de que las gentes de baxa e servil condiçión se alegran».[2] Las «gentiles damas» del Villancico expresan sus sufrimientos amorosos con cantarcillos que parecen extraídos precisamente del repertorio poético-musical de aquellas gentes de «baja e servil condición». La primera entona «esta canción tan honesta»:

> *Aguardan a mí:*
> *¡nunca tales guardas vi!* (F, 327).

La segunda, «con muy honesta mesura», canta:

> *La niña que los amores ha,*
> *sola ¿cómo dormirá?...* (F, 105).

Esas tres damas de la aristocracia que entonan canciones de villanos son como un símbolo gráfico de lo que habrá de ser, unas décadas más tarde, la revaloración del arte poético-musical del pueblo. Porque la revaloración comienza por ser una moda aristocrática, y comienza además por ser, evidentemente, una moda *musical*. Importa tener esto muy presente. La poesía popular no conquista de buenas a primeras el lugar que habrá de ocupar en la literatura del Siglo de Oro; tardará años en abrirse camino hacia ese puesto, y el vehículo será la música. Lo mismo que ocurre con la poesía lírica

---

2 [Cf., sin embargo, mi nota «¿Santillana o Suero de Ribera?», *NRFH*, 16 (1962), p. 437.]

ocurre con el Romancero. [3] Los cortesanos de fines del siglo XV y comienzos del XVI gustan de los romances y villancicos sobre todo en cuanto *canciones*, y no por su poesía, que para ellos no lo era. Tuvo que ocurrir una lenta y casi inconsciente infiltración de esa poesía en el gusto de aquellos hombres para que al fin accedieran a darle categoría literaria. Así, la trayectoria de la poesía lírica popular dentro de las letras hispánicas del Renacimiento —objeto del presente trabajo— está condicionada en sus principios por motivos extraliterarios.

Hay indicios para pensar que la dignificación de la lírica popular, como la del Romancero, tuvo sus primeras manifestaciones en la corte de Alfonso V de Aragón. Pero donde se la ve por primera vez «en bloque» es en la corte de Isabel y Fernando. El impresionante *Cancionero musical de Palacio*, compilado a fines del siglo XV y comienzos del XVI, que reúne buena parte del repertorio de música vocal de esa corte, muestra ya en pleno auge el gusto por la canción lírica popular. Durante el reinado de los Reyes Católicos, y en su corte misma, se inicia propiamente la primera etapa de la dignificación, que se prolonga más o menos hasta el año de 1580. A su vez, el *Cancionero musical de Palacio* nos da ya la clave de la función que desempeñará la canción popular en uno de los dos géneros literarios que más provecho sacaron de ella: la poesía lírica.

Primera etapa de la dignificación
(Fines del siglo XV-1580)

Poesía lírica

En el *Cancionero musical de Palacio* se ve lo que ocurrió con la música de la canción popular al pasar al ambiente cor-

---

[3] Véase lo que a este respecto digo en el Prólogo al *Cancionero de romances viejos*, México, 1961, pp. xiii-xv. Sobre la dignificación de los romances viejos véase Menéndez Pidal, *Romancero*, t. 2, pp. 19 *ss.*, 80 *ss., passim.*

tesano: se transformó en una composición polifónica al uso. Conservando con notable fidelidad la melodía y el ritmo, los músicos le añadían la tercera dimensión de un arreglo para tres o cuatro voces. En cuanto al texto, solían dejarlo intacto, [4] y gracias a eso se nos conservan poesías tan arcaicas como:

> Por vos mal me viene,
> niña, y atendedme.
>
> Por vos, niña virgo,
> prendióme el merino.
> Niña, y atendedme.
>
> Prendióme el merino,
> hame mal herido.
> Niña, y atendedme.
>
> Por vos, niña dalgo,
> prendióme el jurado.
> Niña, y atendedme.
>
> Prendióme el jurado,
> hame lastimado.
> Niña, y atendedme (F, 313).

Y otras muchas de carácter plenamente folklórico, como:

> ¡Ay, que non hay, mas ay, que non era
> quien de mi pena se duela!
>
> Madre, la mi madre,
> el mi lindo amigo
> moricos de allende
> lo llevan cativo,
> cadenas de oro,
> candado morisco.
>
> ¡Ay, que non hay, mas ay, que non era
> quien de mi pena se duela! (F, 318).

---

[4] Es éste un punto discutible. Hay quienes opinan que en las canciones de tipo popular casi siempre intervino con retoques una mano docta, e incluso hay quienes creen que todos esos textos son francos *pastiches*. [Véase abajo, pp. 115-136, «La autenticidad folklórica...».]

Sin embargo, no era lo más común conservar el estribillo
con una o más estrofas; por lo general se tendía a utilizar
únicamente el estribillo y someterlo a la misma elaboración
de que eran objeto los estribillos cultos, añadiéndole una
o más estrofas en que se comentaba o analizaba, en el estilo
y con la técnica de la poesía cortesana, la idea contenida
en él; es el género llamado *villancico*. [5] Véanse estos dos ejemplos del mismo *Cancionero* (núms. 335 y 149):

> *Con amores, mi madre,*
> *con amores me adormí* (F, 125).

> Así dormida soñaba
> lo que el corazón velaba:
> que el amor me consolaba
> con más bien que merecí.

> Adormecióme el favor
> que Amor me dio con amor;
> dio descanso a mi dolor
> la fe con que le serví.

> *A los baños del amor*
>   *sola me iré,*
> *y en ellos me bañaré* (F, 86).

> Porque sane de este mal
> que me causa desventura,
> que es un dolor tan mortal
> que destruye mi figura,
> a los baños de tristura
>   *sola me iré,*
> *y en ellos me bañaré.*

Esta habrá de ser la forma predominante en que los poetas
líricos aprovechen la canción popular, reducida así a su mínima expresión. El brevísimo estribillo, de dos, tres o cuatro

---

[5] En rigor, el villancico de esta época, y sobre todo el del siglo XVI,
suele tener elementos formales antes exclusivos de la *canción*. Sobre ambos géneros véase Le Gentil, *La poésie*, t. 2, pp. 244-290.

versos, les servía de pretexto para construir sobre él una composición en que, según las disposiciones de cada uno, vertían su destreza, ingenio, gracia o, menos frecuentemente, una experiencia profundamente vivida.

En la época de los Reyes Católicos el villancico con estribillo de tipo popular no goza aún del prestigio que más tarde tendrá entre los poetas líricos. JUAN DEL ENCINA es el único poeta de renombre que lo cultiva hasta cierto punto, y quizá más en su calidad de músico y de dramaturgo que de poeta lírico. Fuera de él, sólo los anónimos versificadores que componen —en general, con escasa inspiración— las estrofas que acompañan los estribillos folklóricos del *Cancionero musical de Palacio* o del contemporáneo cancionero poético llamado *del British Museum*. Es notable la ausencia de ese tipo de composiciones en el gran *Cancionero general* de Hernando del Castillo (1511).

Ya en la generación subsiguiente (poetas nacidos hacia 1480-1490), el género cuenta con tres cultivadores de categoría: el salmantino CASTILLEJO, el portugués SÁ DE MIRANDA, más personal e íntimo, en su angustiada melancolía, que la mayoría de sus contemporáneos, y el más asiduo de los tres, el valenciano JUAN FERNÁNDEZ DE HEREDIA, que escribe toda una serie de piececitas epigramáticas en que el conceptismo cuatrocentista adquiere una especial soltura y gracia: [6]

El mi corazón, madre,
que robado me lo hane (F, 301).

No digo que me ha dolido,
antes si me le quería
volver, no le tomaría:
tan bien empleado ha sido.
Quiera Dios, ya que es perdido
el mío, que el suyo gane;
que robado me lo hane.

Que las manos tengo blandas
del broslar:
no nací para segar (F, 525).

¡Oh, manos mías tan bellas,
no para segar nacidas,
si ya no fuesen las vidas
de cuantos osaren vellas!
Sí para cegar son ellas
en mirar,
pero no para segar.

[6] *Obras*, pp. 123 y 122. En el *Cancionero general* hay dieciséis composiciones suyas, pero, característicamente, ninguna con estribillo popular.

Poco a poco va aumentando el número de poetas que escriben villancicos sobre estribillos populares. Entre los nacidos en el primer cuarto del siglo, hay que mencionar a SEBASTIÁN DE HOROZCO, MONTEMAYOR, TIMONEDA y, sobre todo, a los portugueses CAMOENS y PEDRO DE ANDRADE CAMINHA, del cual es el siguiente poema: [7]

> *Solías venir, amor,*
> *agora no vienes, no* (F, 250).
>
> Bien sé que no se te olvida
> tu amor ni mi deseo;
> mi desdicha es la que creo
> que detiene tu venida.
> Sólo un momento de vida
> me son mil años, amor,
> mientras no te veo, no.
>
> Es el dolor que me viene
> de ese mal, porque no vienes,
> grande porque tú lo tienes,
> mayor porque te detiene.
> Lo que a mi mal más conviene
> es verte venir, amor.
> ¿Qué haré, que no vienes, no?
>
> Nel grande dolor que siento
> sin te ver, que es más que muerte,
> en pensar que aún podré verte
> solamente me sustento.
> Mas ¡ay!, que este pensamiento
> no quita del todo, amor,
> el mal de no te ver, no.

En la mayoría de las recopilaciones poéticas colectivas, impresas o manuscritas, posteriores al *Cancionero general* de 1511, y también en muchos pliegos sueltos del segundo y tercer cuarto del siglo, encontramos algunos villancicos con

[7] PEDRO DE ANDRADE CAMINHA, *Poesias inéditas*, ed. J. Priebsch, Halle, 1898, núm. 395.

estribillo popular. Sobresalen, por la abundancia de ejemplos, el *Cancionero llamado Flor de enamorados*, impreso en
Barcelona, 1562, y más aún el manuscrito *Cancionero sevillano de la Hispanic Society (circa* 1568), del cual procede el
siguiente villancico, anónimo, como lo son casi todos los
de los cancioneros colectivos del Siglo de Oro; el desarrollo
del cantarcillo popular se hace aquí en estilo pastoril:

A la villa voy,
de la villa vengo:
si no son amores,
no sé qué me tengo (F, 127).

Por mi zagalilla
vivo enajenado,
el cuerpo en el prado
y el alma en la villa.
No es pena sencilla
la que yo sostengo.
Si no son [amores,
no sé qué me tengo].

Anda mi ganado
de ejido en ejido:
mal será él cobrado,
siendo yo perdido;
écholo en olvido,
vo a la villa y vengo:
si no son amores,
no sé [qué me tengo].

En mi mesmo apero
me extrañan los perros;

huyen los becerros
de su ganadero.
Debe ser mal fiero
el que yo sostengo.
Si no son amores,
no sé [qué me tengo].

Tengo aborrecido
mi hato y apero,
y por esto muero
si estó en el ejido;
y así sin sentido
vo a la villa y vengo:
si no [son amores,
no sé qué me tengo].

¡Ay, mi Dios, cuán bellos
deben ser sus ojos,
pues cien mil enojos
pierdo sólo en vellos!
Por verme cabe ellos
vo a la villa y vengo:
si no son [amores,
no sé qué me tengo].[8]

Los libros de música polifónica o vihuelística del segundo
tercio del siglo no abundan en muestras del género. La razón
de ello es que los músicos de esta época se muestran aún
más aficionados que los del *Cancionero musical de Palacio*

---

[8] *Cancionero sevillano*, fol. 242 rº-vº.

a acoger, no sólo el estribillo, sino también las coplas originales de la canción folklórica. Los libros de vihuela de Milán
(1535), Narváez (1538), Valderrábano (1547), Pisador (1552),
Fuenllana (1554) y Daza (1576), y más aún los cancioneros
polifónicos de Juan Vásquez (1551 y 1560) y el llamado *de
Upsala* (1556) constituyen fuentes de inapreciable valor para
el conocimiento de esas estrofas populares antiguas;[9] en
cambio, contienen pocos ejemplos de villancicos con estrofas
en estilo culto.

   Existe, además del villancico, otro género poético musical
que se sirvió de la lírica popular: las llamadas *ensaladas*.
Son composiciones de cierta extensión en que se incrustan
textos ajenos, las más veces canciones folklóricas y de moda,
o versos de romances, o también refranes. Es difícil dar una
definición más concreta del género, por la gran flexibilidad
que lo caracteriza. Hay ensaladas escritas en una forma estrófica precisa (redondillas, quintillas, coplas reales, de arte
menor y de pie quebrado, romance o romancillo), otras que
mezclan distintos tipos de estrofa, y otras, en fin, sin estructura estrófica alguna. En ciertas ensaladas el cantar citado
forma parte de la estrofa, en otras queda fuera de ella. El
cantar mismo puede reducirse a un estribillo o arrastrar su
cauda de coplas al estilo antiguo o al estilo cortesano. El
asunto de la ensalada puede ser religioso o profano; puede
constituir un relato continuado o bien una yuxtaposición de
episodios o una simple cadena de elementos inconexos y aun
disparatados. En otras palabras, todo es posible en ese género. Tal libertad se ve claramente en la música de las ensaladas polifónicas de MATEO FLECHA el Viejo († 1553), maestro de capilla de las infantas de Castilla; esa música consiste
en una suelta concatenación de trozos heterogéneos, por lo
demás, de extraordinaria ligereza y gracia, en estrecha armonía con el texto. He aquí una parte de la ensalada «La
justa», de tema religioso, como todas las de Flecha:

   [9] Véase mi artículo «Glosas de tipo popular en la antigua lírica», *infra*, pp. 267-308.

¡Oíd, oíd, los vivientes,
una justa que se ordena!
Y el precio de ella se suena
que es la salud de las gentes.

Salid a los miradores
para ver los justadores;
que quien ha de mantener
es el bravo Lucifer,
por honra de sus amores.

¿Quién es la dama que ama
y quién son los ventureros?
Solos son dos caballeros;
la dama Envidia se llama.
Diz que dice por su dama
al mundo, como grosero:

Para ti la quiero,
noramala, compañero,
para ti la quiero.

Paso, paso, sin temor,
que entra el mantenedor.
Pues toquen los atabales.
¡Ea!, diestros oficiales,
llame el tiple con primor.
    (¡Oh, galán!)
Responda la contra y el tenor
    (¡Sus, todos!):

Cata el lobo do va,
[Juanica], Juanilla,
cata el lobo do va.
....

¿Por quién justa nuestro Adán?
Por la gloria primitiva.
¡Viva, viva, viva, [viva]!

Sus padrinos ¿quién serán?
Los Santos Padres, que í van,
puestos a sus derredores,
cantando un cantar galán
por honra de sus amores:

Si con tantos servidores
no ponéis tela, señora,
no sois buena tejedora.

Alhajas trae por devisa
con que os finaréis de risa.
    ¿Y qué son?
Una pala y azadón,
y la letra de esta guisa:
«Laboravi in gemitu meo,
lavabo per singulas noctes
    lectum meum».

¡Ea, que quieren romper
las lanzas de competencia!
La de gula, Lucifer,
y Adán la de inocencia;
mas de ver su gran paciencia
no hay quien no cante de gana:

¡Que tocan al arma, Juana!
¡Hola, que tocan al arma...! [10]

La melodía de los cantares intercalados suele darse sola antes
de aparecer en arreglo polifónico; es decir, que las ensaladas
de Flecha, así como las de su sobrino, Mateo Flecha el Joven,
y las de Pedro Vila, Cárceres y Chacón, nos permiten conocer

---

[10] FLECHA, *Ensaladas*, 1955, pp. 47-49.

en muchos casos la música original de las canciones. Pero además, gracias a este género, se nos conserva el texto de buen número de cantarcillos que de otro modo se habrían perdido; y se conservan, en la mayoría de los casos, en un estado de relativa pureza.

En la ensalada de Flecha los cantarcillos incrustados adquieren un sentido alegórico. Hacen pensar en otro tipo de poesía lírica que, durante todo el Siglo de Oro, utilizó ampliamente los cantares folklóricos: los *villancicos* que desarrollan un estribillo popular, a menudo amatorio, dándole un sentido *religioso*. Ya en el siglo XV JUAN ALVAREZ GATO escribió una composición sobre el «cantar que dicen *Amor no me dejes, que me moriré*, enderezado a Nuestro Señor»:

Que en ti so yo vivo,
sin ti so cativo;
si me eres esquivo,
perdido seré.

Si mal no me viene,
por ti se detiene;
en ti me sostiene
tu gracia y mi fe.

Que el que en ti se ceba
que truene, que llueva,
no espere ya nueva
que pena le dé.

Que [a] aquel que tú tienes
los males son bienes,
a él vas y vienes:
muy cierto lo sé.

Amor, no me dejes,
que me moriré (F, 241).[11]

Durante los siglos XVI y XVII seguiremos encontrando desarrollos de este tipo. En el antes mencionado *Cancionero sevillano de la Hispanic Society* (fol. 150 rº) se ponen en boca del niño Jesús estas palabras:

Quiero dormir y no puedo,
que el amor me quita el sueño (F, 150).

11 *Obras completas de Juan Alvarez Gato*, ed. J. Artiles Rodríguez, Madrid, 1928, pp. 151-152.

¿Cómo tengo de dormir,
sabiendo que he de morir
por los hombres redimir
y tornarlos a su dueño?

El amor grande, crecido,
a ser hombre me ha traído;
no me consiente adormido,
aunque soy niño y pequeño...

Pero dentro de la poesía religiosa es mucho más frecuente otro tipo de aprovechamiento de la canción popular: las *versiones a lo divino*. El poeta escribía un villancico «al tono de» un cantar bien conocido, cuyo estribillo adoptaba, ya no textualmente, sino transformándolo, adaptándolo al tema religioso que trataba. Esta práctica fue también común desde fines del siglo XV (ALVAREZ GATO, fray AMBROSIO MONTESINO). Entre sus principales cultivadores, durante la primera etapa de dignificación, está SEBASTIÁN DE HOROZCO, quien, junto a muchos otros cantares, vuelve a lo divino el de «Lo que demanda / el romero, madre, / lo que demanda / no se lo dan» (F, 102), de este modo:

Lo que demanda
el primero Padre,
lo que demanda
ya se lo dan,[12]

estribillo que luego desarrolla en varias coplas.

Al volver a lo divino un cantarcillo, el poeta podía conservarlo casi intacto, cambiando sólo una o dos palabras; así la Virgen María dice: «Pues que me tienes, / mi Dios, por esposa, / mírame, mira, / cómo soy hermosa» (*Cancionero sevillano*, fol. 176 rº), poniendo *mi Dios* donde decía *Miguel*. En la mayoría de los casos, sin embargo, cambian más elementos; por ejemplo, el cantarcillo «A la villa voy...», citado arriba, se convierte en:

De los cielos soy,
a la tierra vengo,
amores del hombre
bien sé que los tengo (*ibid.*, fol. 141 vº).

---

12 HOROZCO, *Cancionero*, p. 139.

Suele cambiar incluso el metro (*ibid.*, fol. 176 vº):

Aquel pastorcico, madre,   Pues el Príncipe del cielo
    que no viene   hecho pastorcico viene,
algo tiene en el campo   algo tiene acá en el suelo
    que le duele (F, 223).   que le duele.

En ocasiones queda poco más que la rima (Horozco, *op. cit.*, p. 132):

Salteóme la serrana   Parió la Soberana
junto a par de la cabaña   al Pastor de la cabaña.
    (infra, pp. 127 s.).

Y hay casos en que no vemos ya relación alguna (Biblioteca Nacional de Madrid, ms. 4257, fol. 16 vº):

Niña, írgueme los ojos   Con vos, Niña, nos gozamos
que a mí enamorado me han todos los hijos de Adán.
       (F, 177).

Muchas de esas contrahechuras suenan ahora cómicas y hasta irreverentes, como aquella del *Cancionero sevillano*, fol. 86 vº:

Mi marido es cucharatero,   El mesmo Dios verdadero
Dios me lo dio y así me lo   Él se nos da, yo así me lo
    [*quiero (infra, p. 207).*   [quiero.

Pero sin duda no sonaban irreverentes en aquella época. [13]
    Además de villancicos religiosos con estribillo antiguo o vuelto a lo divino, los había con estribillo compuesto tardíamente a *imitación* de los cantares folklóricos. Por ejemplo (*Cancionero sevillano*, fols. 46 vº y 171 rº):

---

[13] Sobre las contrahechuras religiosas véase el importante libro de BRUCE W. WARDROPPER, *Historia de la poesía lírica a lo divino en la cristiandad occidental*, Madrid, 1958.

Ya pareció la Virgen entera,
ya pareció, que bien pareciera.

¡Oh, qué noche de alegría,
y más que el día!

Es poco probable que se trate en tales casos de auténticas canciones populares religiosas. Aunque —en contra de lo que opina Wardropper— éstas debieron existir en la Edad Media, no parecen haber sido acogidas por la literatura culta del Renacimiento, salvo, quizá, contadas excepciones. Los dos ejemplos citados (y varios más que podrían añadirse) tienen, sin embargo, un marcado carácter folklórico, prueba de la habilidad mímica de ciertos poetas.

El mismo fenómeno se observa, de hecho, en la lírica profana. No cabe duda de que muchas, muchísimas, cancioncillas que podemos creer provenientes del caudal folklórico son en realidad imitaciones afortunadas. Para esos hombres que tenían el oído hecho a la canción tradicional no sería difícil fabricar cantarcillos como «Moriré de amores, madre, / moriré» o «No te creo, el caballero, / no te creo» o «Los ojos que matan a mí / días ha que los no vi»... Es éste un problema que continuamente se plantea a quienes se interesan por la antigua lírica popular: ¿cómo saber si un cantar es antiguo o no? Y en la mayoría de los casos no hay más que resignarse a no saberlo nunca. [14]

Conviene tener muy en cuenta que los músicos, poetas y dramaturgos que desde fines del siglo XV recogieron cantares, no lo hicieron en modo alguno con el criterio que tiene un folklorista de nuestros días; no fueron a lo popular con un interés científico, interés de coleccionistas escrupulosamente alejados de lo coleccionado. Los llevó una afición colectiva, una moda. Prescindiendo de las ensaladas y de las versiones a lo divino, en que importaba utilizar cantares conocidos, no había en general sujeción forzosa a lo ya existente. Se trataba de dar un toque popular, y éste podía obtenerse con poesías hechas *ex professo*. Tales poesías no tenían que

---

[14] [Ver, sin embargo, «La autenticidad folklórica...», *infra*.]

ser siquiera *pastiches* perfectos: ¡en cuántos estribillos de
la época que denotan un afán popularizante descubrimos
dejos manifiestos de la poesía cortesana!

> No tienen vado mis males:
> ¿qué haré,
> que pasar no los podré?

¿Tenían los contemporáneos conciencia de esa mezcla de
elementos? Creo que no. En la mayoría de los cancioneros
musicales y poéticos encontramos una yuxtaposición de estribillos de tono folklórico con otros como el ahora citado,
o aún más complejos y conceptuosos. Parecería que no se
percibía la diferencia existente entre los distintos tipos o, al
menos, que no se percibía de manera consciente. Quizá, en
último término, la dignificación de lo popular no necesariamente partiera de la «razón afinada y de la cultura»: quizá
hubiera mucho de subterráneo en esa moda, como en todas
las modas.

* * *

Teatro

Ningún género literario supo sacarle tanto provecho a
la lírica popular como el teatro. Ya en los comienzos propiamente dichos del género, Juan del Encina acostumbra-
ba terminar sus representaciones con un villancico cantado, que no era en realidad de origen folklórico, pero que
respondía a un propósito popularista («Repastemos el ganado, / ¡hurriallá! / Queda, queda, que se va»). La canción
lírica popular entra de lleno en el teatro gracias a la genial
intuición de GIL VICENTE, quizá el primero y, durante mucho tiempo, el único que sintió verdaderamente, como la
sentimos hoy, la belleza poética de tantos cantares de la tradición popular hispánica. Original, también en esto, enemigo de toda convención, inserta en las más variadas situaciones de sus farsas, tragicomedias y autos, cancioncillas de

muy diversos temas y tonos. Canciones brevísimas a veces («Por el río me llevad, amigo, / y llevádeme por el río», F, 395) y otras, desarrolladas en estrofas paralelísticas y encadenadas, que suelen entrelazarse con el diálogo de los personajes y quizá sean en parte afortunadas recreaciones. Gil Vicente supo sin duda imitar el estilo tradicional a tal punto que sus canciones se confunden con las auténticas.

Después de Gil Vicente, es relativamente poco lo que nos ofrece el teatro hasta el momento de su gran florecimiento. DIEGO SÁNCHEZ DE BADAJOZ, LOPE DE RUEDA, TIMONEDA, los anónimos autores de autos y farsas en castellano y portugués, ANTONIO PRESTES, CAMOENS, insertan aquí y allá algún cantarcillo con música, las más veces para marcar la salida a escena de algún personaje («Entra Joan de Buenalma, simple, cantando: "De casta de cornocales / traigo yo los huevos, madre, / pienso que buenos serane"», Lope de Rueda, *Registro...*, Paso 2). En ninguno de ellos se encuentra un aprovechamiento sistemático. En el teatro religioso de esta época, más abierto, en su conjunto, a la poesía popular, reaparecen los tres tipos que hemos visto en la lírica religiosa, sobre todo los desarrollos de estribillos antiguos y las imitaciones («El manjar que la vida da / ¿si está, si está, si está por acá?»).

Otros géneros

Sólo ocasionalmente se citan cantares populares en las novelas del Siglo de Oro. Dentro de la primera etapa, el único autor digno de mención a este propósito es el portugués FERREIRA DE VASCONCELOS, que pone una que otra canción en boca de sus personajes (como ya lo había hecho Fernando de Rojas en el Acto XIX de la *Celestina*).

Por lo demás, encontramos desperdigadas en las novelas —y lo mismo en el teatro, en crónicas, memorias, cartas— alusiones a cantares populares. No se trata propiamente de un aprovechamiento literario; se refleja en esas citas la vitalidad que la lírica folklórica había adquirido en la conversación cotidiana. Fue un proceso gradual. Hacia 1495, en un «juego trobado» del poeta Pinar, se cita un único cantarcillo popular, entre muchas canciones cortesanas y varios romances. En el siglo XVI se van prodigando los testimonios. El músico LUIS MILÁN nos ha dejado en su *Cortesano* una valiosa constancia de la frecuencia con que se citaban, además de cantarse, las poesías populares en la corte valenciana del duque de Calabria durante el segundo cuarto del siglo XVI. Para la corte de Carlos V contamos sobre todo con el interesante *Libro de la vida y costumbres de don Alonso Enríquez de Guzmán*, recientemente editado en la Biblioteca de Autores Españoles (tomo 126). Al igual que tantos versos de romances, la letra de muchas canciones había pasado al repertorio fraseológico del idioma, se había proverbializado. [15]

Varios de esos cantares proverbializados entraron a las grandes colecciones de refranes del siglo XVI. Nos interesa particularmente la de JUAN DE MAL LARA (*La philosophia vulgar*, 1568), porque en sus glosas a varios refranes aclara que se trata en realidad de cantares. Aquí es donde aparece más manifiesta la afición humanística a los productos de la musa popular, afición bien consciente y expresa en hombres como Mal Lara. O como FRANCISCO SALINAS, que en su gran tratado *De musica libri septem* (1577) ilustra con cantares folklóricos su exposición teórica. Para reprobar los afeites, fray Luis de León puede esgrimir el cantarcillo «¿Para qué se afeita la mujer casada...?» (F, 518), el cual, según dice, no es «más castellano que verdadero».

Hasta dónde pudo llegar el prestigio de esas canciones lo muestra el tratado polémico del bachiller JUAN DE VALVERDE ARRIETA intitulado *Diálogos de la fertilidad y abundancia de España y la razón porque se ha ido encareciendo...* (1578) [15 bis]. Para probar el mal que se ha hecho al sustituir en las labores del campo a bueyes y vacas por mulas y machos, aduce primero buen número de refranes y luego varios «cantares de

---

[15] Cf. mi estudio «Refranes cantados y cantares proverbializados», *infra*, pp. 154-171.

[15 bis] Cf. *ibid.*, nota 11.

bueyes y vacas» que canta la gente. Y ¿qué mejor testimonio de la perdida riqueza de España que la antigua canción

> Las vacas de la virgo
> no quieren beber en el río,
> sino en bacín de oro fino (F, 423)...?

SEGUNDA ETAPA DE LA DIGNIFICACIÓN (1580-1650)

Si la fecha de 1580 que hemos escogido como límite entre las dos etapas de dignificación es hasta cierto punto arbitraria, el establecimiento de esas dos etapas corresponde a hechos muy reales. Por aquellos años, en que se inicia el verdadero gran apogeo literario español, ocurren cambios fundamentales en todo el ámbito de la cultura española. Podría hablarse de un general «aburguesamiento». La cultura deja de ser privilegio de la aristocracia cortesana, para convertirse en patrimonio de todos, particularmente de la burguesía urbana. La transformación se ve con plena claridad en el teatro, que, encerrado antes en las salas de los palacios, sale a la calle y se hace espectáculo «nacional». Al cambiar el público de la literatura, cambia muy a fondo el carácter de ésta. Y uno de los cambios consistirá precisamente en una especie de «folklorización». Para complacer y atraer al hombre de la calle, se tocan las cuerdas que más le suenan; no es que se le devuelva intacta su propia literatura: se le ofrece algo parecido, pero infinitamente renovado, remozado, capaz de deslumbrarlo y conquistarlo.

Hablando, ya más concretamente, de la poesía que aquí nos ocupa: los poetas cultos de fines del siglo XVI crean para el pueblo español una nueva poesía popular, tan vieja y a la vez tan atractivamente distinta, que no puede sino invadir el gusto de la gente, haciendo caer en el olvido los cantares antiguos. La seguidilla y la cuarteta octosilábica, viejas formas españolas, se convertirán en vehículo principal de la invasión; a través de ellas fluirá todo un mundo poético de recentísima invención, que quedará grabado durante siglos en la imaginación del pueblo y marcará el rumbo de su propia producción. [16]

Poesía lírica

En la nueva época las formas poéticas en metros cortos, que son las que acogen elementos de tipo popular, se divulgan primero en un conjunto de pliegos sueltos y paralelamente en una serie de libritos de bolsillo, las nueve partes de la *Flor de varios romances*, que luego habrán de reunirse en el gran *Romancero general*, de 1600. En el siglo XVII se publicarán otras compilaciones en pequeño formato, como el *Jardín de amadores*, el *Laberinto amoroso*, la *Primavera y flor de los mejores romances*. Además, toda esa poesía circulaba en gran número de cancioneros manuscritos, algunos de los cuales se conservan en bibliotecas de España e Italia. [17]

En la mayoría de esos cancioneros colectivos, impresos y manuscritos, las composiciones aparecen sin nombre de autor. Consta, sin embargo, la enorme participación de Lope de Vega y de Góngora, piedras angulares de este nuevo edificio lírico. Para darnos una idea de lo que es el nuevo estilo, que servirá, por así decir, de marco a la poesía popular, puede contrastarse el villancico que Fernández de Heredia escribió sobre «El mi corazón, madre...» (cf. *supra*) con el desarrollo que de ese mismo estribillo encontramos intercalado en un romance amatorio de la Cuarta parte de la *Flor* (1592):

[16] Ver, abajo, pp. 244-258, «De la seguidilla antigua a la moderna».
[17] A pesar de que también estas formas poéticas van estrechamente asociadas a la música, los libros de música de este período tienen, desde nuestro punto de vista, mucha menor importancia que los de la etapa anterior, con una notable excepción: el *Método muy facilísimo para aprender a tañer la guitarra a lo español* (1626) de LUIS DE BRICEÑO, que da cabida a buen número de coplas populares y letras de baile.

El mi corazón, madre,
que robado me le hane.

Guardado le tuve,
robado le tengo;
sujeción mantengo,
libertad mantuve.
Descuidada estuve
del mi corazón, madre:
que robado me lo hane.

En traje de amigos
cuidados ladrones
roban corazones
y son enemigos;
presentéis testigos
por mi corazón, madre,
que robado me le hane.

Entrada les dieron
mis ojos tiranos,
y el hurto en las manos
al salir les vieron;
no los detuvieron.
El mi corazón, madre,
que robado me lo hane.

No lo restituyen,
aunque se confiesan;
sus robos no cesan,
mi vida destruyen;
si los sigo, huyen
con mi corazón, madre,
que robado me le hane.

No me quejo, no,
de velle robado,
que le diera dado
a quien le llevó;
desdén siento yo
con mi corazón, madre,
que robado me lo hane.[18]

Esta poesía nos muestra algo de la facilidad de palabra (frente a la apretada concisión de Fernández de Heredia), de la soltura y ligereza que son características del nuevo estilo.

En la poesía profana es LOPE DE VEGA, desde luego, la figura cumbre de toda esta tendencia popularizante. Lope, como ha dicho Montesinos, «contribuyó prodigiosamente a esta lírica musical, como a todas las manifestaciones artísticas de su tiempo, con más acierto que nadie, dicho sea con perdón de Góngora». Después de GÓNGORA hay que mencionar a TRILLO y FIGUEROA, a Quevedo, a Francisco de Portugal. Son muchos los poetas, pero la mayoría de ellos sólo ocasionalmente insertan cantarcillos que puedan considerarse folklóricos.

[18] El texto de la *Flor* (que puede verse en la reciente edición facsimilar de A. RODRÍGUEZ MOÑINO, *Las fuentes del Romancero general*, t. 4, Madrid, 1957, fol. 76 r°) y el del *Romancero general*, núm. 270, dice *han he* en el segundo verso del estribillo; es, evidentemente, una mala interpretación de la forma arcaica *hane*, que se lee en todos los demás textos coetáneos.

La poesía profana se sirve de estribillos populares en letrillas, en romances y romancillos y en ensaladas. La *letrilla* o *letra*, usada preferentemente para temas burlescos y satíricos, es heredera formal del villancico; como él, consiste en un estribillo desarrollado en un número variable de estrofas, que terminan las más veces con el final del estribillo; como él, suele acoger estribillos de tipo popular. Pero, en contraste con lo que ocurre en los villancicos del período anterior, los estribillos arcaicos son escasos en las letrillas; más frecuente es que los poetas utilicen estribillos semipopulares de moda o refranes («Cual más, cual menos, toda la lana es pelos») o que escriban sus propios estribillos popularizantes («¡Cómo se aliña la niña, / madre mía, cómo se aliña!»; «Poderoso caballero / es don Dinero»).

El terreno que la lírica popular ha perdido en la forma villancico, lo recupera en un género antes casi ajeno a ella: el *romance*. Uno de los rasgos que distinguen al Romancero nuevo del viejo es justamente su lirismo, lirismo que se manifiesta en el estilo y además en la intercalación de cantares. Entre los romances y romancillos con estribillo predominan los que tienen un estribillo hecho a propósito (frecuentemente de dos endecasílabos), pero no son raros los que adoptan un cantar popular, como éste de la Novena parte de la *Flor (Las fuentes..., op. cit.,* t. 11, fols. 55 v° *ss.; Romancero general,* núm. 729):

> *Lo que me quise, me quise, me tengo,*
> *lo que me quise me tengo yo* (F, 584).

> Ya que por mi suerte
> el cielo ordenó,
> siendo flor de niñas,
> casarme en mi flor,
> por que mis madejas
> gozase mejor
>
> y urdiese con ellas
> mil telas de amor,
> me ha dado un marido
> muy a mi sabor,
> pintado a mi gusto,
> cual le pinto yo.

> *Lo que me quise, [me quise, me tengo,*
> *lo que me quise me tengo yo].*

Hombre bien sufrido,
nada gruñidor,
bien contentadizo,
mejor condición;
no es escrupuloso,
ni le da pasión

saber que mi casa
visita el prior.
Come sin traello:
piensa que a los dos
nos lo trae un cuervo
como a San Antón.

Lo que me quise, [me quise, me tengo,
lo que me quise me tengo yo].

Tengo tres galanes
y con ellos doy
sustento a mi casa
y a mí recreación.
Para mis pendencias
tengo un Cipión,

bravo pendenciero
y acuchillador;
un Naval Carmelo
para provisión,
y para mi gusto
tengo un Absalón.

Lo que me quise, me quise, me tengo,
lo que me quise me tengo yo.

Otros romances, en vez de un estribillo repetido regularmente, intercalan toda una letrilla, cuyo estribillo suele ser folklórico (con más frecuencia que en las letrillas independientes). El que cito a continuación está en la Sexta parte de la *Flor* (*Las fuentes*, t. 7, fols. 408 vº ss.; *Romancero general*, núm. 486):

«Junto a esta laguna,
cuyo seno grande
aguas diferentes
recibe y reparte,
aquí do las fuentes
mezclan sus cristales,
después que del monte
despeñadas caen,
aquí mi querido,
testigo este sauce,
a mi cautiverio
dio sus libertades.
Mas como Juanilla
perdido le trae,
huye de mis ojos
por extrañas partes.

Si respetos justos
no fueron bastantes
para divertirme,
habré de buscarle.
Correré los montes,
cercaré los valles:
·quien desea, ruegue,
quien busca, no pare.»
Con esto la niña
de la vega vase,
y a sus pensamientos
cantó quejas tales:

Por el montecillo sola
¿cómo iré?
¡Ay, Dios!, ¿si me perderé?

Soledad me guía,
llévanme desdenes
tras perdidos bienes,
que gozar solía.
Con tal compañía
¿cómo iré?
¡Ay, Dios!, ¿si me perderé?

Hallaré contento
al que busco triste;
veré que resiste
al amor su intento.
Ciego va mi pensamiento,
y sigolé:
¡Ay, Dios!, ¿si me perderé?

Deslúmbranme antojos,
y apenas diviso
la tierra que piso,
que es mar de mis ojos.
A buscar voy despojos
de mi fe:
¡Ay, Dios!, ¿si me perderé?

Serán los jarales
mi amparo seguro;
cualquier robre duro
sentirá mis males.
Sola por peligros tales
pasaré:
¡Ay, Dios!, ¿si me perderé?

Como puede verse, se trata de una especie de *ensalada* simplificada. Además, se escriben en esta época verdaderas ensaladas y «ensaladillas» de diversos tipos y formas. Solían consistir en el relato de una boda rústica, minuciosamente descrita, como la extensa ensaladilla de 195 versos incluida en el manuscrito 3924 (fols. 63 rº-68 rº) de la Biblioteca Nacional de Madrid, de la cual entresaco algunos fragmentos:

Cantar quiero con primor,
si no me falta el aliento,
no damas, armas y amor,
sino el dulce casamiento
de Antona con Juan pastor,

Vino Pedro del Collado,
que fue antaño menseguero,
Bastián Sánchez, el vaquero,
Pero Díaz, el casado,
y Gil, el casamentero.

los cuales se enamoraron
vareando el aceituna
y en casarse concertaron
y al amor y la fortuna
muy propicios los hallaron.
....

Trujeron para almorzar
dos menudos de ternera,
dos piernas a medio asar
de una vaca paridera,
la más gorda del lugar.
....

Para el día de la boda
convidaron los señores,
el concejo y regidores,
el cura y la gente toda
de aquellos alrededores.

Menga, Toribia y Pascuala
dicen que se empiece luego
y que se muestre la gala
en el dulce baile luego
de la más linda zagala.

En esto entró Pingarrón
con su salterio lozano,
y ellas, en oyendo el son,
asiéronse de las manos
a modo de procisión.

Menga, que es la resabida,
y era guía del bailar,
comenzó luego a cantar
con voz alta y muy erguida,
a huer de Galapagar:

La que tiene el marido pastor
  grave es su dolor.

La que puso su cuidado
en sujeto de la sierra,
bien es que muera en la guerra
de amor tan mal empleado;
y la que vive en estado
do el morir sería mejor,
grave es su dolor.

Luego Andrés de Palomilla,
zagal discreto y chapado,
cantó con son entonado
un cantar que oyó en Sevilla
un día que fue al mercado:

Miraba la mar
la mal casada,
que miraba la mar
cómo es ancha y larga.

Descuidos ajenos
y propios gemidos
tiene[n] sus sentidos
de pesares llenos.
Con ojos serenos
la mal casada,
que miraba la mar
[cómo es ancha y larga].

Muy ancho es el mar
que miran sus ojos,
aunque a sus enojos
bien puede igualar.
Mas por se alegrar,
la mal casada
que miraba [la mar
cómo es ancha y larga].

....

Bastián Sánchez, que esto oyó
—que es hombre para burlar—,
los brazos se arremangó
y al momento comenzó
a decir este cantar:

Oxte, morenica, oxte,
  oxte, morena.

Morena, la tan garrida,
si sos contenta y servida
que por vos pierda la vida,
tendrélo por buena estrena.
  Oxte, morena.

Comenzaron de reír
de la canción tan aguda.
Pascuala no quedó muda,
que dijo: —Yo he de decir
del Amor, no pongáis duda:

Por encima de la oliva
mírame el Amor, mira.

Con el rostro muy airado
y su cabello dorado,
una flecha me ha arrojado
con el arco que las tira.
Mírame el Amor, [mira]...[19]

---

[19] Sospecho que este género de ensaladas que describen bodas aldeanas es creación de Pedro de Padilla, el cual incluye algunas de ellas en

Así la ensalada sigue siendo un valioso arsenal de cantarcillos folklóricos; encontramos buen número de ellos en las ensaladillas de Gabriel Lasso de la Vega *(Manojuelo de romances,* 1601).

La poesía religiosa de este período acogerá la lírica folklórica con más entusiasmo que la poesía profana, y con mayor asiduidad que la poesía religiosa de la etapa anterior. En los últimos años del siglo XVI y los primeros del XVII se publican varios cancionerillos con villancicos devotos de carácter notablemente popularizante: el *Cancionero de Nuestra Señora* (1591), el *Cancionero* de Francisco de Ocaña (1603), los pliegos sueltos de Esteban de Zafra, Francisco de Avila, Lope de Sosa, Francisco de Velasco, etc.; pero, en líneas generales, esos villancicos continúan el estilo de los escritos antes de 1580. La nueva época creará su propio estilo de lírica religiosa popularizante; sus máximos exponentes serán poetas de primera magnitud, como Lope y Góngora, y poetas menores, como el delicado fray Joseph de Valdivieso o como Alonso de Ledesma y Miguel Toledano.

El estilo nuevo, por lo demás, se vaciará a menudo en moldes viejos, como el del villancico con estribillo amatorio de carácter popular al cual las coplas vienen a dar un sentido religioso. Es característico este gracioso poemita de Valdivielso:

> *Si queréis que os enrame la puerta,*
> *alma mía de mi corazón,*
> *si queréis que os enrame la puerta,*
> *vuestros amores míos son* (F, 168).

Si queréis que os enrame la [puerta,	de letras y amores,
alma mía de mi corazón,	y en ella plantado,
dejádmela abierta,	por mayo clavado,
veréisla cubierta	el árbol de vida,
de rosas y flores,	adonde en comida
	a todos me doy.

su *Tesoro de varias poesías* (1575) y en su *Romancero* (1583). Padilla escribe a caballo entre las dos etapas, y creo que, en efecto, sus poesías ocupan una posición intermedia.

Si queréis que os enrame...

Si queréis que os enrame la
[puerta,
alma mía de mi corazón,
que soy, os aviso,
flor del paraíso,
que son de claveles
mis labios fieles,
y de maravillas
mis rojas mejillas,
que a veros asisto
con ojos de Cristo,
que piadosos son.

Si queréis que os enrame...

Si queréis que os enrame la
[puerta,
alma mía de mi corazón,
seré un girasol,
buscando mi sol;
veréis en la calle
el lirio del valle,
la rosa nativa,
la piadosa oliva,
y en vuestro desmayo
seré galán Mayo
y vuestro amador.

Si queréis que os enrame...[20]

Técnica vieja es también la de las contrahechuras a lo divino, en general manejadas ahora con más gracia:

Que de noche le mataron
al caballero,
la gala de Medina,
la flor de Olmedo (F, 323).

Que de noche le mataron
al Caballero,
a la gala de María,
la flor del cielo.

(LOPE DE VEGA)

De la nueva escuela proceden, en cambio, los romances y romancillos devotos con intercalaciones líricas populares, y las ensaladillas, que a veces son versiones a lo divino de ensaladillas profanas, y que a menudo se presentan en forma dialogada, como ésta de Góngora:

Gil

No sólo el campo nevado
yerba producir se atreve
a mi ganado,
pero aun es fiel la nieve
a las flores que da el prado.

Carillo

¿De qué estás, Gil, admirado,
si hoy nació
cuanto se nos prometió?

---

[20] *Romancero espiritual* [1612], Madrid, 1880, pp. 25-27.

Gil

¿Qué, Carillo?

Carillo

Toma, toma el caramillo
y ven cantando tras mí:

Por aquí, mas ahí, por allí
nace el cardenico alhelí.

Gil

Ve, Carillo, poco a poco;
  mira que
ahora pisó tu pie
un narciso, aquí más loco
  que en la fuente.

Carillo

Tente, por tu vida, tente,
y mira con cuánta risa
el blanco lilio en camisa
se está burlando del hielo.

Gil

Lástima es pisar el suelo.

Carillo

Písalo, mas como yo:
  queditico.

Pisaré yo el polvico
  menudico;
pisaré yo el polvó,
  y el prado no.

Gil

¿Oyes voces?

Carillo

Voces oyo,
y aun parecen de gitanos.
Bien hayan los avellanos
  de este arroyo,
que hurtado nos los han.

Gil

Al Niño buscando van,
pues van cantando de él
  con tal coro:

Támaraz, que zon miel y oro,
támaraz, que zon oro y miel.

A voz, el cachopinito,
  cara de roza,
la palma oz guarda hermoza
  del Egito.
Támaraz, que zon miel y oro,
támaraz que zon oro y mieι.

Carillo

¡Qué bien suena el cascabel!

Gil

Grullas no siguen su coro
con más orden que esta grey.

Carillo

Cántenle endechas al buey
y a la mula otro que tal,
si ellos entran el portal.

Gil

Halcones cuatreros son
en procesión.

Carillo

Ya las retamas se ven
del portal entre esos tejos.

*Míroos desde lejos,
portal de Belén,
míroos desde lejos,
parecéisme bien...*[21]

Valdivielso y Ledesma son los principales autores de ensaladillas al nuevo estilo; en segundo término están fray GAS-
PAR DE LOS REYES y MIGUEL TOLEDANO. (Cronológicamente
entran también dentro de este período las ensaladas del no-
vohispano FERNÁN GONZÁLEZ DE ESLAVA, que por su estilo
y técnica pertenecen, sin embargo, a la primera etapa). Alonso
de Ledesma, además de servirse en muchos poemas religiosos
de cantarcillos arcaicos, escribió toda una serie de composiciones (casi siempre con letrilla intercalada) sobre rimas que
acompañan juegos infantiles, rimas a las cuales dio un sentido alegórico *(Juegos de Nochebuena moralizados a la vida
de Cristo...*, 1611). Más tarde, Gómez Tejada de los Reyes
seguirá su ejemplo.

Hemos visto sumariamente cómo se aprovechan los antiguos cantares del pueblo en la poesía lírica, profana y religiosa, a partir de 1580. Pero el provecho más hondo y signi-
ficativo que toda esa escuela lírica sacó de la poesía folklórica radica, como ya apuntábamos, en la creación de nuevas
formas poéticas, de nuevos géneros que, arrancando de esa
poesía, toman un rumbo diferente y descubren mundos in-
sospechados. Ahí está el verdadero «popularismo» de esta
época, cuyo alcance y cuyas múltiples manifestaciones están
todavía por estudiar.

---

[21] *Obras poéticas de D. Luis de Góngora*, New York, 1921, t. 2, pp. 231-
235. Es evidente la relación de este tipo de ensaladas con los complejos *villancicos* religiosos del siglo XVII que hallarán su culminación en
Sor Juana Inés de la Cruz.

Teatro

La dignificación literaria de la canción lírica popular alcanza su máxima expresión en el teatro de la gran época. Lo que en Gil Vicente había sido descubrimiento personal y casi único, será ahora costumbre y casi norma del género. La lírica musical de tipo popular se convertirá prácticamente en uno de los elementos constitutivos de la comedia, del auto sacramental y de algunas formas menores como el entremés y el «baile». Que esto pudiera ocurrir, se debió, sin duda, a LOPE DE VEGA. Lope —dice Henríquez Ureña— «incorporó en el teatro toda la poesía del pueblo»; y además de la poesía del pueblo, la que él y sus seguidores crearon en el estilo popular antiguo, lo mismo que en ese nuevo estilo popularizante antes mencionado. Casi todas las formas líricas en metros breves incluidas en las *Flores de varios romances* —las letrillas, los romances y romancillos con estribillo o con una letra intercalada, las ensaladas, las seguidillas— pasan a formar parte del teatro profano y del religioso, y con ellas los cantares populares. Por otra parte, el teatro da acogida a formas no representadas en los cancioneros, notablemente a los desarrollos con estribillo intercalado, de evidente raigambre folklórica:

Deja las avellanicas, moro,
que yo me las varearé;
tres y cuatro en un pimpollo,
que yo me las varearé (F, 413).

Al agua de Dinadámar,
que yo me las varearé;
allí estaba una cristiana,
que yo me las varearé;
cogiendo estaba avellanas,
que yo me las varearé.
El moro llegó a ayudarla,
que yo me las varearé;
y respondióle enojada:
Que yo me las varearé.

> *Deja las avellanicas, moro,*
> *que yo me las vdrearé;*
> *tres y cuatro en un pimpollo,*
> *que yo me las varearé...*[22]

Este cantar nos muestra cómo también la temática se ha enriquecido. El teatro dignifica, por primera vez, los cantos de segadores, espigadoras, viñadores, los cantares de bienvenida, las canciones asociadas con bodas, bautizos y toda clase de fiestas populares. Frecuentemente esos cantares van acompañados de baile y de música instrumental, y se intercalan en escenas de celebraciones aldeanas; pero no sólo: son muchas más las situaciones en que entran los elementos lírico-musicales, y muy variadas las funciones que desempeñan dentro de la economía total de la obra: como *leitmotiv*, para dar color local (como en los casos citados), para crear un vago ambiente de fondo, para comentar los sucesos acaecidos o presagiar los venideros, y muchas otras.

Después de Lope, es Tirso de Molina el dramaturgo que mayor uso hace de canciones populares en la comedia; le sigue de lejos Vélez de Guevara. Rojas Zorrilla, Mira de Amescua, Andrés de Claramonte no las emplean sino ocasionalmente. En el auto sacramental sobresale, con mucho, Valdivielso; en segundo lugar está Lope; en tercero, Calderón y Gómez Tejada de los Reyes. Del teatro breve hay que citar sobre todo los entremeses de Cervantes y los anónimos, los bailes de Quiñones de Benavente, Francisco Bernardo de Quiroz y otros autores anónimos.

Otros géneros

La novela de esta época, como la de la etapa anterior, sólo muy de vez en cuando inserta cantares populares; se trata casi siempre de citas, como en el siguiente pasaje de la *Pícara Justina* (ed. Puyol, t. 2, p. 86):

---

[22] Lope de Vega, *El villano en su rincón*, III.

El camino de la romería no es muy bueno, pero la compañía
lo era... No pude a la ida despabilar mucho la lengua, porque el sueño me hacía hacer mucha pavesa; si no fuera que
mi picarillo de cuando en cuando me soliviaba con un cantarcito que decía:

> No durmáis, ojuelos verdes,
> que por la mañanita lo dormiredes,

bien creo que la romera diera un par de romeradas en aquel
suelo de Jesucristo (cf. F, 361).

Es interesante el inédito relato pastoril en verso *La pastora
de Manzanares y desdichas de Pánfilo* (manuscrito 189 de
la Biblioteca Nacional de Madrid), que intercala buen número
de canciones tradicionales; algunas aparecen también en el
Pastor peregrino (1608) del portugués Rodrigues Lobo.

Donde la segunda etapa de la dignificación lleva gran
ventaja a la primera es en el interés humanístico, no porque
haya abundancia de autores y obras que recojan textos y testimonios, sino por la gran importancia que para el folklore
poético han tenido tres escritores: RODRIGO CARO, cuyo tratado *Días geniales o lúdricos* (1626) describe un sinnúmero
de juegos infantiles, incluyendo las rimas que los acompañan;
SEBASTIÁN DE COVARRUBIAS, que en su *Tesoro de la lengua
castellana* (1611) documenta muchas voces con «cantarcillos
triviales» («yo no me desdeño, cuando viene a propósito, de
alegarlos para comprobación de nuestra lengua», dice *sub
voce* «cerca»); y, el más importante para nosotros, GONZALO
CORREAS.

Verdadero folklorista *avant la lettre*, este helenista de
Salamanca recogió varios centenares de canciones populares
que incluyó entre los «refranes, frases proverbiales y otras
fórmulas comunes de la lengua castellana» que integran su
riquísimo *Vocabulario (circa* 1627), y con los cuales ilustró
su exposición gramatical y su estudio de las formas métricas
en el *Arte de la lengua española castellana* (1625). Correas
se admira a cada paso de que las gramáticas y artes poéticas
no hagan caso de las coplillas que compone y canta la «gente

vulgar». [23] Verdad es que ya Rengifo en su *Arte poética* (1592), y López Pinciano en su *Filosofía antigua poética* (1596), se habían ocupado brevemente de ciertas formas de métrica popular, y que en 1614 Ambrosio de Salazar había aducido algunos cantarcillos en su *Espejo general de la gramática;* pero no cabe duda de que el caso de Correas es absolutamente excepcional en esa época; habrán de pasar más de dos siglos para que se emprenda un acopio y un análisis métrico sistemáticos de la poesía folklórica como los que él supo llevar a cabo.

A no ser por Gonzalo Correas, muchos cantarcillos no consignados en ninguna otra fuente se habrían perdido de manera irremisible. Porque, de un lado, el pueblo mismo iba ya sustituyendo por las nuevas seguidillas y coplas sus antiguas canciones (algunas sobreviven como por milagro en zonas marginales y arcaizantes), y porque, de otro lado, no tardaría en decaer el interés de los literatos por esas producciones: quedarían relegadas a ciertos géneros menores de la poesía lírica (villancicos religiosos) y del teatro (mojigangas y bailes), que todavía en la segunda mitad del siglo XVII y durante el siglo XVIII incorporan de vez en cuando alguna que otra muestra del antiguo arte lírico popular.

La dignificación de la canción popular es un fenómeno común a toda la cultura renacentista europea. En Francia, Italia, Alemania, Inglaterra, los escritores se complacen en utilizar los cantares folklóricos, en formas a menudo parecidas a las comunes en España. Parece, sin embargo, que ningún país dio a esa tendencia el riquísimo y múltiple desarrollo que alcanzó en la Península Ibérica; en ninguno lo popular hundió sus raíces tan profundamente en la poesía y en el teatro. El estudio cabal de la literatura española del Siglo de Oro, sobre todo en esos dos aspectos, no es concebible sin un análisis de sus elementos folklóricos, análisis que debe realizarse mucho más a fondo y con mayor detalle de lo que ha sido posible en esta rápida ojeada de conjunto.

---

[23] Cf. *infra*, «Una fuente poética de Gonzalo Correas», pp. 204-211.

SUPERVIVENCIAS DE LA ANTIGUA LIRICA POPULAR *

A Dámaso Alonso

Uno de los fenómenos más característicos del folklore es la tenaz conservación de temas, formas, textos a través de los siglos. Durante extensos períodos las leyendas y los refranes, los bailes y los cantares parecen negar el transcurso del tiempo, desafiar a la historia. Y este hecho, tan conocido, causa una y otra vez sorpresa y emoción: emoción que han sentido los recolectores de viejos romances en la tradición oral, emoción que experimenta, con mayor razón, el que entre la infinidad de coplas populares españolas que hoy se cantan, tan distintas por su espíritu de las antiguas, descubre de pronto unos versos o todo un cantarcillo que ha visto citado en alguna obra de hace tres o cuatro siglos.

El primero que emprendió esta apasionante búsqueda fue Eduardo Martínez Torner. Entre los años de 1946 y 1950 publicó en la revista *Symposium* su «Indice de analogías entre la lírica española antigua y la moderna». [1] Analogías temáticas en las seis primeras entregas, formales en la última. En-

---

* Publicado en el *Homenaje a Dámaso Alonso*, t. 1 (Madrid, 1960), pp. 51-78.

[1] [Se publicó luego, con muchas adiciones, en el libro póstumo *Lírica hispánica* (ver lista de Abreviaturas), de 1966, al cual remito aquí.] Unos meses antes de que apareciera la primera entrega de Torner publiqué diez casos de supervivencias en mi tesis sobre *La lírica popular en los siglos de oro;* la mayoría de ellos carece, sin embargo, de la necesaria solidez, porque los textos que cité del folklore actual proceden del *Cancionero musical* del propio Torner (Madrid, 1928), obra hecha sin pretensiones científicas.

tre los abundantes materiales recogidos por Torner hay bastantes casos de supervivencias concretas (una canción de
hoy, derivada de otra antigua) y otros muchos de mera coincidencia temática, unas veces estrecha, otras más vaga. [2]
Varias supervivencias lo son de canciones de los siglos XVIII
y XIX; otras, de poemas cultos, antiguos o más recientes.

Reúno ahora una nueva cosecha de coincidencias textuales
—siempre textuales— entre canciones de tipo popular y «tradicional» citadas en obras de los siglos XV a XVII y canciones
folklóricas españolas, portuguesas, hispanoamericanas y judeoespañolas recogidas en nuestro tiempo. Sólo incluyo ejemplos ya citados por Torner cuando puedo suministrar un
texto importante no registrado por él. No tomo en cuenta
aquí los juegos y rimas infantiles, cuya supervivencia ha sido
en parte estudiada por Rodríguez Marín (BRAE, 18, 1931;
19, 1932), ni tampoco las supervivencias de la poesía culta.
Dejo fuera, además, las coincidencias textuales cuando los
elementos conservados por la tradición constituyen tópicos
o frases hechas, es decir, cuando no cabe hablar de supervivencia, parcial o completa, de un cantar individual (cf., infra,
nota 10), aunque quizá mis ocho primeros casos pudieran
incluirse dentro de esa categoría.

Las correspondencias apuntadas lo son, pues, de un cantar
viejo, en una o más versiones, con uno o varios de la tradición oral, y se deben, en la mayoría de los casos, a la supervivencia de ese cantar. Supervivencia que no extraña tanto
cuando el cantar gozó de gran difusión literaria en el Siglo
de Oro (por ejemplo, los números 24, 28, 34, 38, 51 y 60), pero
que sorprende en todos aquellos casos —y son muchos— en
que no tenemos sino un único testimonio antiguo de su existencia: una obra teatral de Gil Vicente (núms. 9, 57, 68), de
Tirso, de Lope o Vélez (20, 37, 44), algún pliego o manuscri-

---

[2] Así, a propósito del cantar gallego «Airiños, airiños, aires, / airiños
da miña terra... / airiños, levaime a ela» (Lírica, núm. 3) cita, entre
otras, la seguidilla recogida por Correas: «Aires de mi tierra, / venid
y llevadme...», pero cita también «Soledad tengo de ti, / tierra mía do
nací», que no presenta con el cantar gallego más nexos que los del
universal y eterno tema de la nostalgia.

to (8, 13, 19, 27, 30, 66, 70), un solo cancionero impreso, poético o musical (12, 31, 45, 55, 65, 67), o la prodigiosa obra de Gonzalo Correas (núms. 15, 25, 36, 39, 40, 47, 49, 50, 53, 54, 56, 59, 61).[3]

Esos cantares no han «descendido» al pueblo, sino que en medio de él vivían ya entonces y han continuado viviendo durante más de tres siglos, transformándose unas veces y otras manteniéndose casi iguales o aun idénticos. ¡Cuántas canciones que se cantan hoy existirían ya en el siglo XVI, sin que nadie las pusiera por escrito! ¡Y cuántas veces una versión actual, distinta de la antigua que conocemos, existiría en esa misma forma desde entonces! A menudo ignoramos, pues, si las variaciones que el texto moderno presenta frente al texto antiguo que se nos conserva son contemporáneas de él o si son obra de una transformación multisecular. La cancioncilla portuguesa *O da malva, malveta, / o malva moreneta* ¿procede de *La malva morenica, y va, / la malva morená* (nuestro ejemplo 31)? ¿Deriva de otra versión antigua, distinta de ambas? ¿Existía textualmente desde antiguo? Esta inseguridad —pocos casos escapan a ella— nos imposibilita para estudiar de manera sistemática lo que tanto importaría: las «leyes» del desarrollo a través de la transmisión oral.

A pesar de tal limitación, resulta interesante ver los *tipos de correspondencia*, y de acuerdo con ese criterio se han clasificado los materiales, comenzando por las correspondencias más lejanas y acabando por las más estrechas. Los textos van yuxtapuestos en dos columnas: a la izquierda los antiguos, a la derecha los actuales.

ABREVIATURAS NO INCLUIDAS EN LA LISTA GENERAL

AVF: Archivos Venezolanos de Folklore (Caracas).
Furt: Jorge M. Furt, *Cancionero popular rioplatense*, 2 vols., Buenos Aires, 1923-1925.

---

[3] [Sobre esto, ver *infra*, pp. 117-123.]

G. Matos, *Extrem.*: M. García Matos, *Lírica popular de la Alta Extremadura*, Madrid, 1944.

G. Matos, *Madrid:* M. García Matos, *Cancionero popular de la provincia de Madrid*, ed. M. Schneider y J. Romeu Figueras, 3 vols., Madrid, 1951-1960.

Larrea Palacín: Arcadio de Larrea Palacín, *Cancionero judío del Norte de Marruecos*, III. *Canciones rituales hispano-judías*, Madrid, 1954.

Levy: Denah Levy, *El sefardí esmirniano de Nueva York*, tesis, México, 1952.

Martínez Ruiz: Juan Martínez Ruiz, *Lengua y literatura sefarditas en Alcazarquivir*, tesis, Madrid, 1952.

Olmeda: Federico Olmeda, *Folk-lore de Castilla o Cancionero popular de Burgos*, Sevilla, 1903.

R· Marín: Francisco Rodríguez Marín, *Cantos populares españoles*, 5 vols., Sevilla, 1882-1883. (Doy el número del cantar.)

Schindler: Kurt Schindler, *Folk music and poetry of Spain and Portugal*, New York, 1941. (Doy el número del cantar.)

Torner, *Astur.*: Eduardo Martínez Torner, *Cancionero musical de la lírica popular asturiana*, Madrid, 1920.

Vasco: Eusebio Vasco, *Treinta mil cantares populares*, t. 1, Valdepeñas, 1929.

Vázquez Santa Ana: Higinio Vázquez Santa Ana, *Canciones, cantares y corridos mexicanos*, t. 2, México, 1925.

Wiener: Leo Wiener, «Songs of the Spanish Jews in the Balkan Peninsula», *MPh*, 1 (1903), pp. 205-216, 259-274. (Mantengo su ortografía.)

I. COINCIDENCIAS PARCIALES

En los primeros ocho casos ciertas palabras claves de la canción antigua reaparecen, en la actual, dentro de otro contexto. Considero estos ejemplos como limítrofes entre la supervivencia de tópicos y la de cantares individuales. Los he incluido porque sólo conozco en cada caso *una* canción antigua con el tema expresado de esa manera; si no existieron otras, podría tratarse de una supervivencia concreta.

1

Yo no sé cómo bailan aquí,
que en mi tierra no bailan
[a(n)sí.

*Romancero de Barcelona
(RHi, 29, 1913, pp. 121-194),
núm. 137; Lope de Vega, El
valor de las mujeres, III (F,
445).*

...A la vuelta, a la vuelta en
[Madrid,
en mi tierra no se usa así.

Baile de «las Carrasquillas»,
Cáceres (Schindler, 268).

2

Salga la luna, el caballero,
salga la luna, y vámonos luego.
Juan Vásquez *(infra, p. 183).*

Mi madri salyó a la luna
por ver mi bwena vintura
en el lunar,
ke la luna al kavayēru
a medža noči al bel lunar...

Balcanes (Wiener, núm. 10).

3

Si te vas a bañar, Juanica,
dime a cuáles baños vas.
Pisador, fols. 14 vº s.; *Cancionero de Upsala*, 31 (F, 85); en
dos pls. ss. (Moñino, *Dicc.*,
464 y 706).

Si te fueres a bañar,
avísame tres días antes,
para empedrarte el camino
de rubises y diamantes.
Colombia (revista *Bolívar*,
1955, p. 316).

Que si te fueres a bañar, novia,
llévame contigo, no vayas sola...
Canto de boda, Marruecos
(Larrea Palacín, pp. 51, 53 =
F, 612; cf. Alvar, *Cantos*, nú-
mero 13).

4

A la sombra de mis cabellos
mi querido se adurmió:
¿si le recordaré o no?

Primavera y flor, núm. 58 (A-
B, 289); *CMP*, 132, 360 (F, 111;
con variantes).

A la sombra del cabello
de mi dama dormí un sueño.

Estribillo de romance, Canarias (J. Pérez Vidal, *RDTP*, 4,
1948, p. 236, núm. 83; cf. ahora Torner, *Lírica*, núm. 11).

5

...*Madre*, la mi madre,
del cuerpo atán garrido,
por aquella sierra,
de aquel lomo erguido,
iba una mañana
el *mi lindo amigo:*
llaméle con mi toca
y con mis dedos *cinco*...

Fuérame a bañar
a orías del río,
aí encontrí, *madre*,
a *mi lindo amigo;*
él me dio un abrazo,
yo le di *sinco*...

Padilla, *Thesoro*, fol. 402 (F, 93). Es la glosa del texto que sigue.

Marruecos (Alvar, *Cantos*, núm. 15; J. Benoliel, *BRAE*, 14, 1927, p. 372, con variantes = F, 604).

6

La sierra es alta
y áspera de sobir;
los caños corren agua
y dan en el toronjil.

Sale el agua de los caños
y reboca en el pilón.
Con los mocitos de ahora
poquita conversación.

Id., loc. cit.; otras versiones en Pisador y Lope de Vega (cf. A, 377).

Madrid (G. Matos, *Madrid*, texto núm. 473).

En los dos casos siguientes la analogía parece ya más estrecha:

7

Dame del tu amor, señora,
  siquiera una rosa.
Dame del tu amor, galana,
  siquiera una rama.

Dame de tu cabeza
  siquiera un pelo,
para atarme una herida
  que Amor me ha hecho...
  (R. Marín, 2299; cf. 1250).

Cárceres, ensalada «La trulla» (Flecha, *Ensaladas* 1581, fol. 33; B.C.B., ms. M. 588/1, fol. 8 v° (F, 167).

—Malagueñita pulida,
dame de tu pecho un ramo.
—¿Quién te ha dicho, picarón,
que malagueña me llamo?
  (R. Marín, 1510).[4]

---

[4] Esta canción pasó a la Argentina (Furt, núm. 1682), conservando intacto el segundo verso. Véanse peticiones análogas en R. Marín, 1509, 1806 y 1807; Vasco, p. 374, núm. 1174.

8
—¿Dónde le dejas el tu amor,
   Magdalenica?
¿Dónde le dejas tal amor,
   pues te hizo rica?
—Déjole en cas de Simón
y con él mi corazón...

Coplas del memento homo...
hechas por Juan del Enzina...
(Pliegos poéticos B.N.M., t. 2,
p. 112; Moñino, Dicc., 179).[5]

—¿Dónde le tienes el amor, sa-
                              [lada?
—Soldadito le tengo en La Ha-
                              [bana.
—¿Dónde le tienes el amor, mo-
                              [rena?
—Soldadito le tengo en la gue-
                              [rra.

Burgos (Olmeda, pp. 114-5,
núm. 27)·

—Dímelo, resaladina,
¿dónde tienes el (a tu) amor?
—Se fue a Cuba (al moro) y no
                            [volvió.
León (comunicado oralmen-
te).

En los ocho ejemplos citados a continuación, el cantar
actual presenta la m i s m a   i d e a central y ciertas c o i n -
c i d e n c i a s   t e x t u a l e s con el antiguo; varía, entre otras
cosas, la disposición de los elementos:

9
Ru, ru, menina, ru, ru,
mouram as velhas e fiques tu,
co a tranca no cu.

Gil Vicente, *Comédia de Ru-*
bena (F, 515).

Durme, meu ruliño, durme,
que si non doute no cu,
que morran os vellos todos
e quedamos eu mais tú.

Comarca de Tuy (F. Costas,
RDTP, 8, 1952, p. 652; cita,
incompleto, el texto de G. Vicente).

10
Si la noche hace escura
y tan corto es el camino,
¿cómo no venís, amigo?

Esta noche y la pasada
¿cómo no has venido, mi amor,
estando la luna clara
y el caminito andador?

---

5 El mismo esquema, en «Zagala, ¿dó está tu amore? / —Yo me sé
adónde», Timoneda, *Anphitrion* (A-B, 391).

Pisador, fol. 9 rº; *Cancionero
de Upsala*, núm. 14 (F, 220),
etcétera (cf. A, 58).

Santander (Schindler, 532).
(Cf. Torner, *Lírica*, núm. 33).

11
No me echéis, el caballero,
  yo me iré:
qu'es de noche, y perderme he.

No m'eches, que yo me iré,
deja que sarga la luna;
soy niño y me perderé
por esa montaña oscura.

Timoneda, *Sarao*, fol. 43 vº (A,
467).

Andalucía (R. Marín, 4027).
[Cf. además Torner, *Lírica*,
núm. 166].

12
Tales ollos como los vosos
nan os hay en Portugal.

Todo Portugal andei,
nunca tales ollos achei.

Todo el mundo traigo andado
y no he podido encontrar
ojitos como los tuyos
ni en Francia ni en Portugal.

Vásquez, *Recopilación (infra*,
p. 187).

(R. Marín, 1125).[6]

13
De tu cama a la mía
  pasa un barquillo:
aventúrate y pasa,
  moreno mío.

De tu ventana a la mía
  no hay más que un paso (tre-
                  [cho):
arrímate, vida mía,
  dame un abrazo (uno becho).

B.N.M., ms. 3985, fol. 229 rº
(Séguedilles, núm. 47).

México (Vásquez Santa Ana,
p. 98).

De tu cama (casa) a la mía, *cie-
              [lito lindo,*
  hay sólo un paso:
ahora que estamos solos, *cieli-
              [to lindo,*
  dame un abrazo.

México: canción «Cielito lindo» (tradición oral). [Ver ahora *CFM*, t. 1, núm. 1478.]

6 Cf. el mismo esquema formal, pero con escasas coincidencias textuales, en R. Marín, 1285 y 1442; G. Matos, *Extrem.*, pp. 90 y 405, núm. 90;
Furt, núm. 1934.

14
A coger el trébol, damas,
la mañana de San Juan,
a coger el trébol, damas,
que después no habrá lugar.

A coger el trébole y el trébole
    [y el trébole,
a coger el trébole los mis amo-
    [res van;
a coger el trébole y el trébole
    [y el trébole,
a coger el trébole la noche de
    [San Juan.

Romancero general (F, 456);
Jardín de amadores, Barcelona, 1611, fol. 67 vº.

Asturias (Torner, *Astur*, núm.
385; Burgos (Olmeda, p. 110,
núm. 15, vs. 1-2, variados);
Cáceres (C u r i e l Merchán,
RDTP, 10, 1954, p. 260, variantes).[7]

15
Esperar y no alcanzar
    ni venir;
estar en la cama y no reposar
    ni dormir;
servir y no medrar
    ni subir:
son tres males para morir.[8]

Esperar y no venir,
querer y que no lo quieran,
acostarse y no dormir:
¿cuál será la mayor pena?

Correas, *Vocabulario*, p. 150 *a*.

(R. M a r í n, 5969); Asturias
(Torner, *Astur.*, núm. 383, con
variantes); León (Schindler,
435, con variantes). [Cf. ahora Torner, *Lírica*, núm. 107.]

16
¡Ah!, galana del rebozo,
¿no diréis a cómo vendéis
la onza del chipirrichape que
    [tenéis?

...—Por Dios, la nuestra novia,
    [cuerpo garrido,
¿si vos ponís albayalde o oro
    [molido?

---

[7] [En su *Índice de analogías* Torner no aludía aún a nuestro texto
antiguo; en *Lírica*, núm. 1, ya aparece mencionado.]

[8] Los refranes sefardíes que cita Denah Lida, *NRFH*, 12 (1958), p. 20,
núm. 192, muestran que existieron textos más cercanos al actual que
el de Correas (por ejemplo, «Esperar y non venir, echar y non dormir, hazer y non agradecer, son más hurte de morir»).

Horozco, *Cancionero*, p. 67.

Decí, damas arreboladas,
¿qué tenéis y a cómo vendéis
la onza del chípite, chápete,
la onza del chápite, chípite,
la onza del chípite, chápete,
chápete, chápite que os ponéis?
Francisco de la Cruz, *Siguese
un gracioso cuento...*, pl. s.,
Murcia, 1601 (Gallardo, *Ensayo*, t. 2, col. 630).

—No me puso mi madre cosa
                    [ninguna,
la cara de la novia como la
                    [luna.
... ...

—La onza de la gracia, ¿y a
                [cómo la vende?
—No lo vende por onza ni por
                [cuarterón:
se lo vendo a mi amante de mi
                [corazón.

Canción de boda, Marruecos
(Larrea Palacín, p. 80, núm.
45 = F, 600; cf. pp. 81-82, números 46-47; desde el v. 5,
aparece, con variantes, en
Martínez Ruiz, núm. 2; cf.
núm. 13. Ver Alvar, *Cantos*,
núms. 14 y 11).[9]

Llegamos ahora a un grupo bastante nutrido de casos en
que coincide, de manera aproximada o textual, el c o m i e n -
z o de un cantar antiguo —casi siempre sus dos primeros versos— con el de un cantar actual; [10] el final es siempre distinto
(cf. también núms. 4, 13, los comentarios a 40 y 60 y Torner,
Lírica, núms. 3, 30, 135). En el primer ejemplo el texto del
siglo XVI parece ser versión a lo divino de un cantar-pregón
(cf. núm. 52) desconocido, posiblemente análogo al que se
canta ahora:

---

9 En Andalucía se canta: «Las mositas de Sebiya / le disen a las
de Cais: / ¿A cómo bale la libra / de la sar que derramáis?», R. Marín, 7908.

10 No tomo en cuenta los cantares con «A la gala de...», frecuente
principio de cantos de alabanza antiguos y de hoy, ni los que comienzan con otros tópicos iniciales, como «Al pasar el arroyo de...», «Allí
arribita, arribita...», «No me case mi madre con...», etc., que han sobrevivido como tópicos. Me queda una ligera duda en cuanto a los números 18 y 23: ¿serían también comienzos estereotipados?

17

¡Al buen pan, qu'es pan y bueno,
al pan de buena comida,
que figura el Pan de vida!

Farsa sacramental de *Los tres
estados* (Rouanet, t. 3, p. 398).

Al buen pan de Aragón,
vecinas, acudir.
¿Quién me compra esta rosca,
que me tengo que ir?

Madrid (G. Matos, *Madrid*,
texto 142).

18

¡Quién viese aquel día
cuando, cuando, cuando
saliese mi vida
de tanto bando!

Sá de Miranda, *Obras completas*, ed. M. Rodrigues Lapa,
2.ª ed., Lisboa, 1942-43, número 71.

¿Cuándo, cuándo?
¡Oh, quién viese este cuándo!
¿Cuándo saldrá mi vida
de tanto cuidado?

Vázquez, *Recopilación* (F,
328).

¡Cuándo será aquel día
y aquella noche
que al pie de la tu cama
me desabroche!

Asturias (Meré, *RDTP*, 8,
1952, p. 150).

¡Cuándo llegará aquel día
y aquella feliz mañana
que nos lleven a los dos
el chocolate a la cama!

(R. Marín, 2784); fue muy popular en la Argentina con el
nombre de «El cuándo»; también en Colombia (Meré,
RDTP, loc. cit.: v. 1: «Cuándo será *ese cuándo...*»).

19

En llegando a la barca
dije al barquero
que me pase el río,
que tengo miedo.

B.N.M., ms. 3985, fol. 227 vº
(*Séguedilles*, núm. 90).

Al pasar la barca
me dijo el barquero:
moza bonita
no paga dinero.

Galicia (Milá, *Romania*, 6,
1877, pp. 47-75, núm. 125);
Alava (J. I. Irigoyen, *Folklore
alavés*, Alava, 1950, p. 88, con
variantes); Santo Domingo
(Henríquez Ureña, en *Confe-*

rencias [La Plata], 1, 1929, p. 200, variado); Venezuela (A. Gómez, *AVF*, 3, 1955-56, núm. 4, p. 132, variado); Argentina (Furt, núm. 1656, con final algo distinto).

20

De Madrid a Getafe
  ponen dos leguas:
veinte son si la calle
  se pone en cuenta...

  Tirso de Molina, *Desde Toledo a Madrid*, III 5 *(BAE*, t. 5, p. 496*a*).

De Madrid a Toledo
  van doce leguas,
y en medio está la Virgen
  de las Candelas.

  Soria (Schindler, texto 656). (Cf. núm. 37).

21

Una flecha de oro
  me tiró el Amor:
¡ay, Jesús!, que me ha dado
  en el corazón.

  Laberinto amoroso, p. 121; Segunda parte de la *Primavera y flor...*, Madrid, 1659, folio 204 v°; Juan de Luque, *Divina poesía y varios conceptos*, Lisboa, 1608, p. 13; *Cancionero de Módena* (ed. Ch. V. Aubrun, *BHi*, 52, 1950, pp. 313-374), núm. 59.

Una flecha en el aire, *cielito*
                        [*lindo*,
  tiró Cupido:
él la tiró jugando, *cielito lindo*,
  y a mí me ha herido.

  México; de la divulgada canción «Cielito lindo» (tradición oral; cf. núm. 13).

22

Rey don Alonso,
rey mi señor...
  Salinas, *De musica*, p. 339 (trunco).

... ¡Rey don Alonso!
¡Rey mi señor!
Rey de los reyes,
el emperador.

¡Ay, mi don Alonso,
ay, mi señor,
caro te cuesta
el tenerme amor!
Baile del caballero de Olme-
do, en el *Cancionero de 1615*
cf. *infra,* p. 287, nota 18), folio 296 vº; en Cotarelo, *Colec-*
ción, t. 2, p. 491*b,* con variantes (F, 316).[11]

Avila (Schindler, núm. 101,
10).

23

Quien perdió lo que yo hallé
déme las señas, y dárselo he.

¿Quién perdió lo que yo hallé?
Un pañuelo casi nuevo,
en cada pico un suspiro
y en medio un ¡ay, que me
[muero!

B.N.M., ms. 3915, fol. 163 vº;
Francisco de Velasco, *Cancio-*
nero de coplas del Nacimien-
to..., pl. s., Burgos, 1604, fol.
[1 vº] (cf. Gallardo, *Ensayo,*
t. 4, 985; variante).

(R. Marín, 5171; cf. nota.)

24

...De los álamos de Sevilla,
de ver a mi linda amiga.

En los tálamos de Sevilla
anda la novia en camisa.
Anday quedo.

Glosa de «De los álamos vengo, madre», Vásquez, *Recopi-*
lación (infra, p. 268) y *Villan-*
cicos (F, 346); Fuenllana, folios 142 rº-143 rº.

En los tálamos de Granada
anda la novia en delgada.
Anday quedo.
Marruecos (Larrea Palacín,
p. 83 = F, 607).

---

11 Torner (*Lírica,* núm. 205), J. M. Blecua (A-B, p. lxiii) y E. García
Gómez (*Al-An,* 21, 1956, pp. 215-216) han comentado la supervivencia de
este cantar; no citan, sin embargo, la cancioncilla que figura al final
del *Baile del Caballero de Olmedo,* que podría ser una adaptación (el
caballero se llama don Alonso) del cantar parcialmente citado por Salinas; ¿terminaría éste de manera análoga?

25

Bendito sea Noé,
que las viñas plantó,
para quitar la sed
y alegrar el corazón.

   Correas, *Vocabulario*, p. 352*a*
   (F, 570).

Bendito sea Noé,
el que las viñas plantó,
porque de un triste sarmiento
sale tan dulce licor.

   (R. Marín, 7669).

Los dos primeros versos se nos presentan ahora separados y como desdoblados:

26

Vine de lejos,
niña, por verte;
hállote casada,
quiero volverme.

   Correas, *Vocabulario*, p.
   522*a* (F, 258); Horozco, *Cancionero*
   cf. *infra*, p. 127; Tirso de
   Molina, *Los amantes de Te-*
   ruel, III (*BAE*, t. 5, p. 703*b*,
   con variantes).

De lejanas tierras he venido,
arrastrando mi rebozo,
todo por venirte a ver,
cara de perro baboso.

   Argentina (Furt, núm. 275).

Toda la noche he venido,
atravesando pinares,
sólo por venirte a ver,
rosita de los rosales.

   Madrid (G. Matos, *Madrid*,
   texto 234; id., otra copla pa-
   ralela; Vasco, p. 380, núm.
   1209).[12]

Los dos primeros versos aparecen al final, reducidos a uno solo:

27

Preso me lo llevan
a mi lindo amor,
por enamorado,
que no por traidor...

Prisionerito y cautivo en Argel
—lirio, qué dolor—,
prisionerito llevan a mi amor.

---

   12 El mismo esquema, con el tercer verso casi idéntico, en R. Marín,
1676, 1677, 2121; Furt, 853 (cf. 852), etc. La frecuencia del esquema y sobre todo del «sólo por venirte a ver» provocó sin duda la parodia que
vemos en Furt (cf. *ibid.*, 1644). [Cf. también *CFM*, t. 1, núms. 600, 602,
606, 608, 610.]

Cartapacios salmantinos, p. 312 (F, 314).

Extremadura (G. Matos, *Extrem.*, p. 57, núm. 9). (Cf. Torner, *Astur.*, núm. 464, y Schindler, 122).[13]

En los ejemplos 28-30 coincide el f i n a l . (Cf. núms. 6, 37, la nota 18 y Torner, *Astur*, 496=*Lírica*, núm. 188).

28

Amor loco,
yo por vos y vos por otro.
    Correas, *Vocabulario*, p. 76b
    (texto divulgadísimo: cf. A,
    196).

Vuela el carancho, vuela,
    quiere llevarla,
mas por más que la busca, que-
                              [rida,
¿ande encontrarla?
Vení, vení, vení,
vos por otro y yo por ti.
    Argentina (Furt, núm. 1232).
    (Cf. Torner, *Lírica*, núm. 109).

29

Madre, una mozuela
que en amores me habló,
¡piérdala su madre
y hallásemela yo!

    Ensalada en un pl.s. (Moñino,
    Dicc., 707; F, 130).

Si tu mare no me quiere,
que m'eche una mardisión:
que se le pierda su hija
y que me la encuentre yo.

    Andalucía (R. Marín, 2838).

30

Mal haya la barca
    que acá me pasó,
que en casa de mi padre
    bien m'estaba yo.

    Cartapacios salmantinos, p.
    311 (A-B, 225).

No me diga nadie
    que buena estoy yo,
que en ca de mi padre
    mejor estaba yo.

    Marruecos (Larrea Palacín, p.
    117, núm. 65; Alvar, *Cantos*,
    núm. 48).

---

[13] La canción ha sobrevivido de manera más íntegra, pero puesta en boca del preso, en la copla citada por Torner, *Lírica*, núm. 217, y en la que trae Schindler, 935. Hay otra versión en segunda persona (Olmeda, p. 89, núm. 32).

II. COINCIDENCIA DE LOS ELEMENTOS ESENCIALES

Muchos son los casos en que una canción actual es igual a otra antigua por la *idea* que expresa, por todo su *esquema formal* y, en gran parte, por el *texto* mismo; sólo los elementos secundarios varían. (Cf. Torner, *Lírica*, núms. 33, 52, 125, 148, 156, 171, etc.)

31

La malva morenica, y va,
la malva moréná.

Valdivielso, *Romancero espiritual*, Madrid, 1880, p. 105 (A-B, 458).

O, da malva malveta,
o, malva moreneta.

Portugal (Schindler, 966).

32

Mi marido es cucharetero,
diómelo Dios, y así me le quie-
[ro.

B.N.M., ms. 3915, y Correas, *Vocabulario* (cf. aquí pp. 61 y 207).

Pastorcito es mi marido,
y así me le (lo) quiero yo.

Especie de estribillo del romance del «Esposo pastor» (cf. núm. 33), Ávila (Schindler, p. 62, texto 16).[14]

33

Por más que me digáis,
mi marido es el pastor.

Correas, *Vocabulario*, p. 479b, y refraneros anteriores (cf. *infra*, p. 163; varios pls. ss. (Moñino, *Dicc.*, 71, 323, 324, 409, 410 y 852).

Y aunque me digas y digas,
mi marido es mi señor.

Especie de estribillo del romance del «Esposo pastor» (cf. núm. 32), Marruecos (Martínez Ruiz, núm. 56).[15]

---

[14] Cf. «Mi marido es cucharero / y hace tres a la semana...» (Vasco, p. 285, núm. 672; variado en Schindler, 867); «Deseia tener marido: / me lo dio Dio / chiquito y bonito, / loorez al Dio», Marruecos (Martínez Ruiz, núm. 10).

[15] Resulta curioso que la respuesta que da la esposa del pastor en las dos versiones del romance corresponda en cada caso a un cantar antiguo distinto, que además no parece tener nada que ver con el ro-

34

Cuando vos fuéredes monja,
                    [madre,
seré yo fraile.

Correas, *Vocabulario*, p.
                    [448a.[16]

Despedidas vienen dando,
y con ésta ya van cinco.
Cuando tú monja beata,
cuando yo fraile francisco.

Madrid (G. Matos, *Madrid*,
texto 337).

35

Daime la mano, si me queredes,
miños ollos, ahora dai, dai, dai,
dadme la mano, dai, dai, dai.

Baile del Sotillo de Manzana-
res (Cotarelo, *Colección*, t. 2,
p. 481b).

Trai, trai, traime la mano, niña,
trai, trai, tráimela por detrás...

Extremadura (G. Matos, *Ex-*
trem., p. 61, núm. 20); Cáceres (Schindler, 360, 356, variantes).[17]

36

Vestíme de verde
    por hermosura,
como hace la pera
    cuando madura.

Correas, *Vocabulario*, p. 519a
(F, 521).

Eya si viste di verdi
    i di amariyu,
kē ansi dizi la pēra
    kon el bimbriyu.

Eya si viste di verdi
    i di zurzulí ['melocotón ama-
                    [rillo'],
kē ansi dizi la pēra
    kon el čuftelí... ['melocotón'].

Levante (Wiener, núm. 13; Levy, p. 66: vs. 1, 5 «Ya se viste
la morena»; 3, 7 «ansina es la
pera»; 6 «y de vedrolí»; 8 «sif-
tilí»; F, 599).

---

mance. La respuesta en la versión marroquí debe de haber sido originalmente «mi marido es (el) pastor»; para el v. 1, cf. «Aunque más me
diga, diga, quien bien ama tarde olvida», Correas, *Vocabulario*, p. 34a.
   [16] Es la respuesta de Cupido a Venus (cf. Lope, *Dorotea*, ed. A. Castro, p. 71), de la cual hay otras versiones.
   [17] El «dadme la mano», referencia evidente al baile, aparece con
frecuencia en la lírica musical de nuestros días.

37

¡Ay!, que desde vienes
  a Cantillana
hay una legüecita
  de tierra llana.

Vélez de Guevara, *El diablo
está en Cantillana*, I *(BAE,*
t. 45, p. 160*b;* A-B, 476). (Cf.
núm. 20.)

Desde Manzanaritos
  a la Solana
hay una legüecita
  de tierra llana.

(R. Marín, 8058).[18]

38

En los tus amores,
  carillo, no fíes,
cata que no llores
lo que agora ríes.

Flor de enamorados, fol. 125
v°; otras muchas fuentes (algunas, señaladas en **A**, 500).

No fíes en amores,
  niña, no fíes;
que llorarás en un tiempo
  lo que ahora ríes.

(R. Marín, 5872).

39

Prometió mi madre
de me dar marido
hasta que el perejil
estuviese florido.

Mal Lara y Correas (cf. *infra*,
p. 135).

Dice mi madre
que no me da marido
hasta que el cardo
no esté florido...

Extremadura (G. Matos, *Extrem.*, p. 166, núm. 222); Soria (Schindler, 281, variante).[19]

---

[18] Los dos últimos versos, literalmente en G. Matos, *Madrid*, texto
442; variados, en RDTP, 8 (1952), p. 56, núm. 164.

[19] Continúa: «Yo digo ¿cuándo, / cuándo estará florido, / madre,
aquel cardo? (/ quiero marido)», texto que también se remonta por lo
menos al siglo XVI: «¿Cuándo mas cuándo / llevará cerezas (-icas) el
cardo?», en P. Vallés, *Libro de refranes*, Zaragoza, 1549, fol. [59]; Correas, *Vocabulario*, p. 448*b;* Covarrubias, *Tesoro*, s.v. *cereza* (=A-B, 280).
Posiblemente ya existiera en aquel tiempo un cantar análogo al actual,
por el estilo del refrán —como dice Correas, «de cantar quedó en refrán» nuestro texto 39— que cita Rodríguez Marín (*Todavía 10.700 refranes más...*, p. 90*a*): «Dice mi madre que estaré por casar hasta que

40

La piedra que mucho roda
no es buena para cimiento;
la moza que a muchos ama
tarde halla casamiento.

Correas, *Vocabulario*, y BNM,
ms. 3915 (cf. *infra*, p. 207).

La piedra que rueda lejos
no sirve para cimiento,
la mujer que es querendona
no le traten casamiento.

Argentina y Venezuela (Furt,
núm. 1414 y nota al 1418).
(Cf. R. Marín, 6798, vs. 1-2).

Cambia el s e g u n d o verso:

41

Compráme una saboyana,
marido, así os guarde Dios,
compráme una saboyana,
pues las otras tienen dos.

*Coplas agora nueuamente he-
chas... por Blas de Aytona*,
pl. s., Cuenca, 1603 (B.N.M.,
R-8590; cf. Gallardo, *Ensayo*,
t. 1, 350); *Coplas agora nueuamente he[c]has de vna muger casada... (Pliegos poéticos
B.N.M.*, t. 2, p. 225; Moñino,
Dicc., 780); B.N.M., ms. 3915,
fols. 318 v° s. (F, 529); Covarrubias, *Tesoro*, p. 918.

Comprem' unha saboyana,
señora, válgame Dios,
cómprem' unha saboyana,
que as outras teñen á dous.

Galicia (J. Pérez Ballesteros,
Cancionero popular gallego,
t. 1, Buenos Aires, 1942, p. 74,
núm. 36).

En tres casos difiere sobre todo el t e r c e r verso (el de
las versiones actuales del núm. 44 es, sin duda, antiguo):

42

Aunque soy morena,
yo blanca nací:
a guardar ganado
mi color perdí.

Correas, *Arte*, y B.N.M., ms.
3915 *(infra*, p. 208).

Morenika mi yama,
yō blanko nasí,
di pasear galana
mi kolor perdí.

Levante (Wiener, núm. 13; id.,
núm. 22, variado; otra versión aporta J. M. Estrugo,

haya cerezas en el cardizal: ¡cuándo mas cuándo echará cerecitas el
cardo!». Cf. para Colombia, Patiño, *AVF*, 2 (1953-54), núm. 3, p. 99, número 41.

Sefarad, 14, 1954, p. 146, y
otra casi igual, Levy, p. 65=
F, 599).

43

El amor del soldado
no es más de una hora:
que en tocando la caja,
«¡y a Dios, señora!».

> Correas, *Vocabulario*, p. 86a
> F, 229); Claramonte, *Él va-*
> *liente negro en Flandes*, I
> *(BAE*, t. 43, p. 494a, variado);
> los vs. 1-2, en Calderón, *El*
> *alcalde de Zalamea*, II 17
> *(BAE*, t. 12, p. 78a; dice «*no*
> *dura* un hora»).

Amor de forastero
no dura una hora:
ensilla su caballo
y «¡adiós, señora!».

> Argentina (Furt, núm. 75; otra
> versión, *id.*, 75a; Portugal (R.
> Marín, t. 4, p. 421, nota 3, ver-
> sión distinta). [Cf. también
> Torner, *Lírica*, núm. 162].

44

Mariquita me llaman
   los arrieros,
Mariquita me llaman,
   voyme con ellos.

> Lope de Vega, *Servir a señor*
> *discreto*, II *(Acad.*, t. 15, p.
> 590b; F, 115).

María me han llamado
   unos arrieros;
si otra vez me llaman,
   me voy con ellos...

> Madrid (G. Matos, *Madrid*,
> texto 442; sigue: «Ya me han
> llamado; / María del arriero
> / no se ha marchado»).

Morenica a mí me yaman
   los marineros;
si otra vez me yaman,
   yo me vo con eyos.

> Levante (Levy, p. 65=F, 599;
> otra versión, Wiener, núms.
> 13, 22, y Estrugo, *loc. cit.*; es
> de la misma canción cit. *su-*
> *pra*, núm. 42).

> Morenita resalada
> me llaman los marineros;
> otra vez que me lo digan
> me voy al muelle con ellos.
>
> (R. Marín, 1438; cf. también
> Torner, *Lírica*, núm. 16.)

En otros casos varía la idea f i n a l :

45

Madre mía, aquel pajarillo	A aquel pajarito, madre,
que canta en el ramo verde,	que canta en el árbol verde,
rogalde vos que no cante,	decidle, por Dios, que calle,
pues mi niña ya no me quiere.	porque su canto me ofende.

Primavera y flor, núm. 10

(R. Marín, t. 3, p. 465, nota 15; *ibid.*, núm. 5083, versión asonantada en *í-a.*)

Ese pájaro que canta
arriba e la mata e lima (rosa),
madre, mándelo acallar,
que el corazón me lastima (des-
[troza).

Santo Domingo y Puerto Rico (S. Nolasco, *Una provincia folklórica: Cuba, Puerto Rico y Santo Domingo*, Santiago de Cuba, 1952, p. 27).[20]

----

[20] En otras versiones los dos primeros versos preguntan «¿Dónde será aquel paxarín / que canta...»* (Torner, *Astur.*, núm. 439; cf. *RDTP*, 2, 1946, p. 122) o «¿Qué pájaro será aquel...?» (Andalucía: J. F. Montesinos, *NRFH*, 9, 1955, p. 395); «¿Qué pajarillo es aquel / que canta en aquella lima (higuera, torre)? / Anda dile que *no cante,* / que el corazón me lastima (que espere a que yo me muera, que hasta la barranca se oye)», México, canción «Pajarillo barranqueño» (de la tradición oral). [Cf. *CFM*, t. 2, núms. 3497a-3499; también 3496, 3450-3452.] El comienzo «Aquel pajarillo que canta (vuela, etc.)» se da en otras canciones antiguas y actuales.

A pesar de la variación final, la coincidencia puede ser notable:

46

Las mañanas de abril,
tan dulces son de dormir,
y las de mayo
de mío (de sueño) me cayo.

Las mañanicas de abril
son muy dulces de dormir
y las de mayo
sin fin ni cabo.

> Correas, *Vocabulario*, p. 212*b* (y antes en los *Refranes* de P. Vallés, fol. [39] r°; cf. F, 359; A, 407; *infra*, p. 157).

> Cuenca (A. González Palencia y E. Mele, *La maya*, Madrid, 1944, p. 49 y nota; cf. Torner, *Lírica*, núm. 129).

47

¡Qué tomillejo
y qué tomillar!
¡Qué tomillejo
tan malo de arrancar!

¡Ay, qué tomillito,
ay, qué tomillar!
¡Ah, qué suavecito
que está de arrancar!

> Correas, *Arte*, p. 446 (F, 404).

> Madrid (G. Matos, *Madrid*, texto 4; *ibid.*, 54, variante); Soria (G. Manrique, *RDTP*, 10, 1954, p. 168, variado).

Se ha trastrocado el orden de los versos y algunos de ellos se han perdido o sustituido [21] en:

48

Parióme mi madre
una noche oscura,
cubrióme de luto,
faltóme ventura.

...Parióme mi madre,
crióme mi tía (cf. v. 27),
púsome por nombre
niña sin fortuna (vs. 31-32).

---

[21] El caso particular que cito a continuación deberá revisarse ahora a la luz de mi artículo «Endechas anónimas del siglo XVI, *Studia hispanica in honorem R. Lapesa*, t. 2, pp. 245-268. Resulta, en efecto, que «Parióme mi madre...» no es un poema, como pensábamos, sino una serie de estrofas independientes, que en otras versiones se agrupan de diferentes maneras y que no son siempre las mismas. Las versiones judeo-españolas no deberían, pues, compararse sólo con la de la *Flor de enamorados*. Por lo demás, no hay duda de que el texto marroquí que citamos es una revoltura de versos procedentes de estrofas antiguas, o sea, que el orden sí aparece aquí trastrocado.

Cuando yo nací   5
era hora menguada,
ni perro se oía,
ni gallo cantaba.

Ni gallo cantaba,
ni perro se oía,   10
sino mi ventura
que me maldecía.

....

Mi lecho y la cuna   25
es la dura tierra;
crióme una perra,
mujer no ninguna.

Muriendo mi madre,
con voz de tristura   30
púsome por nombre
hijo sin ventura...

Flor de enamorados, fol. 63
rº-vº (F, 325). Otras fuentes:
ver artículo mencionado en la
nota 21.

Cuando yo nací (v. 5),
nació la tristura (cf. v. 30).
Parióme mi madre,
crióme mi tía,
púsome por nombre
niña sin fortuna.
Con hierbas del campo
hizo cuna y cuna (cf. v. 25).
Cuando yo nací,
en una noche escura (v. 2),
ni gallo cantaba (v. 9)
ni el perro ladraba (v. 10),
sino l'aguililla (cf. v. 11)
negras voces daba.

Marruecos (M. Alvar, *Endechas judeoespañolas*, Granada, 1953, p. 114; *ibid.*, p. 115
= F, 620; Martínez Ruiz, núm.
22, tres versiones, de 4, 6 y 8
vs.; Menéndez Pidal, «Catálogo del romancero judío-es-
pañol», núm. 141); Balcanes
(Wiener, núm. 7: 6 vs. seguidos del romance de la «Niña
de Francia»).

Como en los casos anteriores, en los siguientes parece
evidente que el cantar antiguo, o una versión muy parecida,
dio origen a la canción actual. Pero ésta se nos presenta
a m p l i a d a , quizá en ciertos casos, por una asimilación al
metro de la cuarteta. (Cf. núms. 9-11, 3; Torner, *Lírica*, números 28, 55, 88, 92, 99, 106, 110, 141, 146). Alguna vez bastaba
con repetir el primer verso después del segundo:

49
No son todas palomas
las que están en el montón:
de ellas palominos son.

No son todas palomitas
las que pican en el montón,
no son todas palomitas,
que algunos palomitos son.

Correas, *Vocabulario*, p.
                    253b.[22]

Salamanca (Torner, *RFE*, 14,
1927, pp. 417 *s.*); Extremadura (G. Matos, *Extrem.*, p. 345,
núm. 116 bis, variado); Portugal (Torner, *Lírica*, 170, variado; cf. Schindler, 933).

Otras veces un dístico antiguo aparece desplegado:

50
Si pica el cardo, moza, di,
si pica el cardo, di que sí.

Correas, *Vocabulario*, p. 287a.

Si pica el cardo, niña, en ti,
pique o no pique, di que sí.
Si pica el cardo corredor,
pique o no pique, di que no.

Danza, Extremadura (G. Matos, *Extrem.*, p. 340, núm.
108 bis y p. 346, núm. 119 bis;
otra versión, p. 331, núm. 94
bis).

51
Al villano se lo dan
la cebolla con el pan.

Lope de Vega, *San Isidro la-
brador*, I *(Acad,* t. 4, p. 564)
y muchas otras fuentes (cf.
A, 339).

Al villano se le da
cebollita, pan y puerro,
al villano se le da
cebollita, puerro y pan.

Soria (Schindler, 838); Portugal *(ibid.,* 936, variado). (Cf.
Torner, *Lírica*, núm. 15.)

O encontramos nuevos elementos, quizá en realidad muy
antiguos: [23]

52
Adobar, adobar,
caldero adobar...

Adobar, adobar y adobar,
calderita de mi amiga
y a mi caldera adobar.

---

[22] [No aparecía el texto de Correas en la versión original del trabajo de Torner («Indice de analogías», núm. 130); sí figura, en cambio, en
su libro póstumo (núm. 170). No es improbable que algunas de las
adiciones hechas en ese libro procedan de la versión primera de mi
artículo, publicada seis años antes que el libro.]
[23] [A los ejemplos aducidos aquí añádanse los que cito *infra*, «La
autenticidad folklórica...», pp. 117 *s.*]

Ms. hispano - hebreo de 1641
(Menéndez Pelayo, *Antología*,
t. 9, p. 437; cf. H. Avenary,
Sefarad, 20, 1960, pp. 377-394,
núm. 1).

Marruecos (Bénichou, *RFH*, 6,
1944, p. 355; Martínez Ruiz,
núms. 1, 13, variados).

Caldera adobar,
adobar caldera (bis).

Cancionero de Módena (ed.
cit. *supra*, núm. 21), núm. 7.

53
¡Cuitada de la mora
en el su moral tan sola!

Correas, *Vocabulario*, p. 452*a*
(A-B, 297).

Estando la mora en su moral
vino la mosca por hacerle mal.
La mosca a la mora,
en su moralito triste y sola...

Canto aglutinante, Soria
(Schindler, 736).

También suele ocurrir lo contrario: un texto viejo se encuentra hoy r e d u c i d o y como concentrado (cf. núm. 27);
pero a la vez se le ha añadido un nuevo elemento o el cantar
aparece integrado a una canción más extensa: [24]

54
Si te echaren de casa,
   la Catalina,
si te echaren de casa,
   vente a la mía.

Correas, *Vocabulario*, p. 287*a*.

—A cajas destempladas
   me echan del reino,
porque deje de amarte,
   querido dueño.
—¡Ay, vida mía!,
si te echan de tu casa,
   vente a la mía.

(R. Marín, 3141; los tres últimos vs., en Vasco, p. 147,
núm. 61).

---

[24] Cabría hablar igualmente de reducción-ampliación en tres casos
que no he incluido en el texto porque la misma brevedad de los cantares antiguos —un solo verso repetido y variado— impide establecer
una filiación clara:

55
Porque te besé, carillo,
me riñó mi madre a mí:
torna el beso que te di.

Cancionero sevillano, fol. 283
rº (F, 142); versión de 4 vs. en
Flor de enamorados, fol. 29 vº
(A, 492).

¿Porque un beso me has dado
riñe tu madre?
Toma, niña, tu beso,
dile que calle.

(R. Marín, 2819.)

56
Estoy a la sombra
y estoy sudando.
¿Qué harán mis amores,
que andan segando?

Correas, *Vocabulario*, p. 153a,
y *Arte*, p. 449.

Cuando canta la chicharra,
¡madre mía, qué calor!
Estoy a la sombra y sudo:
¿qué será mi amante al sol?

Madrid (G. Matos, *Madrid*,
texto 361).

57
...Um amigo que eu havia
mançanas d'ouro m'envia,
garrido amor.

Un amor que yo tenía
manzanitas de oro él me ven-
[día,

*Quiérole molinero,
molinero le quiero.*

Lasso de la Vega, *Manojuelo*,
núm. 107.

*Yo la quiero molinera,
y que sea con salero,
y que sea con sandunga...*

Castilla (Schindler, 629; cf. 903;
Manrique, *RDTP*, 5, 1949, página 300).

*¡Este es el camino del cielo!
¡Este es el camino de allá!*

Valdivielso, auto *El Peregrino*
(*Doce actos*, fol. 93 vº; cf. folio 26 rº); *Aucto de los hierros
de Adán* (Rouanet, t. 2, p. 231).

*Esta es la calle del cielo,
por aquí se va a la gloria;
dale, compañero, dale,
que aquí vive la mi novia.*

Cáceres (Curiel Merchán,
RDTP, 10, 1954, p. 249).

*No lo puedo decir, decire,
no lo puedo decir de risa.*

P. A. Vila, ensalada «El Bon-
jorn» (Flecha, *Ensaladas* 1581,
fol. 15 vº; B.C.B., mss. M. 588/2,
fol. 37 rº y M. 588/1, fol. 6 rº).

*Vela, vela, mi conciencia.
No lo voy a decir de risa:
por afuera está la carne
y por dentro la camisa.*

Adivinanza, Asturias (*RDTP*, 8,
1952, p. 57).

Um amigo que eu amava
mançanas d'ouro me manda,
garrido amor.

Mançanas d'ouro m'envia,
a milhor era partida,
garrido amor.

Gil Vicente, glosa de «E se
ponerei la mano em vos», *Se-*
rra da Estrela (Copilaçam,
fol. 174 r°; F, 100).

cuatro y cinco en una espiga,
la mejorcita dellas para mi
[amiga.
Cuatro y cinco en una rama,
la mejorcita de ellas para mi
[amada.

Marruecos (Larrea Palacín,
p. 35=F, 614; *ibid.,* p. 71, otra
versión; música, 49: «...man-
zanitas de oro él *me envía*»,
como en Gil Vicente; Alvar,
Cantos, núm. 9). (Cf. Asensio,
Poética, p. 215.)

III. DIFERENCIAS MÍNIMAS; IDENTIDAD TOTAL

Hemos seguido un camino ascendente, y estamos a un
paso de la cumbre. Las diferencias son ahora insignificantes.
El arcaico cantarcillo ha resistido la prueba de los siglos.
(Cf. también Torner, *Lírica,* núms. 6, 25, 40, 131, 165, 214, 219.)

58
Con amores, mi madre,
con amores m'adormí.

CMP, 335 (F, 125).

Con amor, madre,
con amor me iré a dormir.

Marruecos (Benoliel, *BRAE,*
14, 1927, p. 371, núm. 14; Larrea Palacín, pp. 30; 40, 41).

59
Solivia el pan, panadera,
solivia el pan, que se quema.

Correas, *Vocabulario,* p. 292*b*
(F, 428).

Oliva el pan, panadera,
olívalo bien, que se quema.

Ávila (Schindler, núm. 101,
12).

Dalle volta ô pan, panadeira,
dalle volta ô pan, que se queima.

Juego de niñas, Túy (F. Costas, *RDTP*, 8, 1952, p. 645).

60
Caminad, señora,
si queréis caminar,
pues los gallos cantan,
cerca está el lugar.

Salinas, *De música*, p. 308;
otras fuentes: cf. A, 284.

Camina, María,
si puedes andar.
Ya los gallos cantan,
cerca está el lugar.

Argentina (J. A. Carrizo, cit.
en *Retablo de Navidad...*, ed.
A. Franco, Emecé, Buenos Aires, 1942). (Cf. mi tesis, cit.
supra, p. 47, nota * y A-B,
p. lxvi). Los 2 primeros vs.,
con final distinto, en Soria
(RDTP, 10, 1954, p. 168). (Cf.
Torner, *Lírica*, núm. 34.)

61
A segar son idos
tres con una hoz;
mientras uno siega,
holgaban los dos.

Correas, *Vocabulario*, p. 12a.

A segar, segadores,
tres con una hoz,
mientras el uno siega,
descansan los dos.
(Descansan los dos, niñas,
descansan los dos,
a segar, segadores,
tres con una hoz).

Madrid (G. Matos, *Madrid*,
texto 362; en t. 1, p. xxxvii,
cita el texto de Correas); La
Mancha (Vasco, p. 65, núm.
272).

62
Echa(d) mano a la bolsa,
  cara de rosa;

Echa la mano a la bolsa,
  cara de rosa;

echa(d) mano al esquero,
caballero.

Covarrubias, *Tesoro*, s.v. *cara;*
Valdivielso, *Hijo pródigo (Doce actos*, fol. 116 vº); *Baile de
la maya* (Cotarelo, *Colección*,
t. 2, p. 485a); Lope de Vega,
auto *La Maya (Acad*, t. 2,
p. 51b).

echa la mano al dinero,
caballero.

Extremadura (G. Matos, *Extrem.*, p. 91, núm. 91; cf. pp.
90 y 405, núm. 90). [Ver ahora
en Torner, *Lírica*, núm. 48.]

63
Anda, niño, anda,
que Dios te lo manda,
y la Virgen María,
que andes aína.

González de Eslava, *Coloquios...*, ed. J. García Icazbalceta, México, 1877, p. 272a
(F, 513); Tirso de Molina, *La
Santa Juana*, 2.ª parte, I 20
(ed. Cotarelo, t. 1, p. 286a, versión más extensa, con variantes); etc.

Anda, niño, anda,
que Dios te lo manda,
y la Virgen María,
que andes todo el día.

(R. Marín, 57; cf. 58.) [Ver
ahora también Torner, *Lírica*,
núm. 24.]

64
Yendo y viniendo
fuime enamorando,
comencé riendo,
acabé llorando.

*O cancioneiro... da Biblioteca
Pública Hortênsia*, ed. M. Joaquim, Coimbra, 1940, II, núm.
33; otras versiones: ver A,
292.

Yendo y viniendo
fuime enamorando,
empecé riendo
y acabé llorando.

Argentina (Furt, núm. 385).

65
Por la calle abajo
va el que más quiero;
no le veo la cara
con el sombrero.

Por la calle abajito
va quien yo quiero;
no le veo la cara
con er sombrero.

Luis de Briceño, *Método para guitarra*, París, 1626, fol. 16 r°
Siglo XVIII: cf. Torner, *Lírica*, núm. 248.

Andalucía (R. Marín, 2039); [Extremadura y La Mancha (Torner, *Lírica*, núm. 248).]

66
Salen las galeras
de el puerto, madre,
con las velas tendidas
y en popa el aire.

B.N.M., ms. 3985, fols. 129 v°, 227 v° *(Séguedilles*, núms. 32 y 103).

Ya salen las galeras
del puerto, madre,
con las velas tendidas
y en popa el aire.

(R. Marín, 8141.)

67
Por esta calle me voy,
por esta otra doy la vuelta;
la dama que me quisiere
téngame la puerta abierta.

Briceño, *op. cit.*, fol. 10 r°; vs. 1-2 en Tirso de Molina, *Todo es dar en una cosa*, II 13 (ed. Cotarelo, t. 1, p. 548*ab*).

Por esta calle me voy
y por la otra doy la güelta,
la dama que me quisiese
déjame *(sic)* la puerta abierta.

Extremadura (G. Matos, *Extrem.*, p. 89, núm. 87); Venezuela (Domínguez, *AVF*, 1, 1952, p. 146, núm. 83, vars.); Argentina (Furt, núm. 248, más variado; cf. 247 y 1125). Cf. la canción levantina cit. por Menéndez Pelayo, *Antología*, t. 9, p. 424, núm. 45.

68
¿Con qué ojos me miraste,
que tan bien te parecí?
¿Quién te dijo mal de mí,
que tan presto me olvidaste?

Cancionero sevillano, fol. 272 r° (F, 231); otra versión, portuguesa, en Gil Vicente, *Serra da Estrela (Copilaçam*, fol. 171; A, 237).

¿Con qué ojitos me mirastes,
que tan bien te parecí?
¿Y tan pronto me orbidastes?
¿Quién te ha hablao mar de mí?

Andalucía (R. Marín, 4060); cambiados los versos (2-1-4-3) en otra versión española (Lafuente, cit. por R. Marín, nota al 4060) y argentina (Furt, núm. 540).

69

Que arrojóme la portuguesilla
naranjitas de su naranjal,
que arrojómelas y arrojéselas
y volviómelas a arrojar.

Entremés del Alcaldito (Autos sacramentales con cuatro comedias nuevas... 1.ª parte, Madrid, 1655, fol. 256 vº). Otras muchas versiones (menos cercanas al cantar actual): cf. Torner, *Lírica*, núm. 37 y A-B, 236 y nota.[25]

Arrojóme la portuguesilla
naranjillas de su naranjal,
arrojómelas y arrojéselas
y volviómelas a arrojar.

Cáceres (Torner, *Lírica*, núm. 37); Avila (Schindler, núm. 101, 4, con variantes).

Y llegamos a la casi inverosímil conservación total de un texto. Dudamos, en efecto, cuando entre los *Cantos* de Rodríguez Marín, por ejemplo, encontramos al pie de la letra una canción típica del Siglo de Oro: «Aquel si viene o no viene...» (Torner, *Lírica*, núm. 32), «Al entrar en la iglesia / dije "Aleluya"...» (*ibid.*, núm. 14), «Como flores de almendro / fueron mis bienes...» (*ibid.*, 59), y sospechosos pueden parecernos incluso casos como nuestros ejemplos 65 y 66. Pero ¿qué decir de *Yo que no sé nadar, morenica, / yo que no se nadar, moriré,* que se canta así en España y que se encuentra así, idéntica, en dos manuscritos del siglo XVII?[26] La supervivencia absoluta es ahí indudable. Y lo es también en el caso de una canción religiosa, bastante divulgada, al parecer, en España y en la Argentina —¿habrá intervenido la Iglesia en su conservación?— y que he encontrado, palabra por palabra, en un manuscrito antiguo:

---

[25] Torner, *loc. cit.*, reproduce una versión de Torres Villarroel, también idéntica a la actualmente recogida en Cáceres y Avila. Pero la del *Entremés del Alcaldito* es casi un siglo anterior a la de Torres Villarroel, quien por algo decía: «ha cien años / nueva se llamaba».

[26] Al ms. citado por Torner, *Lírica*, núm. 201, añádase el 17.556 de la B.N.M., descrito y extractado por J. M. Hill, *Poesías barias y recreación de buenos ingenios*, Bloomington, 1923 (*Indiana University Studies*, 10) (F, 388).

70
Mira que te mira Dios,
mira que te está mirando;
mira que te has de morir,
mira que no sabes cuándo.

Un único manuscrito: el 17,666 de la B. N. M. (letra del siglo XVIII), que perteneció a Gayangos y cuyas composiciones son, según él, anteriores a 1663. [27] Rodríguez Marín lo incluye en su colección (núm. 6398); G. M. Vergara lo oyó en Revilla de Calatañazor, Soria (*RDTP*, 4, 1948, p. 428) y Schindler en Hinojosa, Soria (677); Carrizo lo recogió en la Argentina (Torner, *Lírica*, núm. 153). La conservación de un cantar a través de los siglos —hecho de todos conocido y siempre sorprendente— roza aquí con el milagro.

[27] Hay una versión más breve del cantar, ya señalada por Torner, *Lírica*, núm. 153, incluida en el pl. s. de Francisco de Velasco (cf. *supra*, núm. 23), fol. [3 vº]: «Mira que te mira, mira, / mira que te mira Dios».

III

DESLINDES

LA AUTENTICIDAD FOLKLORICA
DE LA ANTIGUA LIRICA «POPULAR» *

A la memoria de Menéndez Pidal

Dentro de la vasta problemática que han planteado las jarchas mozárabes hay un punto fundamental, sobre el cual han menudeado las discusiones: ¿Eran las jarchas canciones populares? La balanza parece inclinarse más del lado de la respuesta afirmativa, aunque —la verdad es— resulta imposible demostrarla. Sólo sabemos una cosa: se trata de un género poético romance, distinto y anterior al de la poesía cortesana provenzal. Y podemos suponer otras dos cosas: que ese género existía ya cuando surgieron las muwashahas, en el siglo IX, y que se había venido trasmitiendo oralmente. Y otra más: que al adoptar las jarchas, los autores árabes y hebreos pusieron lo suyo: que las imitaron y parodiaron y que a veces retocaron las que tomaban de la tradición oral. [1]

Todo esto implica, por un lado, que el género mismo era «tradicional», en el sentido pidaliano, que era «folklórico»; y, por el otro, que de cada uno de los textos concretos que poseemos, de cada jarcha conocida, no podemos saber (salvo contados casos de evidente recreación) si era copia fiel de un cantarcillo vulgar, o copia retocada, o contrahechura, o un pastiche más o menos cercano o alejado del género original. Es decir, que mientras la tesis de la tradicionalidad del gé-

---

* Se publicó en el *Homenaje a Menéndez Pidal* del *Anuario de Letras*, 7 (1968-1969), pp. 150-169.

[1] E. García Gómez insiste, y con razón, en esa participación de los «moaxajeros»; cf. *Las jarchas romances de la serie árabe en su marco*, Madrid, 1965, pp. 34-37, y *Al-An*, 28 (1963), pp. 5-6.

nero en su conjunto «se salva»,[2] cada jarcha individual guarda en sí el misterio de su autenticidad folklórica.

Ni más ni menos, es eso lo que ocurre otra vez siglos más tarde, cuando los españoles cultos del Renacimiento y del Posrenacimiento se ocupan de las canciones que canta el vulgo. Puesto que su interés en esas canciones no es, básicamente, científico, sino estético, no puede menos de repercutir sobre ellas: al cultivarlas las *cultivan*.[3] La pregunta es: ¿hasta qué punto? Como en el caso de las jarchas, parecería imposible comprobar si un cantar existía antes de ser puesto por escrito, y si existía en esa forma. ¡Era tan fácil imitar el estilo característico de la lírica popular, sacarse de la manga un «No te creo, el caballero, / no te creo», o un «Ojos morenos, / ¡cuánto nos veremos!» (F, 217). Con razón ha dicho P. Le Gentil a propósito de esta poesía: «Es bien difícil distinguir lo auténticamente primitivo de lo que quiere parecer primitivo.»[4] El problema es inquietante. Si queremos conocer bien la lírica de tipo popular de los siglos XV a XVII deberíamos saber qué elementos eran antiguos y tradicionales y cuáles fueron añadidos por la cultura contemporánea.

Nos preguntamos, pues: ¿no habrá modo de traspasar la barrera, de comprobar la antigüedad siquiera de algunos textos, de saber, por lo menos, que efectivamente se cantaban entre el pueblo antes de su valoración? Lograrlo equivaldría a probar también la tradicionalidad de los temas, las formas

[2] Como tan bien ha dicho García Gómez, *op. cit.*, p. 37: «si, a efectos puramente polémicos, quisiera reducir la cuestión al absurdo, yo diría que me bastaría que una sola jarcha fuera auténtica; más aún, aunque no hubiese una sola jarcha auténtica, me bastaría que una sola jarcha fuese el «eco», la «huella», el «sustitutivo» de una cancioncilla romance anterior. Con nada más que eso se salvaría la tesis de la poesía tradicional».

[3] Cf. mi artículo «Dignificación de la lírica popular en el Siglo de Oro», *supra*, pp. 47-80.

[4] *La poésie*, t. 2, p. 259. En la p. 249, una observación más claramente escéptica: «Il est donc clair qu'en dehors de quelques *exceptions rares*, les refrains de 'villancico' ne sont pas aussi anciens qu'on veut bien le dire. Le genre se rattache *peut-être* à de lointaines traditions, mais les poètes ne se font pas faute de l'accommoder au goût du jour...» (subrayo yo).

métricas y el estilo de esos cantares. Pues bien: sí existen tales pruebas; es lo que pretendo mostrar en este trabajo. A base de ejemplos concretos,[5] trataré de ver qué indicios permiten asegurar —y hasta qué punto— que tales o cuales cantares eran realmente folklóricos. Y pienso que esos indicios servirán para reconocer en adelante la autenticidad —probable o segura— de muchos otros textos no aducidos aquí. Hay que preguntarse, desde luego, si reuniéndolos todos obtendríamos un panorama completo de esa escuela poética. Evidentemente no, porque no englobaría centenares de canciones cuya autenticidad nunca será demostrable, pero que también eran folklóricas.

1. *Supervivencia.* Una de las pruebas más seguras es la supervivencia de una canción en el folklore hispánico actual, su supervivencia textual, en bloque.[6] En la tercera jornada de la comedia de Moreto y Cáncer *Nuestra Señora de la Aurora,* un personaje baila al son de:

«Tres hojas en el arbolé
meneábansé, *etc.*».[7]

El texto es tan breve y sencillo que podría ser un pastiche. Pero ahí está, para probar lo contrario, la canción española muy divulgada hoy:

Tres hojitas, madre, tiene el arbolé...
Dábales el aire, meneábansé.

---

5 Tomados de los materiales que integrarán la edición crítica que estoy preparando. Nuevos hallazgos de textos invalidarán quizá las conclusiones relativas a ciertos casos particulares, pero no —confío— los procedimientos en sí.

6 Cf. mis «Supervivencias de la antigua lírica popular», *supra,* pp. 81-112 (citaré en adelante *Supervivencias*). Además de la conservación de textos completos, se ven ahí (sobre todo núms. 1-30) coincidencias parciales, que pueden ser muy reveladoras, pero que omito en este trabajo por ser menos seguras.

7 En *Comedias escogidas,* Parte 34, Madrid, 1670, p. 311 (también en la Tercera parte de las *Comedias* de Moreto, Madrid, 1681, p. 259). Para la supervivencia, v. nota siguiente.

Moreto y Cáncer no hicieron más que recoger de la tradición oral de su tiempo un cantarcillo bien conocido (véase el «etcétera» que sigue a la cita). La comprobación no sólo es interesante en cuanto a ese texto en particular, sino que ahora sabemos con seguridad que el tema del aire meneando a las plantas era folklórico entonces, como lo es hoy. Tenemos además otra prueba contundente. Un cantarcillo inédito que he encontrado en un manuscrito poético de 1550 dice:

> La zarzuela, madre,
> ¡cómo la menea el aire!

Y en Extremadura se canta hoy:

> ¡Ay, madre, la zarzuela,
> cómo el aire la revolea!
> ¡Ay, la zarzuela, madre,
> cómo la revolea el aire [8]

La emoción que experimentamos al encontrar esas supervivencias se justifica tanto más cuanto que no son frecuentes. La lírica popular de la Edad Media, en cuanto escuela poética, desapareció en el siglo XVII, suplantada por una nueva escuela, y lo que de ella queda, por aquí y por allá, son verdaderas reliquias milagrosamente conservadas. Y nuestra emoción, en casos como los dos citados, tiene aún otra causa:

---

[8] El texto antiguo está en una ensalada («El amor sale a pescar...») del *Cartapacio de Pedro de Lemos* (Bibl. de Palacio, Madrid), fol. 93; el moderno, en M. García Matos, *Lírica popular de la Alta Extremadura*, Madrid, [1944], p. 118, núm. 131. Otra versión, *ibid.* p. 57, núm. 10: «¡Ay, de la zarza, madre, / ¡cómo la revolea el aire!...». En el *Homenaje a Dámaso Alonso*, t. 3 (Madrid, 1963), p. 282, cita J. Romeu Figueras este último texto y otro análogo de Salamanca: «¡Ay, madre, de la zarcera! / ¡De la zarcerita, madre! / ¡Cómo el aire la menea, / cómo la menea el aire!» Romeu aduce estos textos, y otros más, a propósito de la canción antigua «De los álamos vengo, madre, / de ver cómo los menea el aire...»; no conoce el cantar del cartapacio de 1550. En la p. 283 cita tres versiones distintas (de Cáceres, Asturias y Salamanca) de la canción «Tres hojitas, madre, tiene el arbolé...» Cf. también Torner, *Lírica*, núm. 10.

no todas las supervivencias prueban, de hecho, la autenticidad folklórica de los textos antiguos. ¿Por qué no? Cuando una manifestación folklórica es valorada por las esferas cultas, esa valoración suele influir en el folklore mismo: las imitaciones, pese a sus elementos nuevos, pueden generalizarse y hacerse, a su vez, folklóricas. Digamos: el hecho de que en la tradición oral argentina se conserve la coplita, tan difundida en el siglo XVI, «Yendo y viniendo / fuime enamorando, / comencé riendo / y acabé llorando» (*Supervivencias*, núm. 64) no indica necesariamente que estuviera generalizada entre el pueblo cuando, antes de 1550, hizo su aparición en las fuentes literarias y musicales; en principio podría tratarse de una canción *popularizante* tardía que, dada la fortuna que tuvo, pasó luego a la tradición oral. La supervivencia de un texto que gozó de amplia difusión en el Siglo de Oro no es prueba de su pertenencia al acervo folklórico *antes* de esa época (tampoco prueba en contrario). Por eso las únicas supervivencias realmente convincentes son las de poesías que, por lo que sabemos ahora, no llegaron a difundirse en los ambientes cultos y sólo dejaron testimonios aislados y casuales de su existencia.

Pero —hay que extremar las precauciones— ni siquiera el testimonio aislado es una garantía total: hoy se canta por ahí la seguidilla del *Quijote* «A la guerra me lleva / mi necesidad; / si tuviera dineros, / no fuera, en verdad», compuesta, muy probablemente, por Cervantes mismo.[9] Otro caso, más inquietante: En *El galán de la Membrilla* Lope de Vega inserta esta cancioncita, no registrada en otra fuente antigua:

> Que de Manzanares era la niña,
> y el galán que la lleva, de la Membrilla.

Eusebio Vasco la recogió casi idéntica en la Mancha (única variante: «Manzanaritos»). El esquema «De... era (es) la niña (moza) / y el galán (mozo) que la..., de...» se da en otros

---

9 *Quijote*, II 24. Cf. J. A. Carrizo, *Antiguos cantos populares argentinos*, Buenos Aires, 1926, p. 151.

cantares antiguos y actuales; es decir, que el texto lopesco encaja dentro del estilo tradicional; [10] pero ¿existía antes de Lope con esos topónimos? Creo probable que existiera (y en ese caso influyó en la concepción de la comedia y en su título mismo). La alternativa es que se tratara de una adaptación hecha por Lope y que, dada la fama del Fénix, se divulgara y perdurara a partir de la comedia. Siempre hay que contar con esta posibilidad.

Con las seguidillas, en particular, hay que ser muy cautos. La mayoría de las incluidas en impresos y manuscritos desde fines del siglo XVI nacieron en esa época: son producto de una moda popularizante que cundió entre poetas y músicos contemporáneos de Lope de Vega. [11] Después el género se hizo folklórico, y con él muchas seguidillas de aquella época, que siguen vivas en la actualidad. [12] Si, entonces, vemos que en San Vicente de la Barquera se canta hoy: «Parten del Ribero / galeras nuevas, / que de verde seda / llevan las velas», recuerdo evidente de aquella famosa seguidilla de hacia 1596, «Salen de Sevilla barquetes nuevos, / que de verde haya llevan los remos», [13] estamos en presencia, no de una reliquia de la lírica folklórica medieval, como las que buscamos aquí, sino de la conservación de un texto poético escrito en el Siglo de Oro, que perduró gracias a la folklorización del género mismo.

[10] *El galán de la Membrilla*, ed. D. Marín y E. Rugg, Madrid, 1962, p. 168; E. Vasco, *Treinta mil cantares populares*, t. 1, Valdepeñas, 1929, p. 60, núm. 246. Cf. *ibid.*, p. 48, núm. 179: «De Fernancaballero / es esta niña / y el galán que la baila, / de Argamasilla». Otras versiones, en Torner, *Lírica*, núm. 194. A fines del siglo XVI, en una ensalada de Fernán González de Eslava (*Coloquios espirituales y sacramentales...*, México, 1610, fol. 165; p. 267a de la ed. de Icazbalceta, México, 1877): «Del val de aqueste llano era la moza, / y el mozo que la lleva es de La Ventosa». Una parodia burlesca del esquema, en el ms. 3890 de la B. N. M. (siglo XVII), fol. 100 vº: «A Tendilla se parte la niña bella, / y el galán, no a Tendilla, sino a tendella».

[11] Véase mi trabajo «De la seguidilla antigua a la moderna», *infra*, pp. 244-258.

[12] Cf. *Supervivencias*, núms. 13, 19, 20, 21, 37, 65 y 66.

[13] Cf. T. Maza Solano, en *Boletín de la Biblioteca Menéndez Pelayo*, 11 (1929), p. 285 y A, 775; A-B, 224.

Así, pues, en términos generales, sólo podemos usar como indicio de autenticidad las supervivencias de cantares que, además de estar escasamente documentados en la literatura antigua, no figuren en una obra muy difundida, ni pertenezcan a la lírica semi-popular —seguidillas, sobre todo— del siglo XVII. Pese a estas limitaciones, hay bastantes supervivencias probatorias, lo mismo en España que en América y entre los judíos sefardíes. Estos últimos nos suministran testimonios de enorme interés, entre otras cosas porque, tratándose de los judíos de Oriente, podemos estar casi seguros de que la canción es anterior a 1492. Es el caso, por ejemplo, de la hermosa canción armonizada por Juan Vásquez antes de 1561:

> ...Anoche, amor, os estuve aguardando,
> la puerta abierta, candelas quemando... (F, 225;
> *infra*, p. 182).

En Salónica se canta todavía:

> Toda la noche, toda, vos estuve asperando,
> con las puertas aviertas, cirios arrelumbrando.[14]

También cantan los judíos de Oriente estos versos:

> La pava, la pava, por aquel monte.
> El pavón es rojo, bien le responde,

evidente deturpación de un cantar sólo recogido en el *Vocabulario* de Gonzalo Correas, p. 359*a*:

> Voces daba la pava y en aquel monte;
> el pavón era nuevo y no la responde (F, 311).[15]

---

14 M. Alvar, *Poesía tradicional de los judíos españoles*, México, 1966, núm. 149 (cf. también núm. 173).—Adopto aquí la división en versos que sigo en mi edición crítica. Cf. el artículo «Problemas de la antigua lírica popular», *infra*, pp. 137-153.

15 Cf. M. Alvar, *op. cit.*, núm. 161, y *NRFH*, 14 (1960), p. 315, núm. 42.

Anteriores a la expulsión de los judíos son también otras coplitas recogidas por Correas, como «Aunque soy morena, yo blanca nací: / a guardar ganado mi color perdí» (F, 196), y ésta, que se canta en *Servir a señor discreto*, de Lope: «Mariquita me llaman los arrieros, / Mariquita me llaman, voyme con ellos» (F, 115). [16]

Correas, fuente inagotable de cantares auténticos, fue el único que anotó en época antigua estos cantarcillos, que siguen vivos en España:

> ¡Qué tomillejo, qué tomillar!
> ¡Qué tomillejo tan malo de arrancar! (F, 404).

> A segar son idos tres con una hoz;
> mientras uno siega, holgaban los dos (F, 403).

> Solivia el pan, panadera,
> solivia el pan, que se quema (F, 428).

> Si pica el cardo, moza, di;
> si pica el cardo, di que sí.[17]

Y nadie más que Correas puso por escrito esta canción infantil, que los niños españoles no se han cansado de cantar hasta hoy:

> Sal, sol, solito,
> y estáte aquí un poquito;
> por hoy y mañana
> y por toda la semana.

> Aquí vienen las monjas,
> cargadas de toronjas;
> no pueden pasar
> por el río de la mar.

[16] Cf. *Supervivencias*, núms. 42 y 44, y además, los núms. 36 y 48. Otras parecen conservarse sólo en Marruecos, adonde pudieran haber pasado —aunque es poco probable— *después* de 1492: núms. 52, 57, 58 (además, 30, 24, 16).

[17] Cf. *Supervivencias*, núms. 47, 61, 59, 50.

Pasa uno, pasan dos,
pasa la Madre de Dios,
en su caballito blanco,
que relumbra todo el campo.

Aquí viene Periquito
con un cantarito
de agua caliente,
que me espanta a mí y a toda la gente (F, 495).[18]

2. *Coincidencia con poesías populares anteriores.* En nuestra búsqueda de indicios de autenticidad podríamos también trazar el camino cronológico inverso, o sea, del Renacimiento hacia atrás. Si encontráramos en la Edad Media canciones de tipo popular que coinciden textual y globalmente con otras recogidas después, tendríamos un testimonio precioso.

Las dos tradiciones poéticas medievales relacionadas con la lírica folklórica presentan, desde luego, rasgos coincidentes con la documentada desde el siglo xv, pero se trata más bien de rasgos genéricos. Ninguna correspondencia realmente textual y completa entre una jarcha y una canción documentada en el Renacimiento. [19] En cuanto a las cantigas d'amigo gallego-portuguesas, junto a las analogías genéricas, que son las que dominan, hay ciertos paralelos verbales que dan que

---

[18] *Vocabulario,* p. 267a. Los vv. 1-4, en Alcuéscar (Extremadura): «Sol y solito, / calient' un poquito, / pa hoy, pa mañana, / pa toa la semana» (García-Plata, en *Revista de Extremadura,* 5, 1903, p. 64). Los vv. 3-12, en Santa Cruz de Campezo (Alava): J. I. Irigoyen, *Folklore alavés,* Vitoria, 1949, p. 99. En Murcia (cf. *AnM,* 4, 1949, p. 10): «Ya vienen las monjas, / cagarritas de peronjas; / no pueden pasar / por el río de la mar. // Pase una, pase dos, / pase la Madre de Dios, / con su caballito blanco, / alumbrando todo el campo... // Por allí viene Perico, / tocando el pitico...» Recuerdo de los vv. 13, 10-12, en Tucumán: Carrizo, *Antecedentes hispanomedievales de la poesía tradicional argentina,* Buenos Aires, 1945, p. 458, núm. 13.

[19] [Una de las últimas jarchas encontradas, la núm. 59, sí tiene un notable parecido con una cancioncita del siglo xvi. Cf. S. G. Armistead, *HR,* 38 (1970), p. 250, nota 17.]

pensar. Los más son parciales,[20] y, aunque interesantes, no constituyen prueba segura de dependencia de una canción específica con respecto a otra. Sólo conozco dos casos en que la correspondencia es tan exacta, que no puede sino haber habido relación de texto a texto:

> *Quen amores á*
> *como dormirá?*
> *Ai, bela frol* (NUNES, 256).

> La niña que los amores ha
> sola ¿cómo dormirá? (F, 105).[21]

Y este otro, enormemente curioso e interesante: la canción de Pero Meogo (Nunes, 419):

> —*Digades, filha, mia filha velida:*
> *por que tardastes na fontana fría?...*

---

[20] Cito de J. J. Nunes, *Cantigas d'amigo dos trovadores galego-portugueses*, Coimbra, 1926-1928; para los textos castellanos (salvo el primero) remito al número que tienen en mi antología. Hay coincidencias de un verso: «O, pino, o, pino, pino florido... (B.N.M., ms. 17,698, fol. 98 v°) con *Ai, flores, ai, flores do verde pino...* (Nunes, núm. 19); «Estas noches atán largas...» (F, 251) con *Aquestas noites tan longas...* (Nunes, 405); «...vengo del amor ferida» (F, 87) con *Com'estoy d'amor ferida!* (Nunes, 200). Hay correspondencias más amplias: «El amor que me bien quiere / agora viene» (F, 103) con *Amigas, o que mi quer ben / dizen-mi ora muitos que ven* (Nunes, 316); «Por las riberas del río / limones coge la virgo» (F, 99) con ...*Pela ribeira do rio / cantando ia la virgo / d'amor* (Nunes, 256; cf. 386); «Vi los barcos, madre, / vilos, y no me valen» (F, 386) con *Vi eu, mia madr', andar / as barcas eno mar, / e moirome d'amor* (Nunes, 79). Y hay alguna analogía, no textual, pero sí de esquema semántico-sintáctico: «Salga la luna, el caballero, / salga la luna, y vámonos luego» (F, 367) con *Amad'e meu amigo, ... / vede la frol do pinho, / e guisade d'andar* (Nunes, 21).

[21] Podría ser, en este caso, que el autor del famoso «Villancico» (¿Santillana o Suero de Ribera?) donde se intercala el dístico lo tomara de la composición gallego-portuguesa. Sin embargo, la canción de Juan Vásquez, «Quien amores tiene ¿cómo duerme?» (*infra*, pp. 279 s.) parece atestiguar el arraigo tradicional de aquel otro cantarcito.

—*Tardei, mia madre, na fontana fria,*
cervos do monte a augua volvian...

—*Mentir, mia filha, mentir por amado,*
nunca vi cervo que volvess' o alto... (F, 37).

tiene una asombrosa correspondencia en un texto recogido
en el siglo XVI por Hernán Núñez, el Comendador Griego:

—Decid, hija garrida,
¿quién os manchó la camisa?
—Madre, las moras del zarzal.[22]
—Mentir, hija, mas no tanto,
que no pica la zarza tan alto (F, 553).

Sin duda, no puede hablarse aquí de dependencia del segundo poema respecto del primero; pero sí, probablemente, de
un arquetipo común. En todo caso, el texto de Meogo garanti-
za la autenticidad folklórica del cantar recogido por Núñez.

El viaje a través del tiempo, que en un caso aporta muchas comprobaciones y en el otro indicios aislados, no es la
única manera de buscar la autenticidad de los textos. Sin
salirnos de los siglos XV a XVII podemos realizar otros hallazgos, basándonos en la índole y conexión interna de las fuentes
y —algo menos— en los textos mismos. Comenzaré por el
indicio que, después de las supervivencias, me parece el más
seguro y productivo.

3. *Las fuentes inconexas.* Ya hemos visto que la abundancia de testimonios no es garantía de autenticidad: las
frecuentes apariciones de un cantar se explican muchas veces

---

[22] Es probable que este verso fuera originalmente seguido de otro.
Pensemos en los versos «Moricas del moral, madre, / las moras del mo-
rale» (F, 554), quizá fragmento de una versión de nuestro texto; a base
de ellos podría hacerse la reconstrucción: «Madre, las moras del zarzal[e], / [las moras del zarzal, madre]» (es, por cierto, la misma inversión sintáctica que se da en las canciones actuales sobre la zarza que
revolea el aire, cit. *supra*, p. 118 y nota 8).

por la moda culta, literaria y musical de la época.[23] Evidentemente —lo vemos, por ejemplo, en el *Cortesano* de Luis Milán y en las cartas de Camoens— surgió entre los hombres de letras una especie de tradición oral («tradición oral culta» podría llamarse): las canciones de tipo popular pasaban de uno a otro (igual que las de tipo culto), sin necesario contacto directo con la tradición oral rústica o callejera. Un contacto directo de esta índole sólo puede deducirse cuando encontramos un texto en dos o más fuentes entre las cuales no ha habido, verosímilmente, ninguna relación.

En un cancionero manuscrito de hacia 1568 [24] aparece glosada la cancioncita

> Con el aire de la sierra
> tornéme morena (F, 199).

Medio siglo después la encontramos citada en una comedia de Vélez de Guevara (*La hermosura de Raquel*, Primera parte, II; ed. en 1616). Es muy poco probable que Vélez conociera ese antiguo manuscrito; él y el anónimo glosador deben de haber acudido directa e independientemente al acervo folklórico. En el mismo cancionero encontramos ésta:

> El amor de Minguilla, ¡uy, ah!,
> que a mí muerto me tiene, que a mí muerto me ha
> (A, 552).

Sólo reaparece más de tres décadas después, en el *Manojuelo de romances* (1601) de Lasso de la Vega. Y en el cancionero

---

[23] A menudo, además, es engañosa la multiplicidad de testimonios. Conozco cinco fuentes de «No me olvides, niña / no me olvides, no»: ¿prueban la divulgación del cantarcillo? No: lo que recogen las cinco fuentes es el romance nuevo «Un pastor soldado...», del cual ese dístico —posiblemente hecho a propósito—es el estribillo. Por eso una edición de canciones antiguas debe registrar en cada caso la composición poética (romance, ensalada) en que va incluida o la glosa que la acompaña. Cf. mi artículo «Problemas...», *infra*.

[24] *Cancionero sevillano*, fol. 58 rº.

de 1568 encontramos también versiones a lo divino de un cantar sólo recogido, en esa forma, por Correas: «El tu amor, Juanilla, no le verás más: / molinero le dejo en los molinos de Orgaz» (F, 319). [25]

Ahí están también esos textos del famoso *Cancionero musical de Palacio* que no vuelven a ponerse por escrito, que sepamos, hasta el siglo XVII:

> Entra mayo y sale abril:
> ¡tan garridico le vi venir! (F, 358).

> De ser mal casada, no lo niego yo;
> ¡cativo se vea quien me cativó! (A, 103)

O la versión a lo divino, hecha hacia 1480 por fray Iñigo de Mendoza, de un cantarcillo que sólo se da a conocer un siglo después:

> Eres niña y has amor:
> ¡qué harás cuando mayor! (F, 116).

Los testimonios pueden multiplicarse: esas canciones que utiliza Sebastián de Horozco hacia 1550 (su *Cancionero* sólo se editó en 1874) y que tardan medio siglo o más en reaparecer en una obra literaria:

> Vengo de tan lejos, vida, por os ver;
> hállovos casada, quiérome volver (A, 352).

> Salteóme la serrana
> junto a par de la cabaña (A, 351).

Y cuando reaparecen es con variantes, porque cada vez se ha recogido de la tradición oral una versión distinta: Correas da «Vine de lejos, niña, por verte; /hállote casada, quiero volverme» (F, 258), y en Tirso hay otros cambios (cf. *supra,*

---

25 *Ibid.*, fols. 131 vº *s.*, 130 vº-131 vº, 166 vº *s.* La versión del cartapacio salmantino (cf. A, 553) es evidente parodia, como espero mostrar pronto.

página 94). Lope, Valdivielso, Vélez, traen: «Salteóme la serrana / junto (juntico) al pie de la cabaña» (F, 375).

A este propósito hay que decir, de una vez, que la existencia de variantes no es por sí misma prueba de autenticidad: también se producían variantes en la tradición oral culta y, además, como sabemos, los autores que utilizaban las cancioncitas solían retocarlas a su antojo.[26] Y otra salvedad necesaria: existe la posibilidad de que en algunos casos esas versiones que a base de mis materiales parecen inconexas, no lo fueran en realidad, ya porque hubo fuentes intermedias desconocidas, ya porque la canción sí circuló en la tradición oral culta, sin que quede huella de ello. Por otra parte, es evidente que en muchísimos casos, cuando pensamos que puede haber habido conexión entre dos fuentes, no la hubo de hecho, y cada autor utilizó directamente la tradición oral. ¿Tenía que acudir Lope a Gil Vicente para conocer el cantar

> ¿Quién dice que no es éste
> Santiago el Verde (F, 452),

o Correas a Lope y Tirso para citar el

> Más valéis vos, Antona
> que la corte toda?

Una vez más: había muchas canciones realmente folklóricas, sólo que su autenticidad no es demostrable.

---

[26] Cf. nuevamente mi artículo «Problemas...», nota 10). Por supuesto, las variantes que encontramos entre unas y otras versiones sí *pueden* reflejar las fluctuaciones de la transmisión oral, y lo volveremos a ver al final de este trabajo. Pero rara vez podemos estar plenamente seguros de que así es. El mismo dilema plantean las jarchas. Como hemos visto (*supra*, nota 1), García Gómez piensa que los autores de muwashahas solían retocar los textos (o sea, crear variantes); para Menéndez Pidal, en cambio, las diferencias que se observan entre varias versiones de una jarcha son indicio de tradicionalidad, «pues el canto tradicional vive en variantes y refundiciones» (*RFE*, 43, 1960, pp. 302-303). [Cf. mi libro *Las jarchas mozárabes...*, pp. 139 s.].

En lo que sigue utilizaré argumentos menos probatorios que los dados hasta aquí, pero que resultan útiles para apoyar la suposición de que tal o cual cantar estaba arraigado en la tradición.

4. *Recolección hecha con criterio más o menos científico.* Buena parte de los antiguos cantarcillos de tipo popular aparece en fuentes literarias y musicales, y ante ellas debemos adoptar una actitud cauta, puesto que, como vimos, siempre existe la posibilidad del retoque y del pastiche. Pero hay también fuentes de otro tipo: sobre todo las colecciones de refranes [27] y ciertos tratados (de gramática, música, lexicográficos, etc.), escritos por hombres de formación humanística y con un enfoque que bien podemos llamar científico. Su testimonio nos es muy valioso, principalmente cuando añaden comentarios que permiten deducir el carácter folklórico de un texto.

He aquí unos ejemplos. En su *Philosophia vulgar* [28] Juan de Mal Lara glosa muchos refranes reunidos por Hernán Núñez (1.ª ed., 1555). A propósito de «La que no baila / de la boda se salga», comenta (fol. 99): «una parte es de un cantar que se dice en las bodas...» A propósito de «Tres días ha que murió, / la viuda casarse quiere: / desdichado del que muere / si a paraíso no va», observa: «una manera de cantar hay: dice el vulgo...» (fol. 82 vº), y de «Plega a Dios que nazca / el perejil en el ascua»: «Dícenme ser cantar viejo de Extremadura» (fol. 36). [29]

Con criterio muy moderno, Sebastián de Covarrubias ilustrará años más tarde el uso de la lengua española, no sólo con citas del «divino Garcilaso», sino también con «cualquier romance viejo, o cantarcillo comúnmente recebido» *(Tesoro de la lengua castellana o española,* 1611, s.v. *cerca).* Y pode-

---

[27] Incorporan muchas canciones. Cf. mis «Refranes cantados y cantares proverbializados», *infra,* pp. 163 ss.
[28] Cito aquí por la primera ed., Sevilla, 1568.
[29] Cf. *infra,* pp. 157, 159, 161. Otros ejemplos de Núñez y Mal Lara en «Refranes cantados...», pp. 157, 159.

mos tomarlo al pie de la letra cuando llama «cantarcillo de aldea» a

Orillicas del río, mis amores ¡eh!,
y debajo de los álamos me atendé (F, 83),

o «cantarcillo avillanado», «cantarcillo bailadero antiguo», «cantarcillo antiguo» o «cantarcillo viejo» a otros (F, 516, 563, 417, 406, 514 y 545), y cuando nos cuenta (s.v. *cascar)* que «los muchachos, en el reino de Toledo, cuando ven por el aire atravesar las grullas que van de paso suelen cantar: "Grullas, al cascajal, que ya no hay uvas"».[30]

Ciertamente no abundan las informaciones de este tipo. Por otra parte, la mera inclusión de una canción en la obra de un autor que manifiesta un interés de tipo científico por el folklore es ya importante. En este sentido valen más las versiones recogidas por hombres como Núñez, Mal Lara, Francisco Salinas, Covarrubias y Correas que las de las fuentes literarias y musicales.[31]

Vemos, pues, la necesidad de valorar las fuentes y de jerarquizarlas en cuanto a su fidelidad a la tradición folklórica. Por cierto, que también hay, a este respecto, ciertas diferencias entre unas y otras fuentes literarias y musicales:

5. *Fuentes y géneros más fieles al folklore.* De las fuentes musicales, yo diría que las del siglo XVI (los libros de

---

[30] Sobre las rimas y juegos infantiles nos da preciosos informes otro humanista, Rodrigo Caro, en sus *Días geniales o lúdricos* (1626). Es éste, además, un terreno donde la autenticidad folklórica de los textos recogidos es casi siempre indiscutible, puesto que rara vez se usaron como material poético en composiciones cultas, y aun cuando se usaron (por ejemplo en los *Juegos de Nochebuena* de Alonso de Ledesma) se les citaba en general fielmente. En cuanto a las indicaciones «cantar viejo», etc., hay que tomarlas con un grano de sal cuando aparecen en los poetas glosadores del XVI (por ejemplo, en Andrade Caminha); el mismo Horozco, coleccionador de refranes, llama «canción vieja», no sólo a varias de tipo popular (cf. *infra)*, sino a otras cortesanas, como «Donde sobra el merecer...» o «Libres alcé yo mis ojos...».

[31] Cf. «Problemas...», art. cit., pp. 146 *s.*

vihuela y los cancioneros polifónicos de hacia mediados de
siglo) están en general más influidas por la moda *literaria*
popularizante —y hay más razón para esperar retoques e imitaciones— que el *Cancionero musical de Palacio*, recopilado
en un momento en que esa moda literaria estaba en sus comienzos. Pocos cancioneros musicales posteriores contienen
estribillos y glosas de carácter tan arcaico y tan lejanos de
la poesía cortesana. Si no demostrar, podemos asegurar que
muchos de ellos eran folklóricos. Lo mismo se aplica al contemporáneo cancionero manuscrito *de la Colombina*.

Entre las fuentes literarias son importantes para nuestro
objeto los cancioneros con poesías religiosas que contienen
versiones a lo divino de canciones populares y que dan el
texto de esas canciones. Cuando Alvarez Gato encabeza una
composición religiosa con la frase «Otro cantar que dicen
Amor no me dejes, que me moriré enderezado a Nuestro
Señor» (*supra*, p. 59), o Sebastián de Horozco pone «Canción
contrahecha al cantar viejo que dice *En aquella peña, en
aquélla, que no caben en ella*» (A-B, 167), o cuando en el *Cancionero* de Francisco de Ocaña leemos «Otras al tono de *Buen
amor tan deseado, ¿por qué me has olvidado?*» (F, 249), podemos estar seguros, al menos, de que esas canciones circulaban
efectivamente, y con esas palabras, en la tradición oral (tradición culta a veces, pero otras muchas, folklórica): [32] la cita
se hace allí, no por su valor intrínseco, sino con fines «utili-
tarios» y, por lo tanto, debe de ser fiel.

También hay que hacer distinciones entre los géneros
poético-musicales que acogen cantares de tipo popular. Debemos contar más con el pastiche y la refundición en los estribillos de «villancicos», «canciones», «glosas», «letrillas» y
romances nuevos que en ese curioso género que se llama
«ensalada» o «ensaladilla» y en las composiciones afines a él.
La gracia de estas piezas estribaba en la adecuada inserción,

---

[32] Como fuente literaria fiel a la tradición popular podrían citarse
también, entre otras, las obras de Gil Vicente; pero si las juzgamos
fieles es por el carácter mismo de los textos que cita, y rara vez a base
de un motivo externo a ellos, como en el caso de los textos religiosos.

dentro de un poema más o menos extenso, de cantarcillos (o refranes, o versos de romances, etc.) conocidos por todos; normalmente la cita no cumplía su función si no se hacía textualmente, con apego a la tradición oral. [33]

Nuevamente se plantea aquí el dilema: ¿tradición oral de qué tipo? ¿De qué nos sirve saber que los cantares de las ensaladas eran bien conocidos si resulta —como resulta en efecto— que a veces pertenecen a la tradición cortesana? Es verdad: como único testimonio, la incorporación de un texto en una ensalada no nos dice mucho; ni tampoco el encontrarlo en el *Cancionero musical de Palacio* o a la cabeza de una composición religiosa o, incluso, en la obra de un humanista. Lo que pasa es que, como dije antes, todos estos argumentos sólo sirven de apoyo a una suposición previa; y esta suposición se puede basar en un factor que no he mencionado hasta ahora y que es fundamental: la pertenencia del cantar en cuestión a la escuela poética de la antigua lírica popular, pertenencia en cuanto a tema, estilo y forma métrica. Por su parte, este factor no puede tomarse en sí mismo como indicio seguro de autenticidad, dado que era fácil imitar esos rasgos; necesita, pues, del apoyo de otros argumentos.

En la «Ensalada de la flota» de González de Eslava aparece la siguiente cancioncita, no documentada en otra fuente:

> Las ondas de la mar
> ¡cuán menudicas van! (F, 391).

De inmediato nos suena a popular. Si la analizamos, veremos, por ejemplo, su parecido estilístico con otras, como aquella citada al principio: «La zarzuela, madre, / ¡cómo la menea el aire!» [34] Aun así, podría no ser auténtica; pero figura en una ensalada, y con ello se robustece nuestra suposición original.

He tocado un punto que merece atención especial. Merece que nos preguntemos si el carácter mismo de las canciones

---

[33] Sin embargo, cf. lo que digo sobre «Cuándo saliréis, alba galana...» en «Problemas...», nota 10. En algunas ensaladas la cita suele convertirse en parodia.

[34] Cf. *supra*, p. 118.

constituye *siempre* una base tan poco firme, si no habrá veces en que se convierta en verdadero indicio de tradicionalidad.

6. *La índole de las poesías mismas.* El problema está en saber hasta dónde podía llegar la capacidad de los poetas renacentistas y posrenacentistas para inventar un poemita de estilo tradicional. Si la juzgamos ilimitada, entonces cualquier texto de los que se conservan podría ser un pastiche. Por mi parte, creo que algunas de esas canciones no hubieran podido ocurrírsele a ningún poeta de la época, porque son radicalmente extrañas a la literatura de entonces, desarrollan temas poco o nada frecuentes, emplean símbolos arcaicos y contienen, a veces, incongruencias sólo explicables por la transmisión oral. El campo da para mucho, pero me limitaré a citar dos ejemplos:

A mi puerta nace una fonte:
¿por dó saliré que no me moje?

A mi puerta la garrida
nace una fonte frida,
donde lavo la mi camisa
y la de aquel que yo más quería.
¿Por dó saliré que no me moje? (F, 81).

Aunque me vedes morenica en el agua,
no seré yo fraila.

Una madre que a mí crió
mucho me quiso y mal me guardó:
a los pies de mi cama los canes ató;
atólos ella, desatélos yo,
metiera, madre, al mi lindo amor.
No seré yo fraila.

Una madre que a mí criara
mucho me quiso y mal me guardara:
a los pies de mi cama los canes atara;
atólos ella, yo los desatara,
y metiera, madre, al que más amaba.
No seré yo fraila (F, 122).

Ningún argumento de los antes citados apoya la autenticidad
de estos textos, y creo que no hace falta apoyarla desde fuera.
Pero estos casos son los menos. El grueso de los textos
requiere nuestra ayuda, y cuantos más indicios podamos adu-
cir, mejor. De hecho, la confluencia de varios argumentos es
la que llega a darnos la seguridad total de que una canción
estaba arraigada en la tradición folklórica: es el argumento
decisivo.

7. *Confluencia de indicios.* Entre los ejemplos citados
ha habido varios en que se suman dos indicios de autenticidad. Hay otros casos interesantes. En un manuscrito toledano de hacia 1560-1570 aparece, dentro de una especie de
ensalada, este cantar:

> No me entréis por el trigo, buen amor,
> salí por l'almidera (A, 596).

Casi medio siglo después vuelve a aparecer (con la variante
«por la lindera») en el docto Sebastián de Covarrubias (F, 406).
Fuentes seguramente inconexas, recolector humanista, ensalada.
Francisco Salinas publica en 1577 otro cantar de labra-
dores:

> Segador, tírate afuera,
> deja entrar la espigaderuela (A, 648).

En 1612 reaparece en una ensalada religiosa de Alonso de
Ledesma y dos años después en *La mejor espigadera* de Tirso.
Entre Salinas y Ledesma no parece haber conexión, dadas
las variantes de Ledesma («Segadores, afuera, afuera, / dejad
entrar la segaderuela, F, 407), y a juzgar por las de Tirso
(v. 1=Ledesma; v. 2: «dejen llegar a la espigaderuela»), su
versión probablemente sea independiente de ambos. Tenemos, pues: tres fuentes inconexas, recolector erudito (Salinas), ensalada. Pero además parece haber supervivencia: en
su *Cancionero musical* (fuente poco segura: cf. *Superviven-*

cias, nota 1), E. M. Torner incluye esta seguidilla salmantina actual: «Segador, hazte afuera / y deja pasar / a la espigaderuela / que viene a espigar», versión ampliada de la de Salinas, cuyo tratado, en latín, no puede haber circulado entre el pueblo.

El propio Salinas consigna, como «vulgatissima», la canción

> Monjica en religión me quiero entrar
> por no mal maridar (A, 650),

sólo recogida, años antes, con variantes de importancia, en una ensalada de Mateo Flecha, inédita hasta 1581: «De iglesia en iglesia me quiero yo andar / por no malmaridar» (F, 283). Las dos versiones deben de ser auténticas.

El humanista Mal Lara da como cantar extremeño:

> Prometió mi madre de me dar marido
> hasta que el perejil estuviese florido,[35]

que hoy se canta precisamente en Extremadura:

> Dice mi madre — que no me da marido
> hasta que el cardo — no esté florido...

Supervivencia, fuentes inconexas, testimonio erudito, utilización en una ensalada y cita a la cabeza de una canción religiosa: todo esto se conjuga en el siguiente caso:

> Madrugábalo el aldeana,
> ¡y cómo lo madrugaba! (A, 360).

Horozco, hacia 1550, lo llama «cantar viejo» y lo vuelve a lo divino en su cancionero manuscrito, desconocido, sin duda,

---

[35] Supuesto comienzo de «Plega a Dios que nazca...», cit. *supra*. Cf. *Philosophia*, fol. 36. Correas lo trae también, p. 488*b*, con dos variantes, y comenta: «de cantar quedó en refrán». Cf. *Supervivencias*, núm. 39, y la nota 19, donde cito otro caso de conservación de un texto recogido por humanistas.

para Lasso de la Vega cuando, medio siglo después, lo incorporó a una ensaladilla; lo traen también Correas y Covarrubias («cantarcillo viejo»), [36] y en varios lugares de España se canta hoy más o menos en esta forma:

> Madrugaba, y era la una:
> ni la una, ni media, ni nada.
> ¡Y cómo la madrugaba! [37]

Dudar de que lo que Horozco recogió era efectivamente un cantar viejo, arraigado en el pueblo, sería dudar de lo evidente.

---

[36] Además de otras fuentes antiguas: B.N.M., ms. 3700, fol. 77 v° y entremés sin título publicado por Cotarelo, *Colección*, t. 1, p. 59a.

[37] [Cf. Torner, *Lírica*, núm. 141.]

PROBLEMAS DE LA ANTIGUA LIRICA POPULAR

A la memoria de Menéndez Pidal *

Junto al centenario del nacimiento de Menéndez Pidal podríamos celebrar este año el cincuentenario de su famoso *Discurso acerca de la primitiva lírica española*, que realmente inauguró un nuevo capítulo de la literatura castellana. Ahí don Ramón planteó por primera vez en forma global un tema que estaba en el aire y que por esos años ocupó también la atención de Henríquez Ureña y de Cejador. [1]

¿Qué ha habido después? Además de varias antologías, algunos —pocos— estudios [1 bis]. Pocos, porque aún falta lo

* En el homenaje que le dedicó *Filología* (Buenos Aires), 13 (1968-1969), pp. 175-190.

[1] Casi nada se había hecho en este terreno desde que, un siglo antes, se publicaron las antologías de Böhl de Faber (1821) y de Durán (1829). Ahora, entre 1918 y 1921, hay una concentrada actividad: Henríquez Ureña publica su *Antología de la versificación rítmica*, San José de Costa Rica, 1918; México, 1919, con bastantes cantares antiguos de tipo popular, y su famosa *Versificación irregular en la poesía castellana* (1920), que es mucho más que un estudio métrico; Menéndez Pidal pronuncia (1919) y publica (1920) su *Discurso*; Julio Cejador comienza a publicar (1921) *La verdadera poesía castellana. Floresta de la antigua lírica popular*, antología en diez tomos, discutible en sus criterios, pero muy valiosa por la gran cantidad de materiales que reúne.

[1 bis] Después de terminado este trabajo se han publicado dos extensos e interesantes estudios sobre el tema: la Introducción a la antología de José María Alín, *El cancionero español de tipo tradicional*, Madrid, Taurus, 1968, y el libro de Antonio Sánchez Romeralo, *El villancico. (Estudios sobre la lírica popular en los siglos XV y XVI)*, Madrid, Gredos, 1969. Comienza una nueva era.

básico: una edición completa y sistemática, que reúna todos los textos, en todas sus versiones. La gran dificultad ha radicado en la dispersión de los materiales: están esparcidos en su mayoría a todo lo ancho y lo largo de la literatura española de los siglos xv a xvii. La recolección parece no terminar nunca. Para la edición que preparo desde hace años he utilizado (y consultado muchos más) unos 125 cancioneros poéticos manuscritos y 35 impresos, más 75 pliegos sueltos y cuadernillos; las obras de 50 poetas líricos; 20 libros de música impresos y 12 manuscritos; las obras de 15 dramaturgos y más de 100 comedias, autos, farsas, entremeses, bailes y mojigangas anónimos y de varios autores; 20 tratados sobre diferentes materias, 6 colecciones de refranes, 20 novelas y relatos... [2] Y evidentemente no he agotado el campo, porque hay todavía muchos cancioneros no desenterrados y, sin duda alguna, docenas de textos ocultos en piezas teatrales, novelas, tratados.

Poco a poco irá completándose el panorama. Ahora lo grave no es tanto la ausencia de ciertos textos y versiones, sino los serios problemas que suscita esta edición en varios niveles. Son problemas que, aun si se resuelven de determinada manera, no dejan de existir en cuanto tales. Vale la pena plantearlos abiertamente.

I.   El problema básico, con el que se topan cuantos trabajan sobre esta poesía, es el siguiente: ¿qué textos pueden considerarse «de tipo popular»? Sabemos que buena parte de la lírica medieval de carácter folklórico se puso por escrito a partir de la segunda mitad del siglo xv y hasta mediados del xvii, gracias a una valoración de lo rústico, primitivo

_____

[2] Esta edición crítica y anotada de la antigua lírica de tipo popular, que no tardará en publicarse, comprenderá los textos castellanos, portugueses, gallegos y catalanes documentados entre 1450 y 1650 (pocos rebasan esas fechas) y registrará todas las versiones que he encontrado de cada uno. El aparato crítico comprenderá, además de las fuentes y las variantes, los primeros versos de las glosas cultas, antologías que publican el texto, una apreciación del mismo, notas textuales, versiones a lo divino y otras contrahechuras, testimonios contemporáneos, paralelos en otras literaturas románicas y supervivencias.

y simple. Pero sabemos también que los escritores que acudieron a los cantares del pueblo en aquella época no lo hicieron con espíritu de folkloristas, sino para utilizarlos como material poético, para manejarlos a su antojo: no tenían por qué ser fieles a los textos. Esto por una parte. Por otra, cabe decir que lo que utilizaron y manejaron los escritores, no sólo fueron los textos concretos que circulaban entre el pueblo, sino toda la tradición o escuela poética a que estos textos pertenecían: su estilo peculiar, su versificación, temática y vocabulario. Desde los comienzos de esa moda, y sobre todo desde 1580, la imitación se practicó profusamente. Componer un estribillo que sonara a «cantar viejo» era juego de niños para aquellos poetas. A veces descubrimos la trampa; pero otras muchas o no la vemos o nos quedamos con la duda.

Existen para ciertos cantares pruebas más o menos seguras de autenticidad folklórica.[3] Pero una gran parte de las poesías escapa a toda posibilidad de comprobación. La única solución parece ser hablar de «poesía de tipo tradicional (o popular)» y englobar dentro de ella los textos que se ajusten a una técnica y una temática que verosímilmente sean las de la lírica folklórica medieval, es decir, las poesías que pueden haber sido antiguas y folklóricas y aquellas que, quizá compuestas en los siglos XV-XVII, por autores cultos o no, continúen esa tradición en sus lineamientos generales.

Pero ¿cuáles son los lineamientos generales de esa tradición? Aquí andamos a tientas. Algo nos dicen las jarchas, algo las cantigas d'amigo, algo también esos cantares para los que tenemos pruebas de autenticidad. Lo demás no hay sino deducirlo del conjunto de las poesías que, de entre las transmitidas por fuentes renacentistas y posrenacentistas, tienen visos de haber sido antiguas y populares. Y ya sabemos que entre ellas hay muchas imitaciones. ¿Imitaciones perfectas? Era inevitable que se colaran, deliberadamente o no, temas y procedimientos nuevos y que la tradición folklórica original quedara ensanchada por un lado y por otro con elementos procedentes de la lírica cortesana y de la inventiva personal

---

[3] Ver arriba el ensayo «La autenticidad folklórica...».

de los poetas. No podemos detectar con seguridad esos en-
sanchamientos, puesto que no conocemos los límites originales de aquella tradición. De ahí el problema de cuáles textos
debemos aceptar y cuáles no.

Todo depende, por supuesto, del criterio que adoptemos.
Podemos despreocuparnos y abrir las puertas a cuanta poesía
«suene» de algún modo a popular. Quedarán entonces lado
a lado canciones como

> Solíades venir, amor,
> agora non venides, non (F, 250),

y otras del tipo de

> Si con tanto olvido
> pagáis tanta fe,
> ¡ay, ay, ay, que me moriré!

Y aun otras de carácter más decididamente culto, si el recolector tiene la manga ancha de un Cejador. O bien puede parecernos que de este modo se borrarían del todo las fronteras
de la tradición poética que nos interesa, que los textos re-
presentativos de ella se nos perderían entre otros muchos
que no lo son. Y entonces trataremos de encontrar poesías que
nos revelen esa tradición en forma más o menos «pura».
De hecho, en buena medida seguiremos basándonos en lo que
«nos suena» a popular, sólo que nos preocuparemos más,
seremos más rigurosos y eliminaremos por lo pronto cuanto
texto tenga claros resabios de la poesía cortesana, o sea, los
pastiches evidentes.

Ahora bien, para quienes adoptamos esta última posición la tarea de selección se hace dificilísima. Porque entre
un cantarcillo al estilo antiguo y un pastiche evidente hay un
sinnúmero de posibilidades intermedias. De ahí nuestras
dudas continuas. De ahí también las divergencias entre los
especialistas: junto a las poesías que todos de común acuerdo consideran de tipo tradicional, hay las que unos aceptan
y otros rechazan. Citaré un ejemplo. En su *Discurso* Menén-

dez Pidal considera «villancico popular» éste, incluido en una
serranilla del *Cancionero musical de Palacio:* [4]

> ¡Ay!, triste de mi ventura,
> que el vaquero
> me huye porque le quiero.

Yo tengo dudas: ese tema y ese encabalgamiento no me parecen típicos y me hacen pensar más bien en la poesía pastoril a lo Juan del Encina.

Las discrepancias no se limitan a casos individuales: hay
cuestiones de índole general. Así, en la «poesía de tipo tradicional» ¿entran las canciones que Lope, Tirso, Vélez y otros
dramaturgos escribieron, a imitación de las populares, *para*
determinadas situaciones de sus obras teatrales, adecuándolas
a ellas? Casi todas las antologías incluyen algunas de este
tipo. Por mi parte, como mi búsqueda iba enfocada hacia
los cantares que, efectivamente, *pueden* haberse cantado en
las calles y en el campo, no las he tenido en cuenta. [5]

Tales diferencias de criterio parecen irremediables. Y aún
más: entre los mismos textos que han recibido hasta ahora
el visto bueno de los estudiosos no todos están a salvo de
posibles discrepancias. Pensemos en dos cancioncillas que
siempre se citan:

> El mi corazón, madre,
> que robado me le hane (F, 301).

> ¡Bien haya quien hizo cadenicas, cadenas,
> bien haya quien hizo cadenas de amor! (F, 63).

---

[4] Núm. 154 de la ed. de Anglés-Romeu Figueras (también Romeu lo
considera tradicional). Cf. Menéndez Pidal, *La primitiva poesía*, p. 294.

[5] Contra lo que hace la mayoría de los antólogos, tampoco incluyo
en mi edición las glosas «cultas», o sea, las que no emplean los procedimientos de las de tipo popular (cf. «Glosas de tipo popular...», *infra*,
pp. 267-308): ahí sí ya no se trata de casos intermedios. Son interesantes para nuestro conocimiento de la poesía de la época y a veces poéticamente valiosos, pero pertenecen a una tradición distinta de la que
andamos buscando.

Un espíritu escéptico podría decir que el motivo del corazón robado y el de las cadenas de amor son típicos de la lírica trovadoresca y que, por lo tanto, los dos textos son pastiches. Un espíritu más deseoso de encontrar lo folklórico podría contradecir ese juicio, por una parte, alegando con razón que la temática trovadoresca entró al folklore desde la Edad Media y por otra, arguyendo que tanto la abundancia de testimonios como las variantes que presentan ambos textos son prueba de su carácter folklórico. Este argumento ya es menos seguro. [6]

Navegamos, pues, en un mar de incertidumbres. Hay que admitir, por honradez, no sólo que una buena parte de las poesías que consideramos «de tipo popular» y editamos como tales son pastiches, sino aún más, que muchas andan ya muy lejos de la tradición folklórica.

II. No es éste el único problema —aunque sí el más grave— que se nos plantea en cuanto a la selección de los textos. Ahí está, por ejemplo, el de los refranes y frases proverbiales que eran o pueden haber sido a la vez cantares. La ambivalencia de buen número de textos está bien documentada, [7] y estos casos no ofrecen dificultad. Sí la hay, en cambio, en otros muchos textos contenidos en las antiguas colecciones de refranes —notablemente en el *Vocabulario* de Correas— que en cierto modo nos suenan a cantares, pero que no están documentados como tales. Digamos, por ejemplo, éste que sólo he encontrado en Correas:

«¡Ay, que me acuesto! ¡Ay, que sola duermo!»

---

6 Ciertos estribillos de tipo popular gozaron de gran favor entre los poetas del Renacimiento; pero si los glosaban, no necesariamente era por su difusión folklórica: a menudo lo harían por la misma boga *literaria* del estribillo, así como glosaban otros de corte culto, como «De piedra pueden decir / que son nuestros corazones...». En cuanto a las variantes, cf. *infra*, III.

7 Cf. «Refranes cantados y cantares proverbializados», *infra*, pp. 154-171.

¿Simple frase (burlesca, quizás) o cantarcillo? Imposible saberlo por ahora, y nuestra decisión a favor o en contra será forzosamente arbitraria.

En su métrica y en ciertos modos expresivos hay muchos puntos de contacto entre la antigua lírica y el refranero, y es una de las razones del frecuente trasvase; pero ¿tenemos derecho a incluir en una colección de poesías líricas textos refranescos sólo porque se parecen a ellas de algún modo? Cejador, por ejemplo, incorporó un sinnúmero de refranes y giros proverbiales en su *Verdadera poesía*. Abriendo al acaso el tomo 1, en la página 123 leemos los siguientes, todos sacados de Correas: «Voz tiene el águila, niña; / voz tiene el aguililla» — «Vuestra merced y Paredes / son dos vuesas mercedes» — «Ya vienen los dos hermanos: / moquita y soplamanos» — «Yo sacudiré los ramos, / tú tomarás los pájaros» — «Mi marido tiene una potra, / y ésa es otra» — «—Que se nos va la pascua, mozas. / —Ya viene otra». El primero tiene hechura de cantar y también por su tema puede haberlo sido; creo justificado el incluirlo. El último podría ser réplica paródica (¿u otra versión?) del cantar «Que se nos va la Pascua, mozas, / que se nos va la Pascua» (A, 865): aquí dudo más. Los cuatro textos intermedios no tienen nada de lírico ni parentesco alguno (salvo el formal) con las canciones antiguas; aceptarlos al lado de éstas implicaría la aceptación de muchos miles de refranes análogos, cosa absuıda.

Si el carácter lírico y el parentesco temático-estilístico con las canciones van a ser un criterio que rija nuestra inclusión o exclusión de textos, nos topamos con otros dos problemas. El primero nos lo plantean dísticos como el que sigue en Cejador a los citados: «Más mal hay en el aldehuela / del que se suena», o sea, refranes que no llenan ninguno de los dos requisitos y que se usaron como estribillos de composiciones cultas: ¿sería este uso motivo para incorporarlos a la edición? Creo que no. El otro problema se refiere a una serie de proverbios más extensos, con forma decididamente estrófica:

Al matar de los puercos,
placeres y juegos;
al comer de las morcillas,
placeres y risas;
al pagar de los dineros,
pesares y duelos.

Es evidente que muchos de ellos nunca se cantaron. No tienen tampoco carácter lírico. Sin embargo, en estos casos —que no son muchos— sería quizá lícito ensanchar nuestro criterio; admitiríamos entonces ciertos textos no cantados (también, por ejemplo, las formulillas infantiles).

III. *La valoración de las versiones* —cuando tenemos más de una— y la selección del texto base es otro problema inquietante, que se vincula estrechamente con nuestra inseguridad respecto del origen y carácter de las poesías que nos ocupan y respecto de su forma de difusión en el Siglo de Oro. Si partiéramos de la idea de que todos los cantares recogidos eran folklóricos y de que todas las versiones que de ellos encontramos en las fuentes proceden independientemente de la tradición oral, podríamos elegir para imprimirla la que aparece con más frecuencia o la que tiene más rasgos en común con las demás, sin atender a la fecha en que se documenta. Ya sabemos que éste no es el caso. Por una parte, muchas poesías —ignoramos cuáles— no tienen origen folklórico, sino que son obra de un escritor contemporáneo: para la valoración de sus versiones habría que usar los métodos de la crítica textual. Por otra parte, aun cuando un cantar era folklórico, su difusión dentro de la literatura puede haberse debido a la moda literario-musical (cf. nota 6); es decir, que entre la versión que encontramos en una fuente y la que aparece en otra pueden existir —y de hecho existen a menudo— [8] relaciones de dependencia directa: aquí el criterio para

___

[8] «Por el montecillo sola / ¿cómo iré? / ¡Ay Dios! ¿si me perderé?» (F, 377) aparece dentro de un mismo romancillo sucesivamente en la Sexta parte del *Ramillete de Flores* (1593), en la Sexta parte de la *Flor de romances nuevos* (1594), en el *Romancero general* (cf. *supra*, p. 70).

la selección del texto base y la ordenación de las demás versiones debería ser cronológico.

Dada la diversidad de posibilidades y nuestro irremediable desconocimiento de los hechos, no existe un criterio de edición adecuado a los materiales, y lo único que podemos esperar del método que adoptemos es que de alguna manera resulte útil. Por eso he optado por un criterio básicamente cronológico, el cual al menos permite establecer relaciones de dependencia. Claro que por ahora ese criterio sólo puede aplicarse de manera imperfecta, puesto que para muchísimas fuentes (cancioneros manuscritos y piezas teatrales sobre todo) únicamente contamos con fechas aproximadas.

Sea cual sea el método elegido, hay que usarlo con flexibilidad. Existe, por ejemplo, una consideración por la cual no siempre es deseable dar preferencia a la versión documentada en fecha más temprana: la posibilidad de que ésta haya sido retocada. En efecto, debe preocuparnos la libertad con la que adivinamos que procedían los escritores con esos textos. En nuestros días se va viendo cada vez más que en los siglos XVI y XVII todo género de poesía se consideraba bien mostrenco; cualquiera se sentía con derecho a meter mano en los textos poéticos, así llevaran la firma de un Garcilaso, de un Figueroa, un Lope o un Quevedo,[9] para no hablar de los poemas que circulaban anónimos. Las intervenciones van desde un leve retoque hasta una total remodelación. En la poesía cortesana parece haber sido más frecuente la alteración de las coplas (se cambiaba su orden y su número, además del texto mismo) que la de los estribillos; esto hace pensar que los cantares de tipo popular que fungían como estribillos

y en dos cancioneros manuscritos que han sido vagamente fechados en el siglo XVII. Pero cuando Lope, entre 1611 y 1615, incorporó el mismo cantarcillo en *El villano en su rincón* y cuando Valdivielso lo citó en su auto *La serrana de Plasencia* (publicado en 1622) ¿tenían presente el susodicho romancillo? ¿o la tradición oral? ¿o ambos? Ver *supra*, «La autenticidad folklórica...», en especial, pp. 125-128.

[9] Cf. sobre todo Alberto Blecua, «Algunas notas curiosas acerca de la transmisión poética española en el siglo XVI», *Bol. de la Real Acad. de Buenas Letras* (Barcelona), 32 (1967-68), pp. 113-138.

quizá no se retocaran tan sistemáticamente; pero sabemos que se retocaban. [10]

Las variantes que encontramos en los cancioneros poéticos y en las obras literarias en general deben sernos sospechosas en este sentido. Siempre hay que contar con la posibilidad de un retoque. Más dignas de crédito son las versiones incluidas en algunos cancioneros musicales (el de Palacio, por ejemplo) o en ciertos tratados (como el *De musica* de Salinas o el *Arte de la lengua española* de Correas), las que figuran como *incipit* de una versión a lo divino, las de las colecciones de refranes o del *Tesoro* de Covarrubias. Así la versión que este último da del siguiente «cantarcillo viejo» en 1611:

> Feridas tenéis, amigo,
> y duelen-ós:
> tuviéralas yo, y no vos

---

[10] Puede citarse un ejemplo curioso. En un auto de mediados del siglo XVI se canta una canción de bodas con el siguiente estribillo:

> ¡Qué bonito y qué donoso,
> qué salado es el amor!

En una ensalada recogida en Toledo hacia 1560-70 aparece del siguiente modo: «¡Qué bonico y qué *gracioso* / *cuán* salado es el amor». Un manuscrito autógrafo de Pedro de Padilla nos muestra al poeta, por esos mismos años, experimentando con el estribillo, tachando, corrigiendo, en búsqueda palpable de una forma más atractiva para él. Había escrito primero la versión del auto; encima garabateó esta segunda versión: «Qué *discreto* y qué donoso, / qué *bonito* es el amor» y después ésta: «Qué bonito y qué donoso, / qué *discreto*, qué salado *y* [*q*]*ué gr*[*aci*]*oso* (?) es el amor». Independientemente de la valoración del estribillo (¿cantar antiguo? ¿pastiche?), hay que valorar las versiones y sus variantes. La versión más generalizada puede haber sido la del auto. La de Toledo ¿procedía de la tradición oral o está retocada por el autor de la ensalada? Quizá sea lo primero, pero la experiencia del autógrafo de Padilla debe ponernos en guardia. También ocurren casos como éste: una misma ensalada contiene cantares que de una fuente a otra van cambiando de configuración. «¡Cuándo saliréis, alba galana! / ¡Cuándo saliréis, el alba!» pasa a «¡Cuándo saldréis, el alba galana! / ¡Cuándo saldréis, el alba!» (F, 360) y a «Cuando salieres, alba galana, / cuando salieres, alba»: posiblemente preferencias lingüísticas y estilísticas de los que copiaban el texto, y no variantes orales.

parece preferible, porque puede ser más auténtica, a la que once años antes había ofrecido Ledesma. Y sin duda son también auténticas las versiones que registra Correas hacia 1627, con las variantes «Heridas tenéis», «Lanzadas tenéis, amor». En cambio, la variante «tenéis, mi vida» con que el cantarcillo aparece en una composición religiosa de Ledesma (F, 153), y más tarde en otra de Valdivielso podría no ser sino retoque suyo.

Esto nos lleva al problema de las versiones adaptadas a determinado contexto o propósito, principalmente el religioso. En la edición que preparo estas adaptaciones se consignan en nota. Hay casos clarísimos; digamos, el famoso «Quita allá, que no quiero, / *mundo* enemigo...» de Alvarez Gato; pero cuando Ledesma y Valdivielso ponen «Si queréis que os enrame la puerta, / *alma mía* de mi corazón...», por el *vida mía* de las demás versiones, ¿es porque querían que se viera desde el principio que en sus poemas esas palabras están puestas en boca de Cristo y dirigidas al alma? (Cf. *supra*, página 73.) Es muy posible, pero no tenemos plena seguridad de que esa variante no existiera en la tradición oral; por lo tanto, no puede relegarse a nota.

IV. Pasamos a otro tipo de problemas. Es evidente la importancia del sistema de c l a s i f i c a c i ó n y ordenación de los textos. Una selección de poesías, presentadas por lo que valen cada una individualmente, puede adoptar cualquier agrupación; para una edición destinada entre otras cosas a crear una impresión global del género habría que buscar una clasificación coherente y sistemática, que se base en un conocimiento a fondo del conjunto. [11] Este sería el ideal. Por desgracia, al faltar ese conocimiento, cualquiera de los criterios posibles entraña un sinnúmero de problemas. Para adoptar, por ejemplo, un criterio métrico aún nos falta, en mi opinión,

---

[11] Parto del hecho de que una clasificación con criterio folklórico es imposible para los materiales que nos ocupan: salvo pocos casos, ignoramos los usos y costumbres a los que se asociaban esos cantares. Además, ya sabemos que muchos no eran estrictamente folklóricos.

un enfoque adecuado de la versificación de esta poesía (cf. *infra*), pese al estudio de Henríquez Ureña. Para una clasificación estilística o por modalidades expresivas las dificultades serían todavía mayores.

La ordenación por temas y subtemas escogida en principio para la edición crítica es quizá más realizable dado el estado actual de nuestros conocimientos, y creo que resulta interesante. Pero aun ahí hay dificultades que no he logrado resolver. Ante todo, me ha resultado imposible (o quizá indeseable) aplicar en todos los casos una clasificación temática pura, independiente de la función y del carácter de los cantares. Este último decide secciones como las de los cantares humorísticos y los sentenciosos, mientras que en las canciones asociadas con fiestas y ceremonias y en las rimas infantiles interviene ante todo la función. He empleado, pues, una clasificación mixta, lo que va en contra del ideal apuntado.

Otro problema. El principio de la economía, que se opone a la multiplicación de secciones y subsecciones no es totalmente realizable, a menos que se fuercen ciertos grupitos de textos, bastante aislados de los demás por su tema, dentro de secciones que no les corresponden. Además hay poesías que parecen rebeldes a toda clasificación. [12] Esto para no hablar de las poesías de dudosa interpretación, que corren el riesgo de quedar alojadas en secciones con las que poco o nada tienen que ver...

V. Hay que enfrentarse también a algunos problemas relacionados con el texto mismo de las poesías y con su presentación. El más importante es el de la d i s t r i b u c i ó n d e l o s v e r s o s. Para esta poesía cantada, que no se atiene, en general, al cuento de sílabas, la división en versos siempre es hasta cierto punto arbitraria. En principio diríamos que hay un solo asidero firme: la rima; dos frases que riman entre sí deben escribirse en dos versos:

---

[12] Y hay aquellas en que confluyen dos o más temas, problema menos grave, que se resuelve con referencias cruzadas.

Que me muero, madre,
con soledade (F, 107).

Es un dístico evidente, como tantos otros. Cuando el texto
es más largo comienzan las divergencias de criterio: ¿dos
versos?, ¿tres?, ¿cuatro? Cada una de estas posibilidades se
ha empleado en la transcripción de «—Quien amores tiene
¿cómo duerme? —Duerme cada cual como puede» [12 bis]: ¿con
qué criterios?

En general, creo que todos nos hemos regido para esto
de la división en versos por una intuición un tanto capricho-
sa y desde luego asistemática, y más que nada por una convención gráfica que nos viene desde el siglo XV y que ha
asimilado la lírica de tipo popular a los cánones métricos
(y por tanto gráficos) de la lírica cortesana. Ante todo, los
versos de las canciones compuestas de estribillo y glosa nunca son muy largos; el verso

Cómo lo tuerce y lava la monjita el su cabello

nos parece molestamente extenso, y podemos tender a divi-
dirlo para que se vea mejor (cf. F, 195).

Se estará de acuerdo en que este principio puramente
gráfico al que nos hemos sometido sin darnos cuenta es bien
deleznable y que habría que dar con un principio auténtico,
con una ley o unas leyes de versificación que surjan desde
dentro de las poesías de tipo popular. [13] No hemos dado aún
con esas leyes. Pero pienso que como primer paso deberíamos
prescindir de las convenciones gráficas, buscar sistemática-

[12 bis] Cf. *infra*, p. 280, nota 13; p. 184, nota 17; p. 190, nota 27; p. 197,
nota 37; p. 279, nota 12.
[13] Una observación. Paradójicamente, en esta poesía cantada, a pesar de la indisoluble fusión de texto y música, el ritmo de aquél es en
general independiente del de ésta, como el ritmo del corazón lo es del
de la respiración. Para encontrar las leyes de la versificación no habrá
que atender, normalmente, a las formas musicales. Lo mismo ha observado Spanke a propósito de la poesía musical románica de la Edad
Media (cf. Le Gentil, *La poésie*, t. 2, p. 12, nota 2).

mente, en cada caso, las unidades sintácticas y rítmicas y regirnos por ellas —y por las rimas, naturalmente— para la distribución de los versos. Escribiremos entonces en dos versos «Quien amores tiene...» y en dos estos otros, que suelen dividirse en tres y cuatro:

Ya florecen los árboles, Juan,
mala seré de guardar (F, 72).

Agora que soy niña quiero alegría,
que no se sirve Dios de mi monjía (F, 121).[14]

Creo que una vez superada la resistencia visual a los versos largos, se verá la conveniencia de un sistema de transcripción que aspira a adecuarse a las leyes particulares de esta lírica. Por supuesto, como no podía menos de ser, junto a casos muy seguros hay otros muchos dudosos. Y es que aún no sabemos bien qué es dentro de esta poesía una unidad sintáctica o rítmica: «corrían los caños, daban en un toronjil» (F, 93) o «¡qué tomillejo! ¡qué tomillar!» (F, 404), ¿son una o dos? [15] En última instancia, a menudo intervendrá aquí también la interpretación personal, y podrá haber divergen-

---

[14] Hay rima en *niña-alegría*, como la hay en nuestro primer ejemplo (*tiene-duerme*). Pero existen las rimas dobles en esta poesía (cf. «Yo qué le *debo* al cab*allero*», «si no yo d*art'he* comb*ate*», «En aquella p*eña*, en aqu*ella*»), relacionadas, por cierto, con aliteraciones como las que encontramos en «Que miraba la mar la mal casada, / que miraba la mar cómo es ancha y larga» (cf. F, 163, 387; A, 348). La rima no tiene, pues, por qué actuar automáticamente como divisora de versos, ni debe hacernos romper unidades sintácticas si no es necesario.

[15] Y ¿qué debemos hacer con las imitaciones, posibles o evidentes, que se concibieron de acuerdo con la métrica de la poesía culta (digamos, tercetos de 8-4-8)? Si reconocemos que son pastiches, habría que respetar esa métrica y su correspondiente escritura. Pero, ¿qué si no estamos seguros? «Estas noches atán largas para mí / no solían ser ansí» (F, 494) parece ser canción antigua, y podemos dividir los versos como lo he hecho; si dudáramos de su autenticidad, ¿no deberíamos seguir la escritura de las fuentes quinientistas (en tres versos)? Me inclino a usar en lcs casos dudosos la distribución por unidades sintácticas o rítmicas.

cias de opinión. Lo importante es que procedamos a un análisis desapasionado.

VI. *El establecimiento del texto* nos confronta con otros problemas de índole general (además de los particulares, que no abordaré aquí). Al cantar las poesías era frecuente la repetición de palabras y de versos. Ni los poetas y editores antiguos ni los editores modernos han sabido siempre cuáles de esas repeticiones forman parte del texto poético y cuáles son externas a él. Ni nosotros lo sabemos en todos los casos.

> Un poco te quiero, Inés:
> yo te lo diré después (A, 898)

aparece dos veces en un manuscrito con «yo te lo diré, diré después», reflejando quizá una repetición musical. Los autores antiguos que reprodujeron el texto con un solo *diré*, o partieron de una versión cantada que no lo repetía o quisieron extender al segundo verso el metro octosilábico del primero. ¿Podemos saber hoy si el segundo *diré* forma parte del texto mismo o no? ¿Y cómo destacar de entre el conjunto de repeticiones humorísticas el texto de este cantar que Gil Vicente incorporó a su *Farsa dos físicos?*

> Estai quedo co'a mão,
> frei João, frei João!
> Estai quedo co'a mão!
>
> Padre, pois sois meu amigo,
> quando falardes comigo,
>   frei João,
> estareis-vos quedo,
> mas estai-vos quedo,
> mas estai-vos quedo co'a mão,
>   frei João!
> Estai quedo co'a mão! (F, 564).

Otros casos son más fáciles. Conociendo la estructura poético-musical de las canciones de tipo popular, sabemos, por

ejemplo, que tras «Alta estaba la peña / riberas del río, / nace
la malva en ella / y el trébol florido» deben repetirse los
versos (omitidos en la edición del *Cancionero de Upsala*)
«Y el trébol florido. / Nace la malva en ella», que se cantan
después de los otros (cf. F, 340). [16]
  Actualmente podemos saber cómo se cantaban muchas de
esas poesías desde fines del siglo xv. Por supuesto, solo sabemos cómo se cantaban en las altas esferas, con los sabios
arreglos polifónicos y vihuelísticos de los músicos cortesanos.
Parece que nunca llegaremos a conocer los modos de ejecución folklóricos de esa época, ni los de la Edad Media. Es
ése otro problema insoluble. En el terreno de la estructura de
los textos con estribillo y glosa estamos irremediablemente
atados a las modas musicales renacentistas, del mismo modo
que, en el terreno del texto mismo, dependemos de las modas
literarias. Es importante no perder de vista esta situación.

  VII. Y un último quebradero de cabeza: la *ortografía*.
Las fuentes utilizadas comprenden, como vimos, manuscritos
e impresos de dos siglos: los dos siglos en que se realiza la
gran transformación fonológica del castellano. En ese período
la ortografía pasa por una serie de cambios y oscila continuamente entre el intento de adaptarse a las nuevas realidades
lingüísticas, la conservación de viejos hábitos y ciertas modas
gráficas independientes de unas y otros. Y eso no es todo:
para algunas fuentes (el *Cancionero* de Horozco o el *Manojuelo* de Lasso de la Vega, digamos) ha habido que utilizar
ediciones tardías que modernizan la ortografía. Como se ve,
la situación es compleja: mucho más que para la edición
de una sola obra o de un solo autor de la época, y ya es decir.
  Había tres soluciones posibles: o la modernización total
(por ella había optado yo al principio), o la fidelidad plena
a la ortografía de cada fuente, o una normalización. Esta
última podía ser una buena solución. Pero ¿con qué criterio
se aplicaría? ¿Atenerse a los hábitos ortográficos más comu-

---

[16] Cf. abajo «Glosas de tipo popular...»; en especial § 6 y notas 10,
18, 21, 27, y *NRFH*, 13 (1959), p. 362, nota 4.

nes? ¿Pero, más comunes cuándo? ¿En la segunda mitad del siglo XV, en la primera o segunda del XVI, en la primera del XVII (suponiendo que pudiéramos hacer esos cortes)? En cualquier caso cometeríamos una arbitrariedad, y por lo demás no daríamos una idea cabal de la pronunciación. Más valor podía haber tenido, en este sentido, una adecuación de la ortografía a la realidad fonológica del lugar y del momento en que por primera vez se puso por escrito cada texto, reflejando así la forma en que se pronunció, siquiera en una fase de su transmisión o —en el caso de las imitaciones tardías— la pronunciación que le daba su autor o su copista. Pero fuera de que, como vimos, desconocemos la fecha exacta de muchas fuentes, ignoramos también el lugar de proveniencia de la mayoría de ellas y, por si fuera poco, andamos todavía atrasados en la cronología de varias mutaciones fonéticas y fonológicas. De modo que ningún tipo de normalización era realmente deseable o practicable para esta clase de materiales.

La solución escogida al final, en vista de la índole de la edición, fue la conservación en el texto base de las grafías encontradas en las fuentes, pero sin indicar en el aparato de variantes las puramente ortográficas. [17] El resultado es, por supuesto, un mosaico de ortografías. Aun así, y con todos los problemas de fondo y forma que supone esta edición, confío en que ella permitirá llegar a una mejor comprensión de la antigua lírica de tipo popular, tan admirada y tan poco conocida.

[17] Ni siquiera las que pueden haber correspondido a diferencias fonológicas, puesto que rara vez tenemos la seguridad de que realmente existiera, en ese momento y en ese lugar, tal correspondencia. Las únicas grafías alteradas en el texto son las que no corresponden a ningún uso corriente en España durante ese período: la *k* de Correas y su empleo de *ge*, *gi* por *gue*, *gui*, o las grafías italianizantes de ciertos manuscritos copiados en Italia.

REFRANES CANTADOS
Y CANTARES PROVERBIALIZADOS *

A la memoria de Alfonso Reyes

«Interviene, por último, en la formación de los proverbios un sentimiento lírico, innato en el espíritu popular y que hace que todos prefieran hablar en verso y no en prosa. El aire de canción ·de algunos proverbios (y esto ya es sabido) es la única explicación de su existencia».[1] Menos sabido es que muchos proverbios no sólo tienen aire de canción, sino que son o han sido canciones, y que entre el mundo del refranero y el de la lírica musical hay como una zona intermedia en que ambos se encuentran, se mezclan, se funden y confunden. Explorar esa pequeña y casi incógnita tierra de los refranes-cantares y de los cantares-refranes es el objeto de esta nota, que se limita a los siglos XV a XVII.

Que ya desde la Edad Media existía una estrecha relación entre lírica y refranero lo muestra, por ejemplo, el hecho de que la palabra *refrán* (como el francés *refrain*) significara, entre varias otras cosas, «estribillo de una composición poé· tica», y de que a su vez el término *verso* (o *vieso*) se aplicara en ocasiones al proverbio.[2] Sin embargo, sólo al finalizar la

---

* Apareció en *NRFH*, 15 (1961, Homenaje a Alfonso Reyes), pp. 155-168.
[1] Alfonso Reyes, «De los proverbios y sentencias vulgares», en sus *Obras completas*, t. 1, México, 1955, p. 169.
[2] Véase el revelador estudio de Eleanor S. O'Kane, «On the names of the *refrán*», *HR*, 18 (1950), pp. 1-14.—Dentro de la literatura culta el parentesco entre ambos géneros se refleja en la poesía gnómica de los siglos XIV y XV (don Juan Manuel, Santob de Carrión; Santillana, Pérez de Guzmán, Gómez Manrique); más tarde, en el uso de refranes como estribillos de poesías. Cf. P. Henríquez Ureña, *La versificación española irregular*, 2.ª ed., Madrid, 1933, pp. 92-93.

Edad Media comienzan a aparecer pruebas palpables del contacto efectivo entre refranes y cantares.

I

Por lo pronto, consta que *ciertos refranes solían cantarse.* Hay en el *Cancionero de Herberay (ca.* 1463) un juego de letras en que, siguiendo un esquema fijo, cada jugador debía relatar un viaje usando palabras que comenzaran con determinada letra y acabando invariablemente con un proverbio: [3] «diga el refrán que se sigue...», «aqueste refrán dirá...» son las fórmulas introductorias; pero, de pronto, en la letra *F:* «este refrán le *cantaron...»,* en la *G:* «sospirando le *cantauan:* / "gran mal tiene / quien amores atiende"»; en la *N:* «y este refrán le *cantat...»;* en la *P:* «el refrán es de *cantar...».* Todos son, evidentemente, refranes en el sentido actual de la palabra. [4] No queda excluida la posibilidad de que al verbo *cantar* se le diera aquí un sentido vago, equivalente al *dezir* de las otras estrofas (cf. *infra,* nota 23). Como testimonio único, el Juego no bastaría; pero creo que las pruebas citadas a continuación demuestran que esos refranes sí se cantaban, aunque no sabemos si con una música tradicionalmente suya o con melodía improvisada para el propósito.

El siguiente paso es encontrar un refrán con su música. Nos lo ofrece, ya a fines del siglo xv, el *Cancionero musical*

[3] *Le chansonnier espagnol d'Herberay des Essarts,* ed. Ch. V. Aubrun, Bordeaux, 1951, pp. 188-196. En forma análoga se juega el juego en *Los malcasados de Valencia* de Guillén de Castro.

[4] «Fasta que falles buen viento / nunca fagas mudamiento», «Ni por mucho madrugar / no amaneçe más ayna», «Porfía mata venado, / que no montero cansado». No sé cómo don Emilio Cotarelo («Semántica española: *refrán», BRAE,* 4, 1917, pp. 254-255) pudo decir del citado refrán de la letra *G* y del de la *S* («Si la locura fuesse dolores / en cada casa darían vozes») que «ninguno de estos dos estribillos es refrán. Más parecen pies para glosar o letras para otros juegos cortesanos». Quería mostrar Cotarelo que todavía en la segunda mitad del siglo xv *refrán* seguía usándose en Navarra con el sentido de 'estribillo'. Pero el hecho es que esos dos *son* proverbios y, por si fuera poco, que las reglas del juego exigían que se terminara precisamente con un refrán.

de la Colombina, en cuyo fol. 72 vº aparece, arreglado para tres voces, el de *Niña y viña, peral y habar, / malo es de guardar.* Refrán con todas las de la ley, registrado en varios refraneros antiguos,[5] lo mismo en esa forma (N 83 rº y 128 vº, C 239b, Ou 202 y 321) que en otras análogas.[6]

En el siglo XVI se hacen más frecuentes las referencias. Inés Pereira «laurando canta: *Quem bem tem e mal escolhe / por mal que lhe venha nam sanoja*», que recogen en su forma castellana todos los refraneros antiguos; se cantaba, en efecto, y su melodía está en la ensalada *La Guerra* de Mateo Flecha el Viejo.[7] Otro personaje de Gil Vicente, en la *Serra*

---

[5] Empleo las siguientes siglas: B (= Fernando Arceo Beneventano, *Adagios y fábulas* [1533], ed. facs. y trad. del latín, Barcelona, 1950; C (= Gonzalo Correas, *Vocabulario,* ed. cit.); CH (= Covarrubias, *Tesoro,* ed. cit.); G (= *Cartas de refranes* de Blasco de Garay, en *Processo de cartas de amores...,* Venetia, 1553, fols. 60 vº-95 rº); H (= «Refranes glosados de Sebastián de Horozco», ed. parcial de E. Cotarelo, *BRAE,* 2, 1915, 646-706; 3, 1916, 98-132, 399-428, 591-604, 710-721; 4, 1917, 383-396; remito al número del refrán); M (= *La Silva cvriosa de Ivlian de Medrano* [en realidad Julio Iñiguez de Medrano], *cavallero navarro...* [1583], nueua edicion... por Cesar Ovdin, Paris, 1608); ML (= *La philosophia vulgar* de Ioan de Mallara, Sevilla, 1568); N (= *Refranes o proverbios en romance, que nvevamente colligio y glosso el Comendador Hernan Nuñez,* Salamanca, 1555); Ou (=*Refranes o proverbios castellanos, traduzidos en lengua francesa... par Cesar Ovdin* [1605], Paris, 1659); S (= Marqués de Santillana [?], *Refranes que dizen las viejas tras el fuego,* ed. U. Cronan, *RHi,* 25, 1911, 134-219; hago referencia al número del refrán); V (= [Mosén Pedro Vallés], *Libro de refranes copilado por el orden del A.B.C.,* Zaragoza, 1549; doy la foliación que aparece escrita a lápiz y semiborrada en el ejemplar de la H.S.A.).

[6] «Mujer hermosa, viña, huerta y higueral muy malos son de guardar», M 24 (parecido en N 78 vº, C 564a), «Mal ganado es de guardar, mozas locas y por casar», V 45 rº (parecido en N 73 vº, C 529a; invertido en C 559b; fue también estribillo de poesía, como puede verse en *NRFH,* 15, 1961, p. 100, núm. 134). El texto del *Cancionero de la Colombina* (F, 73), con sus estrofas de tipo plenamente tradicional, tiene visos de canción antigua y arraigada.

[7] S 625, B 62 rº, V 60 rº, N 110 rº, G 66 rº, 90 vº, M 20, Ou 271; Gil Vicente, *Copilaçam,* fol. 218 vº; Flecha, *Ensaladas* 1955, música p. 49. En un romance de fines de siglo, que comienza «Muchas cosas se me ofrecen / todas juntas a la par», leemos: «...le cantaba esta canción: / "Quien bien tiene y mal escoge..."» (*RHi,* 45, 1919, pp. 510-624, núm. 99).

da Estrela (Copilaçam, fol. 172 rº), canta la versión portuguesa del refrán *Cuando aquí nieva ¿qué hará (será) en la sierra?* (V 58 rº, N 101 vº, C 439a), cantado hoy en Asturias. [8]

Una monja de mediados del siglo XVI escribe una «canción contrahecha en cosa de deuoción a una que dize *Allá miran ojos a do quieren bien*» (H 120, C 80b).[9] Como proverbios hay que considerar también el que cita Hernán Núñez (106 vº) con el comentario «cantar es éste más que refrán»: *Quien quisiere mujer hermosa el sábado la escoja, que no el domingo en la boda* (además en ML 123 vº, C 405a, Ou 273-274) y *La que no baila de la boda se salga* (N 65 vº, C 129b), del cual explica Mal Lara (99 rº) que «una parte es de un cantar que se dice en las bodas».

Si ignoramos la melodía de estos refranes, conocemos, en cambio, la de *Las mañanas de abril dulces eran de dormir* (N 63 vº, Ou 160; CH s.v. *abril*), recogida por Francisco Salinas en su gran tratado *De musica libri septem* (Salamanca, 1577), páginas 363, 398 (F, 359).[10] Por los mismos años el bachiller Valverde Arrieta cita en su polémico tratado sobre agricultura y ganadería muchos refranes referentes a bueyes y vacas, y enseguida, separándolos expresamente de aquéllos, enumera varios cantares sobre el mismo tema; entre ellos: *Las pascuas en domingo vende tus bueyes y compra trigo*, que como refrán y con muchas variantes recogen Vallés, Núñez, Oudin y Correas.[11]

El refrán-cantar aparece citado en muchos otros textos de la época. [Se canta hoy en Tucumán: Torner, *Lírica*, núm. 159.]

[8] Cf. Torner, *Lírica*, núm. 214.

[9] B.N.M., ms. 4257, fol. 15 rº (cf. *RBAM*, 4, 1927, p. 252). Confirma su carácter lírico-musical esta cita del *Auto da Sioza* de A. Prestes (*Primeira parte dos autos*, fol. 115 vº): «*Cantase là miram ojos, / e eu canto a voltas disto / que de là me viram nojos*»; sirvió también de estribillo a composiciones de Castillejo, Andrade Caminha y Diogo Bernardes.— Cf. *infra*, nota 17.

[10] Todavía se sigue cantando en España, a veces con el complemento «...y las de mayo sin fin ni cabo», que en forma análoga se conocía antiguamente; cf. *supra*, p. 102.

[11] Juan de Valverde Arrieta, *Diálogos de la fertilidad y abundancia de España...*, Madrid, 1578, con aprobaciones de 1576 (cf. Gallardo, *Ensayo*, t. 4, col. 892); en 1598 aparece «nuevamente añadido» a la *Agricul-*

A comienzos del siglo XVII, en un romance del *Romancero de Madrigal*, se llama *cantar* al conocidísimo refrán *Al cabo de los* (o *A los) años mil vuelven las aguas por do solían ir* (V 12 vº, N 6 rº, C 10*b* y 42*a*); no nos atreveríamos a dar plena fe a este testimonio si no encontráramos el mismo refrán como canción en varias comedias de Lope de Vega. [12] Otras veces nos faltan esas corroboraciones. Sólo en una obra encuentro que se cantaba el refrán *Que jurado lo tiene el baño de no hacer de lo negro blanco.* [13] Sólo en el *Viejo celoso* de Cervantes he visto cantados —y aglutinados— los dos refranes *El agua de por San Juan / quita vino y no da pan; / las riñas de por San Juan / todo el año paz nos dan* (V 6 rº, N 4 rº, Ou 11, C 65*a*; N 115 rº, G 65 rº, C 213*a*). ¿Cómo saber, cuando no tenemos más que un único ejemplo, si esos refranes se cantaban comúnmente o se transformaban en canciones por la iniciativa personal y efímera de algún autor? No faltan testimonios tan sorprendentes como el de la *Comedia Doleria* (1572), donde leemos *(NBAE,* t. 14, p. 339*b):* «...y cantará entonces la canción *De tales polvos tales lodos»:* difícil concebir canción menos cantable.

---

tura general de Alonso de Herrera, con la cual se imprimirá desde entonces.—Encuentro las siguientes versiones en los refraneros antiguos: «Cuando San Juan fuere en domingo, vende tus bueyes y échalos en trigo», V 64 vº; «Pascua en jueves vende tu capa y échalo en bueyes», N 92 rº y C 461*a;* «Cuando corre Valfrío vende los bueyes y échalo en trigo», N 100 rº; «Navidad en viernes siembra por do pudieres; en domingo, vende los bueyes y échalo en trigo», N 80 vº, C 229*a* (Ou 189); «Navidad en domingo vende los bueyes y e. e. t.», C 229*a;* «Pascua en domingo vende tus bueyes y échalo e. t.», C 461*a,* etc. Correas, p. 461*a,* dice expresamente: «tales *refranes* son propios de mozos de labranza».

[12] *Romancero general,* núm. 1144. Lope de Vega, *Barladán y Josafat,* III, ed. J. F. Montesinos, Madrid, 1935, p. 147; *Los Ponces de Barcelona,* III, AcadN, t. 8, p. 592*b; El hijo de los leones,* I, AcadN, 12, p. 273*b; Con su pan se lo coma,* III, AcadN, 4, p. 327; además auto *El heredero del cielo,* Acad, t. 2, p. 182*b.* El refrán se cantó también en las fiestas con que se solemnizó el cuarto centenario de la ciutlad de Valencia y se canta todavía —refundido en una cuarteta— en Andalucía (cf. Torner, *Lírica,* núm. 190).

[13] *Relación de las fiestas que la Universidad celebró desde 27 hasta 31 de octubre 1618,* Salamanca, 1618 (hay ejemplar en la H.S.A.), pp. 73-74. Sin el *Que* inicial y con leves cambios de palabras figura en S 375, V 37 vº, G 88 rº, C 305*a.*

En el folio 82 v° de la *Philosophia vulgar* figura este refrán:
«El anoche se murió, ella hoy casarse quiere: ¡guay de quien
muere!» Al glosarlo, observa Mal Lara: «Una manera de
cantar hay que dice el vulgo»:

> Tres días ha que murió,
> la viuda casarse quiere.
> ¡Desdichado del que muere
> si a paraíso no va!»

Mal Lara distingue claramente entre la versión que se dice
y la que se canta.[14] O sea, que el refrán, al convertirse en
canción, se modifica. Y no necesariamente para adaptarse
a un metro más lírico: acabamos de ver que se cantaban
las cosas más inverosímiles, y entre los refranes-cantares
aducidos hasta ahora hay varios que siguen un esquema poco
frecuente en la lírica musical («Niña y viña...», «Quien quisiere mujer hermosa...», «Al cabo de los años mil...»).

Existen otros casos. El mismo Mal Lara (245 r°-v°) registra
como proverbio «Quien tiene hijo en tierra ajena, muerto
lo tiene y vivo lo espera» (con variantes en V 63 v°, N 111 r°,
C 420a), y como cantar:

> Quien tiene hijo en tierra ajena
> muerto lo tiene y vivo lo espera,
> hasta que venga la triste nueva.

Una seguidilla del ms. 3915 de la B. N. M., fol. 318 v°, dice:

> Cuanto me mandareis
> todo lo haré:
> casa de dos puertas
> no la guardaré,

---

14 Otras fuentes contemporáneas parecen darle la razón. Horozco,
736, cita la cuarteta llamándola *cantar*, y un pliego suelto la incluye
entre otras poesías cantables (*Chistes hechos por diuersos autores...*,
pl. s. gót., s.l.n.a., Moñino, *Dicc.*, reimpreso por el Marqués de Jerez
de los Caballeros, Sevilla, 1890, p. 19). Los refraneros (V 30 v°, N 43 r°,
C 83b; M 18) traen, con variantes, el texto que da Mal Lara como
refrán («El anoche se murió...»), y no dicen que se cantara.

versión lírica del refrán «Todo te faré, mas casa con dos
puertas no te guardaré» (S 698; cf. C 503a).

El refrán, en estos casos, ha sufrido una ampliación. [14 bis]
Otras veces bastaba un ligero cambio. Así, el proverbio «Por
la puente se va a casa, que no por el agua» (C 472b) dio el
cantar divulgadísimo en época de Lope: [15]

> Por la puente, Juana,
> que no por el agua,

y esa misma Juana convirtió en canción otro refrán conocido, «Por (el) dinero baila el perro» (S 542, V 55 vº, N 96 vº;
cf. C 477a):

> —Por dinero baila el perro, [Juana],
> por dinero baila.
> —Salte y baile por dinero,
> que yo por mi contento bailar quiero.[16]

En este último caso la canción rebasa en realidad los límites del proverbio. Ya no se trata propiamente de un «refrán

[14 bis] [Ver otros ejemplos, *infra*, p. 205, nota 2.]

[15] «La letra que ahora se canta» dice en *Por la puente, Juana*, III,
AcadN, t. 13, p. 270ab; está en varios otros lugares: lo da también Correas, 472b, sin decir que sea cantar. No es imposible, desde luego,
que ya existiera el refrán con *Juana* antes de aparecer la canción.

[16] Cancionero musical de Turín, en G. M. Bertini, C. Acutis y P. L.
Avila, *La romanza spagnola in Italia*, Torino, 1970, p. 113, núm. 36. Al
personalizarse, por medio de una interpelación, la sentencia abstracta
parecía hacerse más apta para la expresión lírico-musical. Así también,
sobre el refrán «Debajo (so) el sayal hay ál» (N 122 rº, C 323a) se construye el cantarcillo «Que debajo del sayal, Pascual, / que debajo del
sayal hay ál», intercalado por Timoneda en su auto de *La oveja perdida*
(*Obras*, Madrid, 1948, t. 2, p. 55; A, 408). Y del refrán «Obras son amores, que no buenas razones» (V 53 vº, B 76 rº, G 64 vº y 95 rº, N 88 vº,
Ou 227, C 172b) debe de haber salido la copla «Obras son amores, /
hermano Polo, / obras son amores, / que no amor solo» (baile *Del
amor y del interés, Flor de las comedias de España*, 5.ª parte, Barcelona, 1616, fol. 26 vº; C 172b), que con la variante «...querida ingrata,
...que no palabras» aparece en el *Laberinto amoroso* y en la *Segunda
parte de la Primavera y flor de los mejores romances*.

cantado», sino de una canción en la cual entra un refrán. El procedimiento, muy frecuente en la lírica popular actual, se empleó también, pero menos, en la antigua: «Aunque soy morena, / no soy de olvidar, / que la tierra negra / pan blanco suele dar». [17]

II

Con su lucidez habitual, Gonzalo Correas resume en una frase la relación entre el refranero y la poesía lírica musical: «De refranes se han fundado muchos cantares, y al contrario, de cantares han quedado muchos refranes». [18] «De cantares han quedado muchos refranes»: es el otro aspecto de la cuestión.

Mucho antes de Correas, Juan de Mal Lara se había dado cuenta del fenómeno. Al estudiar los refranes reunidos por el Comendador Hernán Núñez, observa que varios no son propiamente refranes. Duda un momento si adoptarlos o no, y luego se decide: «Yo no tengo por qué rehusar los refranes que puso, *aunque algunos son cantarcillos*» (262 r°). Es verdad que en sentido estricto un cantar «no entra en cuenta de refrán» (66 r°), pero también es cierto que «no pierde el refrán por ser cantar, porque *se puede hacer el uno del otro*» (123 v°). Al glosar el dístico «*Plega a Dios que nazca / el perejil en el ascua*», que Núñez (95 v°) había citado sin comentario alguno, el sevillano (36 r°) anota escrupulosamente: «dícenme ser cantar viejo de Extremadura»; pero no importa, «que aunque éste sea cantar, *parece haber sido bueno para refrán*, pues el Comendador lo legitimó». Mal Lara acaba por

---

[17] B.N.M., ms. 3915, fol. 320 v° (F, 202). Con un refrán mencionado *supra*, «Soy (ando) enamorado, / no diré de quién: / allá miran ojos / a do (donde) quieren bien», *Cancionero sevillano*, fol. [184] r°; Cervantes, *Baños de Argel*, II, *Comedias*, ed. Schevill-Bonilla, t. I, p. 290. Como se ve, el refrán va comúnmente al final del cantar, a veces con mención expresa: «Estos mis pollos de enero / mirá qué tales serán, / pues como dice el refrán / la pluma vale a dinero» (C 153*b*).

[18] *Arte*, p. 399.

convencerse a sí mismo a tal punto, que exclama (66 rº): «*Si estos cantarcillos que todo el mundo los dice no son refrán, no sé qué será refrán*».

Es evidente que Mal Lara usa aquí el término *refrán* en un sentido sumamente amplio y vago, cosa que no debe sorprendernos, puesto que todavía hoy se le suele tratar con análoga liberalidad. Un cantar o trozo de cantar que pasa a formar parte del habla familiar adquiere, sí, valor proverbial, pero no es un proverbio (a menos que por su contenido ya lo sea en sí mismo). Aceptemos la convincente caracterización que don Julio Casares ha dado del refrán: «Una frase completa e independiente, que en sentido directo o alegórico y por lo general en forma sentenciosa y elíptica, expresa un pensamiento —hecho de experiencia, enseñanza, admonición, etcétera— a manera de juicio, en el que se relacionan por lo menos dos ideas», y que tiene un «contenido ideológico de interés general». [19] Veremos que, aunque se cantaran, son refranes «La que no baila de la boda se salga» y todos los demás arriba citados. En cambio, «Plega a Dios que nazca el perejil en el ascua» no es refrán. Empleado en una conversación, este fragmento de cantar serviría de comentario irónico sobre una persona que espera la realización de algo imposible; el hablante recordaría a la muchacha cuya madre ha prometido casarla cuando ocurra ese prodigio y que ingenuamente expresa el deseo de que ocurra.

En su excelente deslinde entre el refrán y la frase proverbial muestra Casares que casi siempre «lo que se ha convertido en frase proverbial es un dicho o un texto que se hizo famoso por el acontecimiento histórico que le dio origen..., por la anécdota, real o imaginaria, a que se refiere», etc. (*op. cit.*, p. 189); «su uso en la lengua tiene el carácter de una cita, de una recordación, de algo que se trae a cuento ante una situación que en algún modo se asemeja a la que dio origen al dicho» (p. 190). Aunque Casares no los mencione expresamente, los cantares proverbializados entran en esa categoría. Suelen tener sobre otras frases proverbiales la

---

[19] *Introducción a la lexicografía moderna*, Madrid, 1950, pp. 192 y 196.

ventaja de estar configurados en un esquema métrico análogo al de muchos refranes.

La amplitud de criterio de que dan fe las palabras de Mal Lara es común a todos los refraneros antiguos (para no hablar de los modernos). Entre los proverbios propiamente dichos insertan locuciones de muchas clases, cantares y hasta pregones, adivinanzas, rimas infantiles. [20] Ya en la pequeña recopilación atribuida a Santillana hay por lo menos dos canciones: *Campanillas de Toledo, / óigovos y no vos veó* (S 176; además V 17 vº, H 519, C 372a; A, 14) y *Por más que me digades, / mi marido es el pastor* (S 563 y V 57 rº, N 96 rº, ML 98 vº y 115 vº, C 479b; A, 13). [21] Pedro Vallés da, además de estas dos, varias otras, como: *Con las bajas no curé, / las altas de mí tampoco; / con estas temas de loco / todo mi tiempo gasté* (V 18 rº y ML 66 rº; A, 564) o —*Comadre, la mi comadre, / al coladero sabe. / —A la fe, de vero, / que sabe al coladero* (V 18 vº y N 25 vº, ML 262 rº, C 430a; F, 578; de ambas dice Mal Lara expresamente que son cantares.

Pocos años después de la colección de Vallés se publica el riquísimo refranero de Hernán Núñez, rico también en cantares y fragmentos de cantares. Al citar (92 vº)

> Para la muerte que a Dios debo,
> de perejil está el mortero,

comenta Núñez: «Dicen las mozas que es cantar», y da su continuación:

---

[20] Pregones como «Santisteban de Gormaz, cedaz, cedaz» (V 67 rº, C 445b), adivinanzas como «Cient dueñas en un corral todas dicen un cantar» (= las ovejas; N 25 rº, C 113a), rimas infantiles como «Arca, arquita, / de Dios bendita, / cierra bien y abre, / no te engañe nadie» (N 14 rº, ML 7 vº; F, 504) y muchas otras.

[21] La música del primero está con letra contrahecha, en la ensalada *La viuda* de Flecha (*Ensaladas* 1581, fol. 21 rº-vº). Del segundo sabemos que era canción gracias a varios pliegos sueltos del XVI: contienen un villancico que debía cantarse «al tono de "Por más que me digáis, mi marido es el pastor"» (cf. mis «Supervivencias...» (*supra*, p. 96).

Comadres, las mis comadres,
yo tengo dos criadas
muy bellacas y muy malas:
por estarse arrellanadas
nunca limpian el majadero (F, 541).

(Según Correas, 455*a*, se aplica a «los que se espantan y hacen caramillo de cosas de nonada»). El Comendador incluye muchos otros cantares sin decir que lo son. En el *Cancionero musical de Palacio*, anterior en medio siglo a la recopilación de Núñez, están con música *Allá se me ponga el sol / do(nde) tengo el amor* (N 9 r° y Ou 28, C 79*b*), *Cucú, / guarda no lo seas tú* (N 28 v° y ML 78 v°, C 437*a*), *Perdí la mi rueca / y el huso non fallo. / ¿Si vistes allá / [e]l tortero andar?* [22] Luis de Narváez conserva en su *Delphín de música* (ed. E. Pujol, Barcelona, 1945, núms. 37-39) una melodía del famoso cantar *Si tantos monteros (halcones) / la garza combaten, / ¡por Dios que la maten!* (N 119 v° y M 28, C 287*a*, CH s.v. *garça;* A, 273), y en una ensalada musical figura la de *Yo solo / ¿cómo lo haré todo?* (N 130 v° y C 161*a*; cf. *infra*, pp. 298*s*.). De otros textos nos consta que eran canciones, aunque no se conserve la música; otros muchos lo parecen, sin que hayamos podido comprobar que lo fueran.

Si hemos de creer a Mal Lara, el Comendador insertó todos esos cantarcillos en virtud de su valor proverbial. Lo que no queda nada claro es si ese valor era real o potencial: si los cantares ya se citaban corrientemente en el lenguaje hablado o si el humanista coleccionador de refranes los aducía por creer que se les podía extraer una sustancia ejemplar (*«se puede* hacer el uno del otro», «*parece* haber sido bueno para refrán», «el Comendador lo legitimó»...).

---

[22] *CMP*, 431, 94, 101 (A, 143; F, 575). Del tercer texto da Núñez una versión invertida: «¿Si vistes allá el tortero andando, que perdí la rueca y el huso no hallo?» (121 v°), y además «Perdí la rueca y el huso no hallo; tres días ha que le ando en el rastro» (94 v°), «A buscar la ando la mala de la rueca y no la hallo» (1 v°; también en Ou 3-4, quien traduce «Ie la vay chercher celle qui est malade de la quenoüille [!]...»). Correas copió de Núñez estos tres textos (288*b*, 464*b*, 17*b*) y añadió otras versiones (464*b*, 366*b*).

Interesantes son a este respecto los comentarios que Gonzalo Correas —mucho más «folklorista» que sus antecesores— hace a algunos de los textos recogidos en su monumental *Vocabulario de refranes y frases proverbiales y otras fórmulas comunes de la lengua castellana;* dice, por ejemplo: «refrán que salió de cantar», «de cantar viene a ser refrán», «tómase de un cantar» o simplemente «fue cantar». [23] Podemos tomarle la palabra: aquellas canciones habían pasado al repertorio proverbial español. Por otra parte, Correas recogió, sin comentario alguno, centenares de canciones de las cuales no sabemos en absoluto si estaban proverbializadas o no. [24]

Por fortuna, no son las colecciones de refranes la única fuente para documentar la proverbialización de cantares en el Siglo de Oro. La literatura de la época nos ofrece abundantes testimonios. En su *Romancero hispánico* (xv, 8) Menéndez Pidal ha estudiado el uso de «Versos del romancero como elementos fraseológicos del lenguaje» y concluido que «toda la literatura española de los siglos áureos aparece sembrada de brotes romancescos». Lo mismo puede decirse de la poesía lírica de tipo popular o semi-popular. En los más diversos géneros —teatro, novela, crónicas, cartas, hasta poesía lírica— salta el recuerdo de canciones tradicionales o de

---

[23] El primer comentario (545*b*) se refiere al famoso «Madre, la mi madre, / guardas me ponéis...» (F, 238); el segundo (151*a*) a «Estábame yo en mi estudio / estudiando la lición...» (A-B, 299); el tercero (151*b*) a «Este abad que aquí tenemos / cómo le pelaremos?»; el último a varios, por ejemplo, «Mira bien y ten acuerdo, / que te toques por enmedio» (556*a*). Creo que cuando Correas usa la palabra *cantar* no hay duda de que lo era en efecto. En cambio, Mal Lara parece haberle dado alguna vez un sentido figurado; dice por ejemplo (103 v°) que «La doncella no la llaman y viénese ella» (N 67 r°) «cantar es para las mozas que están en edad de toda guarda», o que «Amárgame el agua, marido, amárgame y sabe a vino» es «como una cancioncilla reprehendiendo» (253 v°).

[24] Nos consta que algunas son canciones porque están documentadas como tales en otras obras antiguas o porque sobreviven en la tradición oral (cf. «Supervivencias...», *supra*, núms. 15, 25, 36, 40, 49, 50, 53, 54, 56, 59 y 61). Otras muchas tienen aire de cantares, pero, como en el caso de Núñez, nos faltan las pruebas.

moda, evidentemente ya convertidas o a punto de convertirse en «elementos fraseológicos del lenguaje».

Alguna vez el autor hace la advertencia de que está citando
una canción: «Si Gerarda ha descubierto esta yerba, que las
tales llaman mandrágora, y la tiene Dorotea, ¿qué espectáculo, qué música, qué vino como ella misma, *para que descanse
mi amado preso*, como dice la letrilla que agora cantan?»
(Lope, *Dorotea*, III, 4; ed. E. S. Morby, p. 247); «E eu por
mi digo com a cantiga *Si lo dizen digan ec...*» (Ferreira de
Vasconcellos, *Eufrosina*, prólogo; ed. E. Asensio, p. 3). Pero
casi siempre la cita, repentina y desnuda, es como un guiño
al lector o al público: «...pois *por vida de mis ojos, caualhe-
ro*, que quando acertam de nos cayr nos olhos algũs rayos...»
(Antonio Prestes, *Representaçam* que precede al *Auto dos
dous hirmãos*, en *Primeira parte dos autos*, fol. 75 rº); «[Al-
ma]—...mil golpes de contrición / daré en las puertas erra-
das. / Iglesia—*Y todas tus aldabadas / darán en mi corazón*»
(Valdivielso, auto *Las ferias del alma*, *Doze actos...*, Toledo,
1622, fol. 90 rº); «¡Ay, qué miel tan sabrosa! ¡No lo pensé!
¡aguza, aguza, *dale si le das, que me llaman en casa!...*» (F. Delicado, *Lozana andaluza*, XIV; ed. A. Vilanova, p. 53); «...y si
acaso yo al descuido les daba una onza de *mírame Miguel...*»
(Pícara Justina, IV, 3; ed. Puyol, t. 2, p. 275); «Preguntai-lhe
de do viene; veréis que *algo tiene en el campo que le duele*»
(Camoens, Carta I, versión de la *Miscelánea Juromenha;
ZRPh*, 7, 1883, p. 447); «Si quieres que no te quiera, / me
digas tu vida, *Inés*, / que si es posible olvidarte, / *yo te lo
diré después*» (romance de Antonio Hurtado de Mendoza,
Obras poéticas, Madrid, 1947-1948, t. 2, p. 261). [25]

---

[25] Las citas corresponden a los siguientes cantares: «Galeritas de
España, / parad los remos, / para que descanse / mi amado preso»
(entre otras fuentes, en *Romancero general*, núm. 887; A, 905); «Si lo
dicen, digan, / alma mía, / si lo dicen, digan» (A-B, 36); «Por vida de
mis ojos, / el caballero, / por vida de mis ojos, / bien os quiero» *(infra*, p. 184; «Llaman a la puerta, / espero yo a mi amor, / y todas las
aldabadas / me dan en el corazón» (así en el auto *El Fénix de amor*
de Valdivielso *(Doce actos*, fol. 39 vº; con variantes en otras fuentes:
cf. F, 213; A, 549); «Dale si le das, / mozuela de Carasa, / dale si le
das, / que me llaman en casa» *(CMP*, 141); «Pues que me tienes, / Mi-

Para el investigador de la antigua lírica estos testimonios son preciosos, pues revelan la divulgación de cantares a veces muy escasamente documentados. Claro que esa divulgación podía en ocasiones limitarse a cierta región de España o aun a un círculo reducido; así sabemos, por ejemplo, que en la corte valenciana de doña Germana de Foix se recordaba a cada paso la canción «No me sirváis, caballero, / íos con Dios, / que no me parió mi madre / para vos», [26] y si hemos de creer a los autores portugueses del XVI, muy dados a citar cantares populares en sus obras, en Portugal se traía a cuento aquello de «Afuera, fuera, fuera, / el pastorcico, / afuera has de dormir, / que no conmigo...» [27] cada vez que quería rechazarse a alguien. Otros muchos cantares lograron, en cambio, una amplia y a veces duradera proverbialización, como veremos en algunos ejemplos.

Lo común era citar sólo uno o dos versos. Del famosísimo cantar de «La bella malmaridada» —su fama misma era pro-

---

guel, por esposa, / mírame, Miguel, / cómo estoy tan hermosa» (C 484b; F, 190; A, 345); «Aquel pastorcico, madre, / que no viene...» (supra, p. 61; cf. «Estar triste Dorotea y no ir a los toros..., algo tiene en el campo que le duele», Lope, Dorotea, V 2); «Un poco te quiero, Inés: / yo te lo diré después» (C 177b; Lasso de la Vega, Manojuelo, núm. 92).

[26] Está en un pl.s.: Pliegos poéticos B.N.M., t. 1, p. 128 = Moñino, Dicc., 579 (F, 280). Hay tres parodias en el Cortesano de Milán («...que pellizcada voy por vos», etc.): ed. Madrid, 1874, pp. 53, 335, 464).

[27] Así en un pl. s. de Praga (Moñino, Dicc., 1054). Timoneda, Sarao, fol. 54 rº, trae: «que nel campo dormirás / y no comigo» (F, 279). Otras citas: Camoens, Carta I (Obras completas, ed. H. Cidade, t. 3, p. 230): «e mande escumar o entendimento, que de outra manera de fuera dormiredes, pastorcico» (cf. Enfatriões, ibid., pp. 60, 61 y 71, y «Disparates da India»); Jorge Pinto, Auto de Rodrigo e Mendo (Primeira parte dos autos, fol. 50 vº): «Afuera, pastorsico... que nel campo dormirás, que não comigo»; António Prestes, Auto do Procurador (ibid., fol. 26 vº): «—Eyla vem dessemulemos, / que nel campo dormirás... / —Que não comigo» (cf. su Auto da Ave Maria, ibid., fol. 6 rº). En el último ejemplo la cita se canta. Esto no es raro. Recuérdese que cuando los soldados de Gonzalo Pizarro empiezan a pasarse al bando contrario, «un maestre de campo suyo, llamado Carvajal, cantaba "Estos mis cabellos, madre, / dos a dos se los lleva el aire"» (Oviedo, Historia general..., IX, 11; repiten la anécdota el Inca, Gutiérrez de Santa Clara, el Palentino, Gómara, la Miscelánea de Zapata). Aun cantada, el recuerdo de la canción tiene carácter plenamente proverbial.

verbial— se desgajó el segundo verso, *de las más lindas que vi*, incontables veces recordado en los siglos XVI y XVII.[28] Todavía el Diccionario de la Academia registra, s.v. *doblar*, la locución *bien pueden doblar por él* (C 356b), que muy probablemente procede del cantar rufianesco «¿Quién te me enojó, Isabel, / que con lágrimas te tiene? / *Yo hago voto solene / que pueden doblar por él*» (Salinas, *De musica*, p. 356); con sus dos últimos versos solía caracterizarse al arrogante y bravucón, del cual se decía también que era «de los de "Quién te me enojó, Isabel"».[29] Análogamente se decía que una mujer fogueada que afectaba inocencia era «de aquellas de *nunca en tal me vi*» (*Estebanillo González*, VIII; ed. Millé y Giménez, Madrid, 1934, t. 2, p. 87), por la bien conocida canción «Señor Gómez Arias, / doléos de mí, / soy mochacha y niña / y nunca en tal me vi» (F, 324).[30]

Una de las canciones más citadas, imitadas y parodiadas del siglo XVII —y por ende de las más proverbializadas— es «Aprended, flores, de mí, / lo que va de ayer a hoy, / que ayer maravilla fui / y hoy sombra mía aún no soy», que se ha atribuido a Góngora, y bien pudiera ser de él. Su recuerdo venía a la memoria cuantas veces se pensaba en la vanidad de las costas terrestres. Se la citaba entera o, más frecuentemente, por sus dos primeros versos, a menudo contrahechos; su fama se ha perpetuado hasta nuestros días.[31] Un caso

---

[28] Unos cuantos ejemplos: Gil Vicente, *Copilaçam*, fol. 244 vº, «que este galán desposado, / de los más lindos que yo vi»; Padilla, *Thesoro*, fol. 345 vº, «A la más linda señora, / de las más lindas que vi»; Lope de Vega, *Lo que pasa en una tarde*, III, *AcadN*, t. 2, p. 320b, «—¿Qué es esto, esposa? —Un mal fiero... / de los más lindos que vi».

[29] C 625b. (Cf. *Pícara Justina*, ed. J. Puyol, t. 1, p. 77 y t. 3, pp. 267-269 donde Puyol reúne muchas citas).

[30] El verso final aparece ya con ese sentido proverbial en la *Lozana andaluza;* después en Ferreira de Vasconcellos, en el *Crotalón*, en la *Pícara Justina*. Véase la edición de Puyol citada en la nota anterior, t. 3, p. 280, y *La niña de Gómez Arias* de L. Vélez de Guevara, ed. R. Rozzell, Granada, 1959, pp. 26 ss.

[31] Cf. L. Medina, «Frases literarias afortunadas», *RHi*, 25 (1911), pp. 52 y 54-55, y Hannah E. Bergman, «El Romancero en Quiñones de Benavente», *NRFH*, 15 (1961), p. 238 y nota 24. A los datos reunidos en ambos trabajos añadiré algunos más. Lope también glosó el cantar en *El*

análogo es el de «Soñaba yo que tenía / alegre mi corazón, / mas a la fe, madre mía, / que los sueños sueños son». Su último verso, muchas veces citado, pudo ser proverbial independientemente de la cuarteta, pero ésta misma aparece proverbializada a menudo, sobre todo en obras de teatro: ante el desastre económico del «autor» Antonio de Prado, en la Loa que le dedicó Quiñones de Benavente *(NBAE,* t. 18, página 516*b),* cantan los músicos «Soñó el autor que tenía / un bolsón y otro bolsón; / mas a la fe, compañía, / que los sueños sueños son»; y León Marchante pudo decir en su *Picaresca* (carta 67): «...acordándome de aquel *adagio* de los siete durmientes que dice *pero a la fe, prima mía, que los sueños sueños son...»* [32]

desprecio agradecido, II, AcadN, t. 12, p. 16*ab.* Otras glosas: *Estebanillo González,* 13 *(BAE,* t. 33, p. 367*b);* B.N.M., mss. 4051 y 17,669, fols. 504 rº y 97 rº respectivamente. Los dos primeros versos suelen citarse —intactos o cambiados— al final de una cuarteta, cuyos dos primeros versos expresan la antítesis «ayer... hoy». Por ejemplo, la comedia burlesca del *Hermano de su hermana* de Quirós *(Obras,* Madrid, 1656, fol. 121 rº): «Ayer morí y hoy no soy / don Sancho como lo fui: / aprended, flores...»; Cáncer, baile de *La fábula de Orfeo (Autos sacramentales...,* Madrid, 1675, pp. 210-211): «Hoy sin Eurídice estoy / y ayer con ella me vi: / aprended, flores...»; María de Zayas, romance a la muerte de Pérez de Montalván *(BAE,* t. 42, p. 548*a):* «Ayer fui, ya no soy nada, / la muerte de mí triunfó: / aprended, hombres, de mí...». *Flores* aparece sustituido por *damas* en *Casa con dos puertas* de Calderón, III, 3 *(BAE,* t. 7, p. 142*b;* cita sólo los dos primeros versos); por *asnos* en el entremés *Lo que pasa en una venta* de Belmonte *(Flor de entremeses* [1657], Madrid, 1903, p. 173): «Aprended, asnos, de mí, / lo que va de ayer a hoy: / que ayer desechado fui, / y hoy apetecido soy». Hay dos contrahechuras más piadosas en el *Ramillete* de Jacinto de Evia, Madrid, 1675, pp. 22 y 37.—Sobre la divulgación del cantar desde el siglo XVIII, cf. Torner, *Lírica,* núm. 29. García Pérez menciona en su *Catálogo,* p. 479, una glosa de Juan Brito y Luna (1721), y Serrano y Sanz, en sus *Apuntes para una biblioteca de escritoras españolas...,* Madrid, 1903, t. 1, p. 519, una imitación de Margarita Hickey y Pellizzoni (muerta después de 1791): «Aprended, Clicies, de mí, / lo que va de ayer a hoy: / de amor extremo ayer fui, / leve afecto hoy aun no soy». En nuestro siglo ha citado y comentado la cuarteta el colombiano Antonio José Restrepo, creyéndola nacida «de lo hondo del pueblo antioqueño» (cf. la revista *Bolívar,* 1955, núm. 42, p. 322).

[32] Citado en *Anales salmantinos,* 2 (1929), p. 332. Sobre la *Loa que representó Antonio de Prado* (incluida también entre las *Obras varias*

Alguna vez ocurre que no se proverbializa el cantar mismo, sino el hecho de cantarlo. Es el caso de «Las tres ánades, madre, / solas van por aquí; / malpenan a mí» (C 372b), pues, como apunta Covarrubias en su *Tesoro* (s.v. *ánade)*, «para decir que uno va caminando alegremente, sin que sienta el trabajo, decimos que *va cantando tres ánades, madre»*. «Y cantando las tres ánades, madre, / dejé a mi hermano y a mi propio padre», leemos en el *Siglo pitagórico* de Enríquez Gómez (ed. Roan, 1644, p. 169). [33]

¿Por qué precisamente «las tres ánades, madre»? Hoy resulta difícil comprenderlo. Y otra cosa incomprensible: que no parezcan haberse proverbializado una serie de cantares de contenido sentencioso. Esperaríamos encontrar en los refraneros de la época —y no encontramos— cantares como «Más trabaja que el que cava / el que tiene la mujer brava» (Lope de Rueda, *Coloquio de Camila, Obras*, Madrid, 1908, t. 2, p. 46), o «Quien amores ten / afinque-los ben, / que nan é veinto que va y ven» (L. Milán, *El maestro:* F, 230), o «Quien de sus amores se aleja / no los hallará como los deja» (Horozco, *Cancionero*, p. 27).

Estos que podríamos llamar «cantares arrefranados» o «refranescos» viven también en el territorio que nos hemos propuesto explorar. ¿Serían originalmente refranes, que después, al ser puestos en música, abandonaron el campo del refranero por el de la lírica? Nos asalta la misma duda que ya plantean en realidad los refranes cantados, duda más ardua de resolver que la de la gallina o el huevo: en cada caso ¿qué fue antes, el refrán o el cantar? Si son tantos los refranes con «aire de canción» y los que eran indudablemente canciones, y si, por otra parte, hay buen número de cantares

de Cáncer, Madrid, 1651), cf. ahora H. E. Bergman, art. cit., p. 230 y *passim*. F. G. Olmedo reproduce en *Las fuentes de «La vida es sueño»* algunas glosas de la copla, a las cuales podrían añadirse muchas más. Cf. también J. F. Montesinos, ed. de Lope de Vega, *Barlaán y Josafat*, p. 248, nota 1.

[33] Hay otras muchas citas, varias de ellas recogidas por Daniel Devoto en su *Cancionero llamado Flor de la rosa*, Buenos Aires, 1950, pp. 137-138.

que parecen refranes, lo más justo será quizá renunciar a establecer prioridades. Es evidente que desde la remota Edad Media existió una base para el intercambio constante entre cantares y refranes, tanto más cuanto que éstos adoptaban a menudo un esquema —dísticos rimados— frecuente en la lírica popular, la cual, por su parte, se caracterizaba por una gran flexibilidad métrica y aun temática y podía acoger sin dificultad textos breves de forma irregular. Así se llegó probablemente a una especie de indiferenciación: el proverbio era *verso* y el verso *refrán*.

Reliquia de este estado de cosas serían todos esos refranes-cantares documentados en los siglos XV-XVII, algunos de los cuales subsisten en el folklore hispánico de nuestros días. Al correr el tiempo se produciría una mayor separación entre ambos géneros, sin que jamás se perdiera el contacto entre ellos. Con el auge y monopolio de la copla y la seguidilla se acentuaría esa diferenciación formal manifiesta ya, como vimos, en los cantares antiguos que eran refranes ampliados; a la vez, dado el carácter frecuentemente sentencioso de la nueva poesía popular, aumentaría en mucho el número de cantares que incorporan un refrán. [34] Valdrá la pena estudiar todo esto y completar así el panorama esbozado en estas páginas.

---

[34] En sus cuatro tomos de refranes aduce Rodríguez Marín bastantes cantares que son proverbios convertidos por ampliación o reducción en copla o en seguidilla; por ejemplo: «No hay luna como la de enero, ni amor como el primero» se ha hecho «No hay lunita más clara / que la de enero, / ni amores más queridos / que los primeros» (*Más de 21.000 refranes castellanos*, Madrid, 1926, p. 335*b*). Y cita asimismo coplas que utilizan un refrán sin cambiarlo: «Entre dos que bien se quieren, / con uno que coma basta, / y éste ha de ser la mujer, / por ser la parte más flaca» (*ibid.*, p. 195*b*).

IV

TEMAS Y TEXTOS

SOBRE LOS TEXTOS POETICOS
EN JUAN VASQUEZ, MUDARRA Y NARVAEZ *

Los interesados en la antigua poesía popular-tradicional de España esperábamos desde hacía mucho la publicación de los libros de música polifónica y vihuelística del siglo XVI. Los prometedores extractos de Gallardo, sobre todo, habían creado verdadera ansia por conocer las fuentes originales. Ahora se ha emprendido por fin esta labor. Hace unos años —en 1944— el Colegio de México publicó el llamado *Cancionero de Upsala*, con la transcripción de Jesús Bal y Gay. [1] En ese mismo año reprodujo Higinio Anglés, al final de su libro sobre *La música en la Corte de Carlos V*, el *Libro de cifra nueva para tecla, harpa y vihuela* (Alcalá, 1557) de Luys Venegas de Henestrosa. En 1945 aparecieron *Los seys libros del Delphin de musica...* (Valladolid, 1538) de Luys de Narváez, con transcripción y estudio de Emilio Pujol. Siguió,

* Es éste el trabajo más antiguo de los reimpresos aquí; apareció en la *NRFH*, 6 (1952), pp. 33-56.

[1] Don Rafael Mitjana, descubridor del *Cancionero*, publicó en 1909 la parte literaria, en un folleto rarísimo. En la edición de El Colegio de México se incluyen las notas de Mitjana y además un estudio preliminar de Isabel Pope. Han comentado las poesía de este cancionero Carolina Michaëlis de Vasconcelos, en sus «Nótulas sobre cantares e vilhancicos peninsulares...», *RFE*, 5, 1918, pp. 337-366 y Leopoldo Querol Roso en «La poesía del *Cancionero de Uppsala*», *Anales de la Universidad de Valencia*, 1932, núm. 74, pp. 63-179. [Véase ahora el interesante estudio de J. Romeu Figueras, «Mateo Flecha el Viejo, la corte literario-musical del duque de Calabria y el Cancionero llamado de Upsala», *AnM*, 13 (1958), pp. 25-101, que aporta un enfoque muy nuevo de esta obra.]

en 1946, una de las dos obras polifónicas de Juan Vásquez,[2] la *Recopilación de sonetos y villancicos a quatro y a cinco* (Sevilla, 1560), transcripción y estudio de Higinio Anglés. Y por último, en 1949, los *Tres libros de música en cifra para vihuela* (Sevilla, 1546), de Alonso Mudarra, transcritos y comentados por Emilio Pujol. Editó estas publicaciones de Anglés y Pujol el Instituto Español de Musicología de Barcelona, dependencia del C.S.I.C., en la serie de *Monumentos de la Música Española*.[3]

El libro de Venegas de Henestrosa no contiene sino cuatro textos poéticos, de escaso valor e interés. Sólo nos detendremos, pues, en las obras de Juan Vásquez, Mudarra y Narváez. De éstas, las dos últimas insisten más en el aspecto puramente instrumental que en el vocal. El *Delphin* de Narváez[4]

---

[2] Conocíamos la escritura *Vázquez*, usada por Mitjana, Gallardo, Paz y Mélia y otros, y por el mismo Anglés en trabajos anteriores. Ambas maneras parecen haber sido comunes en el siglo XVI: Pisador, Fuenllana, etc., escriben *z*; la *Recopilación* trae *s*. — Sabido es que Gallardo pensó que eran tres los libros de Vásquez: consideró como obra aparte el cuaderno de la quinta voz de la *Recopilación*, copiándolo parcialmente en su *Ensayo*, t. 4, cols. 926-929; a este error se deben además, en su mayoría, las omisiones de versos, pues la quinta voz no siempre canta el texto completo.

[3] [Entre tanto se ha completado además la publicación del *Cancionero musical de Palacio*, cuya parte musical, en transcripción de Anglés, apareció en 1947; la edición y el estudio de los textos, a cargo de J. Romeu Figueras, salieron en 1965. En 1949-50 habían aparecido los dos tomos del *Cancionero musical de la Casa de Medinaceli* (ed. M. Querol Gavaldá) y en 1955 aparecieron *Las ensaladas* de Mateo Flecha (ed. H. Anglés); estas tres obras son de música polifónica. El *Libro de música de vihuela intitulado Silva de Sirenas* (Valladolid, 1547) de Enríquez de Valderrábano (ed. de E. Pujol) se publicó en 1965, y tres años después, en Tutzing, Alemania, el llamado *Cancionero musical de la Colombina*, en el libro de G. Haberkamp, *Die weltliche Vokalmusik in Spanien um 1500*. Aún hay que añadir un cancionero polifónico publicado antes que todos los demás aquí mencionados y que yo no conocía al redactar este trabajo: *O cancioneiro musical e poético da Biblioteca Públia Hortênsia*, ed. M. Joaquim, Coimbra, 1940.]

[4] A propósito de Narváez pudo haberse mencionado el hecho de que en el *Cancionero general de obras nuevas*, impreso en Zaragoza, 1554, por Esteban de Nájera y reimpreso por Morel-Fatio en *L'Espagne au XVIᵉ et au XVIIᵉ siècle*, 1878, hay una serie de poesías de tipo cortesano

contiene únicamente cinco villancicos y dos romances. De los *Tres libros* de Mudarra, sólo el tercero está dedicado a piezas de canto con acompañamiento de vihuela, escogidas entre diversos géneros: hay —por orden— tres motetes, tres romances, tres «canciones», tres sonetos en castellano y cuatro en italiano, cuatro «versos» en latín, cinco villancicos y dos salmos.

Muy distinto es el caso de Juan Vásquez; no sólo es «el único compositor de la España de Carlos V y de Felipe II que cultivó en gran escala la lírica polifónica coetánea con texto castellano», como dice Anglés, sino que es además uno de los grandes representantes de aquella tendencia iniciada ya por los polifonistas del siglo xv: la revaloración del canto popular español. Es difícil saber a punto fijo en qué medida la música de Juan Vásquez aprovecha las melodías populares, puesto que apenas han sobrevivido documentos que nos las conserven; pero en cuanto a los textos, la mayoría tiene evidentemente carácter tradicional. Entre las sesenta y cinco poesías de su *Recopilación de sonetos y villancicos* sólo hay seis sonetos y catorce canciones de carácter cortesano; hay, en cambio, cuarenta y un cantares populares.[5] Estos cantares, y junto con ellos los contenidos en la otra compilación de Vásquez, los *Villancicos y canciones a tres y a quatro* (aún no reeditados), colocan a nuestro músico al lado de los principales «dignificadores» de la poesía popular en el siglo xvi, de

---

atribuidas a un tal «Luys de Narváez» (núms. 51-63, 67-69). Ya Wolf y Morel-Fatio se preguntaron si sería el mismo autor. El hecho de que en el *Delphín* figuren tres poemas «del auctor» da más pie a la conjetura.

[5] No es éste, evidentemente, el lugar adecuado para disquisiciones sobre qué sea lo popular. El término, sin embargo, es tan ambiguo, que si no precisamos al menos nuestro punto de vista, no podremos emplearlo a lo largo de un trabajo sin comprometer su claridad. Descartamos, desde luego, el sentido de 'divulgado, de moda'. *Popular* equivale ahora para nosotros a *folklórico*. Al hablar de «poesía popular» pensamos en ciertos tipos de poesía que, si bien creados en un momento dado por una minoría, se generalizaron y fueron patrimonio de la mayoría (de las clases bajas, sobre todo) durante varios siglos. Una canción que se ajuste en tema y estilo a uno de estos tipos será «popular», aunque haya podido escribirla un poeta culto.

Gil Vicente, Lope de Vega, Valdivielso. Su importancia no es sólo numérica; las canciones escogidas por Juan Vásquez son de extraordinaria calidad poética (como ya supo Dámaso Alonso cuando incluyó diez de ellas en su *Poesía de la Edad Media y poesía de tipo tradicional)* [6] y tienen, además, otra peculiaridad notable: la de contener en su mayor parte una glosa tan antigua y tradicional como el estribillo inicial. Lo común fue —desde el siglo xv hasta el xvii— adoptar únicamente el estribillo (o «villancico») de los cantos populares y convertirlo en motivo —pretexto— de una glosa culta. [7] Sólo Gil Vicente, algunos polifonistas del *Cancionero musical de Palacio* y del de la Colombina, Luis Milán y los compositores del *Cancionero de Upsala* habían valorado antes las glosas tradicionales; después de Juan Vásquez y de los músicos que adaptaron a la vihuela sus canciones (Fuenllana, Valderrábano, Pisador, Mudarra), las glosas antiguas, salvo pocas excepciones, volvieron a desaparecer de los cancioneros.

Las canciones de Juan Vásquez (uso el «de» por razones de comodidad), como las de Gil Vicente, están dentro de una tradición que, desde que aparecieron los trabajos de S. M. Stern, divulgados en el fascinador ensayo de Dámaso Alonso sobre las «Cancioncillas "de amigo" mozárabes», no debemos ya sólo hacer remontar a la lírica gallego-portuguesa, sino a la «primitiva poesía lírica española» de los siglos xi y xii, tan sabiamente adivinada por Menéndez Pidal.

---

[6] Ni esta belleza poética, ni la sencillez, la frescura, la fuerza evocadora que caracterizan a esta poesía me parecen atributo necesario de su calidad de poesía popular. Lo directo de la expresión, la falta de artificios retóricos y complicaciones estilísticas facilitan indudablemente la «popularización» de un tipo de poesía, pero suelen popularizarse también géneros muchos menos hermosos y hasta menos directos y sencillos.

[7] Esto me indujo a creer, erróneamente, en mi tesis (cit. *supra*, p. 47, nota *), que las pocas glosas en estilo tradicional que se conservan eran obra de quienes las citaban y que Juan Vásquez, además de músico, era poeta. Sí existió una tradición antigua de glosas [cf. *infra*, «Glosas de tipo popular...»], lo cual no impide, naturalmente, que algunas de las que conocemos se escribieran en el mismo siglo xvi, a imitación de las tradicionales.

Es cierto que por ahora no podemos asignar tan remoto origen sino a unos pocos temas y motivos. En el curso de estas notas aparecerán tópicos estrechamente emparentados con los de la lírica francesa medieval. En muchas piezas se verá, por otra parte, una evidente relación con Portugal, ya porque las mismas canciones o temas afines tienen versiones portuguesas, ya porque el esquema métrico-estilístico es o recuerda el de los cantares paralelísticos gallego-portugueses. En este sentido convendrá tener presente que Juan Vásquez era originario de Badajoz, de la zona limítrofe con Portugal. En todo caso, lo más probable es que Vásquez haya acogido elementos de diverso origen (no faltarían los andaluces, puesto que en Andalucía vivió toda su vida), como acogió también —ya lo veremos— una enorme variedad de temas. Al igual que las jarchas, la lírica popular gallego-portuguesa y las canciones de Gil Vicente, los «villancicos» de Juan Vásquez son en su mayoría femeninos, son «canciones de amigo». He aquí una:

> Ya florecen los árboles, Juan:
> mala seré de guardar.
>
> Ya florecen los almendros,
> y los amores con ellos,
>   Juan,
> mala seré de guardar.
>
> Ya florecen los árboles, Juan:
> mala seré de guardar.
>   (II, 14; F, 72).[8]

---

[8] Los números romanos remiten a una de las dos partes en que se divide la *Recopilación;* el número arábigo, al que la pieza respectiva tiene dentro de su sección. — En los primeros tomos de su antología Cejador incluyó muchas composiciones de Juan Vásquez, copiándolas de Gallardo; después de haber consultado los originales, corrigió y completó —no sin erratas y omisiones— los textos de Vásquez en el tomo IX de la obra, tomo tan raro, que desistimos de mencionarlo aquí. — En cuanto a la bibliografía de las canciones, generalmente aducimos sólo las obras no mencionadas por los editores de Vásquez, Mudarra y Narváez.

Concurren aquí, de manera única, dos temas poéticos diferentes: el antiquísimo de la primavera favorecedora del amor y el de la vigilancia de la doncella, tan frecuente en la lírica galaico-portuguesa, recogido después en el *Villancico* atribuido a Santillana («Aguardan a mí...»; F, 237) y, en tiempos de Cervantes, en la conocida seguidilla «Madre, la mi madre / guardas me ponéis...» (F, 238). [9]

Esa fusión del amor con la naturaleza inspira también cantares como el tan famoso *De los álamos vengo, madre, / ...de ver a mi linda amiga* (II, 13; F, 346; añádase a la bibliografía de Anglés el *Tesoro* de Covarrubias, s.v. *álamo*), o *En la fuente del rosel / lavan la niña y el doncel. // En la fuente de agua clara / con sus manos lavan la cara: / él a ella y ella a él, / lavan la niña y el doncel* (II, 42; F, 78) [10] y, estrechamente relacionado con este cantar, la glosa de la canción I, 13 (F, 80): *¡Oh, qué mañanica, mañana, / la mañana de San Juan, / cuando la niña y el caballero / ambos se iban a bañar!* [11] Identificación del amor con ciertos elementos de la

---

[9] En realidad, los «almendros» de la glosa florecen, no en primavera, sino en invierno. Pero es que la flor del almendro estaba poéticamente consagrada; no así la del «cerezo», por ejemplo, que, teniendo la misma asonancia, hubiera sido más «verosímil». Además, *ya florecen los almendros* era, al menos en la época de Correas, una frase proverbial; denotaba «buen tiempo y logro, y canas en los viejos» (Correas, *Vocabulario*, p. 159a). — Cf. «Niña y viña, peral y habar / *malo es de guardar*» (F, 73; *supra*, p. 156).

[10] Cf. la *Farsa del matrimonio* de Sánchez de Badajoz: «Se hagan servicio fiel / él a ella y ella a él» (*Recopilación en metro*, 1882, t. 2, p. 15).

[11] La fuente, lugar de encuentro de los amantes, y el baño son en realidad dos temas distintos, aunque emparentados. Para el segundo, cf. «A los baños del amor / sola m'iré, / y en ellos me bañaré» (*CMP*, 149; F, 86), «Si te vas a bañar, Juanilla, / dime a cuáles baños vas» (*Cancionero de Upsala*, 31, etc.; F, 85; *supra*, p. 85). En el romance del Conde Claros la Infanta responde a la demanda amorosa del conde con estas palabras: «Dejáme ir a los baños, / a los baños de bañar; / cuando yo sea bañada / estoy a vuestro mandar» (*Primavera*, 190, vs. 41-42); la frase «Ya se sale... de los baños de bañar» referida a una mujer se encuentra al comienzo de varios romances. Correas trae en su *Vocabulario*, p. 192b: «La que del baño viene, bien sabe lo que quiere» («juntarse con el varón», como explica él mismo). — En cuanto al estribillo de

naturaleza, o también identificación de los amantes con ciertas aves, como vemos —en forma quizá no muy tradicional— en el villancico de Narváez *Si tantos halcones / la garza combaten, / por Dios que la maten* (núms. 37-39), [12] que aparece también en otras fuentes (cf. *supra*, p. 164; A, 273) y que tiene extensa parentela en la poesía culta y semipopular del siglo XVI (cf. Gil Vicente, *Comédia de Rubena*, III; Venegas de Henestrosa, *Libro de cifra*, núm. 137; A, 436; *BAE*, t. 35, página 537*a*, etc.). La *garza*, símbolo de la amada, aparece también en poesías de corte tradicional, como la garza «malferida» de Gil Vicente (F, 309) y Pisador o la garza «acompañada» de un baile dramático *(NBAE*, t. 18, p. 480*a)*, y al lado de ella, la *pega*, la *paloma;* el enamorado, por su parte, es *gavilán, halcón, águila, azor, ánade* («Dos ánades, madre...», F, 189); [13] todas estas metáforas son tema favorito de la lírica vicentina.

la canción I, 13 de Vásquez, «Caballero, queráisme dejar, / que me dirán mal», cf. «No me habléis, conde, / d'amor en la calle, / catá que os *dirá male*, / conde, la mi madre...» en la otra obra de Vásquez y en Fuenllana (F, 84).

[12] En la primera y segunda «diferencias», Narváez trae sólo el estribillo; en la tercera le añade una glosa: «La garza se queja / de ver su ventura, / que nunca la deja / gozar del altura; / con gozo y tristura / así la combaten: / por Dios que la maten.» Pujol altera en su transcripción el orden de los versos: empieza por los tres últimos («Con gozo y tristura...», escribiendo, por cierto, «*la garza* combaten» en vez de «*así la* combaten»), y sigue con los cuatro primeros («La garza se queja...»). Esto indica que ignora que en este tipo de composiciones se ejecuta seguida toda la composición y luego se vuelve (con un «da capo») a la música del estribillo, con la segunda letra que bajo ella figura. Extraña que el editor haya podido incurrir en tal error, que repite en todos los casos análogos, salvo en «Ardé, corazón, ardé» (Narváez, núm. 48). — Por otra parte, parece dudosa su afirmación de que la glosa que nos ocupa constituye, junto con el estribillo, «el villancico en su forma auténtica», así como la suposición de que éste «sería uno de los de más antiguo origen». La glosa es, probablemente, posterior al estribillo; y en cuanto a su antigüedad, sería preciso documentarla.

[13] Véase sobre esta canción el hermoso *Cancionero llamado Flor de la rosa* de Daniel Devoto, Buenos Aires, 1950, pp. 137 *s.*

Vicentina parece también en Juan Vásquez la incompleta canción *Del rosal sale la rosa.* / *¡Oh, qué hermosa!* (I, 9; A-B, 97), que se nos presenta en forma un tanto desconcertante. [14] Otro cantar,

> Descendid al valle, la niña,
> que ya es venido el día
>
> (II, 11; A-B, 106),[15]

---

[14] Es muy posible que el estribillo conste sólo de los dos versos citados, y no de los cinco primeros, como supone el editor. «¡Qué color saca tan fino!...» sería entonces la primera estrofa de la glosa, con rima *-ino, -ino, -osa;* los tres últimos versos constituirían la tercera estrofa, con rima *-elo, -elo, -osa;* entre ambas, la segunda estrofa, incompleta. La música, en efecto, da pie a esta suposición, pues en ella las dos estrofas completas se corresponden exactamente; entre ellas hay un pasaje distinto (sin texto), una frase musical (correspondiente a dos octosílabos) repetida con variaciones, después de la cual vuelve a entrar la música del estribillo (con las palabras «nace de nuevo primor / esta flor»). Este pasaje llevaría los dos primeros versos de la segunda estrofa, que (suponiendo una mala colocación) podrían ser «Nace de nuevo primor / ... esta flor» (repetido) y después un verso con rima en *-osa,* seguido del verso «¡Oh qué hermosa!» del estribillo. Concibiendo de este modo el poema, el estribillo estaría emparentado con los de Gil Vicente: «En la huerta nace la rosa...» (F, 99), «Del rosal vengo, mi madre...» (F, 344) y con los versos «nasceo a rosa do rosal» y «da rosa nasceo a flor» del poema «Blanca estáis, colorada, / Virgen sagrada» *(Auto da Feira).* El segundo verso recuerda también el de «Muy graciosa es la doncella, / ¡cómo es bella y hermosa!» del *Auto da Sibila Cassandra.* Por lo demás, el poema todo parece contener la misma simbología mística del «Blanca estáis, colorada» (cf. «huele tanto desde el suelo, / que penetra hasta el cielo»).

[15] Anglés olvida mencionar que la canción aparece ya en el *CMP* (F, 362), con una glosa que, como la de Vásquez, es desarrollo zejelesco de la idea contenida en el estribillo. El segundo verso del *CMP* dice «non era de día»; así aparece también en un pliego suelto (Moñino, *Dicc.,* 787); en otros dice «no es venido el día» *(ibid.,* 753, 800 y 835). Francisco de Ocaña incluye en su *Cancionero* un poema cantable «al tono de *Acudí al valle, la niña».* En la forma en que lo trae Vásquez, el estribillo se encuentra vuelto a lo divino en Jorge de Montemayor, *Ensalada del juego de la primera,* con «...ya es perdido el día» en la primera edición de las *Obras* (cf. *Cancionero,* p. 140) y con «ya es venido el día» en el *Segundo cancionero spiritual,* Amberes, 1558, fol. 63 vº. Véase *Cancionero de galanes,* Valencia, 1952, pp. XXXIX y 59.

está sin duda relacionado con los poemas que anuncian el amanecer: «Ya viene el alba, la niña, / ya viene el día» (Rouanet, t. 2, p. 223; F, 364) o «Ya viene el día / con el alegría» (Correas, *Vocabulario*, p. 159a), que Valdivielso y Lope volvieron a lo divino: «Venga con el día, / venga María», etc., transformando el modo aseverativo («ya viene», «ya es venido») en optativo («venga»), por el recuerdo quizá de los llamados al sol («salga el sol», etc.). En Juan Vásquez hay también un llamado —pero esta vez a la luna— en el que es posiblemente el mejor poema de la *Recopilación:*

> Salga la luna, el caballero,
> salga la luna y vámonos luego.
>
> Caballero aventurero,
> salga la luna por entero,
> salga la luna y vámonos luego.
>
> Salga la luna, el caballero,
> salga la luna y vámonos luego.
>
> (II, 18; F,367).

¿Cómo no pensar en el estribillo de la canción francesa *Voici la Saint-Jean:* «Marchons, joli coeur, /la lune est levée»? El villancico de Vásquez reúne la evocación de la luna («¡Ay, luna, que reluces, / toda la noche me alumbres!», *infra*, p. 288, con el tema de la enamorada que pide a su amigo que la lleve: «Vayámonos ambos, amor, vayamos, / vayámonos ambos» (Gil Vicente; F, 98), «Sem mais mando nem mais rogo, / aqui me tendes, levae-me logo» (Gil Vicente, *Cortes de Júpiter;* nótese el *logo-luego).* De este último tema hay una variante en un delicioso cantarcillo de Mudarra (núm. 74):

> Si viese e me levase,
> por miña vida que no gridase.
>
> Meo amigo atán garrido,
> si viese o domingo,
> por miña vida que no gridase (F, 109).[16]

---

[16] Pujol lo reproduce con los versos 3 y 4 invertidos, cometiendo el mismo error señalado a propósito de «Si tantos halcones», y omite

El estribillo está castellanizado y vuelto a lo divino en Jorge de Montemayor *(Auto segundo,* en *Cancionero,* p. 258): «Si viniese y me llevase, / por vida mía que me salvase» (cf. además el «Si viniese ahora, / ahora que estoy sola» de Góngora, ed. Foulché-Delbosc, 1921, núm. 419; F, 108).

Los dos ejemplos anteriores nos han mostrado un mismo motivo en dos expresiones diferentes: la declaración directa al amado, «vámonos luego», y el ansiar solitario del «si viniese e me levase». Este mismo dualismo aparece en otros temas, aunque por lo común el soliloquio adopta la forma de una confesión a la madre. Veamos dos declaraciones de amor; la más ardiente de toda la lírica popular antigua es posiblemente la del bellísimo villancico de Vásquez:

> Por vida de mis ojos,
> el caballero,
> por vida de mis ojos,
> bien os quiero.

> Por vida de mis ojos
> y de mi vida,
> que por vuestros amores
> ando perdida.

> Por vida de mis ojos...
> (II, 44; F, 156).

Esta canción fue incluida por el valenciano Fernández de Heredia en un Coloquio; puede verse en *Obras,* p. 163. Nos hace pensar en aquel otro cantar que conservó Lope: «Por aquí daréis la vuelta, / el caballero, / por aquí daréis la vuelta, / si no me muero» (F, 164; cf. *Acad,* t. 8, p. 89a). [17] Por otra parte, la confesión a la madre:

---

la repetición del segundo verso del estribillo. Transcribe además *tan* (verso 3), haciendo notar que entre «amigo» y «tan» hay una *a* (que evidentemente considera superflua).

[17] Podría preguntarse por qué estos dos poemas se escriben en versos cortos y el de «Salga la luna, el caballero», de esquema y carácter análogos, en versos largos. Creo, sin embargo, que la escritura está justificada; «Salga la luna...» es típico metro de gaita gallega (enea-

No me firáis, madre,
yo os lo diré:
mal d'amores he.

Madre, un caballero
de casa del rey
siendo yo muy niña
pidióme la fe;
dísela yo, madre,
no lo negaré.
Mal d'amores he.

No me firáis, madre...
(II, 32; F, 136).

Anglés cita acertadamente la canción incluida por Gil Vicente
en su *Tragicomedia da Serra da Estrela* («Não me firais,
madre, / que eu direi a verdade. // Madre, un escudeiro / da
nossa rainha / faloume d'amores», etc.; F, 137), aunque la
altera, convirtiendo sus dos estrofas en una sola (suprime la
repetición de los versos 3 y 4 de la glosa y la del estribillo).
La glosa de Gil Vicente está evidentemente relacionada con
la de «Aquí no hay / sino ver y desear» de Castillejo (ed. cit.,
t. 2, p. 60; F, 138): «Madre, un caballero / qu'estaba en este
corro / a cada vuelta / hacíame del ojo», etc.; la de Juan
Vásquez, en cambio, tiene mayor parentesco con el conocido
«[A] aquel caballero, madre, / tres besicos le mandé, / cre-
ceré y dárselos he», y en general con el tema de la niña precoz
(«Si eres niña y has amor, / ¿qué harás cuando mayor?»;
cf. F, 140, 116).

También hay en Juan Vásquez «canciones de amada», confesiones de amor del enamorado. Está *Vos me matastes,* /
niña en cabello (I, 15; F, 161), que aparece glosada por Andrade Caminha (*Poesias inéditas*, ed. Priebsch, 1898, núm. 390).

---

sílabo dactílico el segundo verso, decasílabo bipartito el primero), mientras «Por vida de mis ojos» es seguidilla y «Por aquí daréis la vuelta»
seguidilla o acaso copla de pie quebrado. [Cf., sin embargo, *supra*,
pp. 148-151.]

Además, *¡Qué bonica labradora, / matadora!* (II, 29), incluida igualmente en un pliego suelto de Praga (Moñino, *Dicc.*, 676). [18] Está también *De las dos hermanas, dose / válame la gala de la menore* (II, 17; F, 65). [19]

O bien, el elogio de los ojos de la amada: *Lindos ojos habéis, señora, / de los que se usaban agora* (II, 16; A-B, 110); [20] es análogo al cantarcillo que trae Covarrubias en su *Tesoro*, s.v. *garça:* «Lindos ojos ha la garza, / y no los alza», donde ya la garza no es simplemente la enamorada, sino la enamorada de ojos azulados. Ojos de garza, ojos garzos, como los de la niña de Juan del Encina: *Ojos garzos ha la niña. / ¡Quién se los enamoraría!* (Vásquez, II, 34; A-B, 346). [21] Ojos garzos, o bien *Ojos morenos, / ¿cuándo nos veremos?* (I, 21; F, 217; cf. los «ojos morenicos» del *CMP*, 263=A, 116); y por fin:

[18] El editor omite el «matadora» que aparece después del último verso de la glosa («no hay más linda labradora»).

[19] Anglés transcribe extrañamente *do sé*, sin dar explicación alguna; hasta ahora todos habían escrito *dose*, lo que parece más lógico dada la existencia de una -*e* paragógica en el verso siguiente y el ritmo trocaico del primero; tampoco la música autoriza el cambio. Respecto al tema, cf. el pícaro dístico de Correas: «Las dos hermanas que al molino van, / como son bonitas, luego las molerán» (*Vocabulario*, p. 210*b*); las dos hermanas aparecen también en la poesía culta. La glosa de Vásquez no parece tradicional.

[20] La glosa no parece de tipo tradicional. El editor omite (p. 38) su primer verso: «Vos tenéis los ojos bellos». En la música (p. 165) es defectuoso el engarce con el pasaje C-D; en el tenor la letra queda: «lindos o... véys, señora».

[21] La fusión de los dos tópicos, ave y ojos, no es cosa rara; así hay «ojos de azor», «de halcón», «de aguililla» (recuérdese: *azor, halcón, águila* = enamorado), como podrá verse en las valiosas notas de Devoto, *Cancionero* citado, p. III. — En cuanto a la canción de Encina, deben estar en cursiva los dos versos del estribillo. Después del texto de Juan Vásquez, el editor observa: «Juan del Encina escribió la siguiente versión de esta canción», y lo que copia es el texto del *Cancionero de Upsala;* pero él mismo dice después que, en sus «observaciones interesantísimas» sobre el cantar, D.ª Carolina Michaëlis de Vasconcelos prueba (*RFE*, 5, 1918, pp. 346-450) que el texto del *Cancionero de Upsala* «es una variación del verdadero original de Juan del Encina», original reproducido además por D.ª Carolina en el mismo trabajo.

Tales ollos como los vosos
nan os hay en Portugal.

Todo Portugal andéi
nunca tales ollos achéi.

Tales ollos como los vosos...
(II, 41; F, 175).

No es raro que la alabanza de la mujer se ponga en boca
de ella misma; así, *Por una vez que mis ojos alcé, / dicen que
yo lo maté* (II, 37; cf. *infra*, p. 298) corresponde a «vos me
matastes» y a «qué bonica labradora / matadora» (cf. «Dué-
lenme los ojos /de mirar bajo; / si los alzo y miro, / dicen
que mato», Gallardo, *Ensayo*, t. 1, 1027). Otras veces, la doncella parece toda entregada a la contemplación de su persona.
Es conocido el tema de los cabellos («Estos mis cabellos,
madre, / dos a dos se los lleva el aire», F, 348);[22] Juan Vásquez lo trae en forma única:

No tengo cabellos, madre,
mas tengo bonico donaire.

No tengo cabellos, madre,
que me lleguen a la cinta;
mas tengo bonico donaire
con que mato a quien me mira.
Mato a quien me mira, madre,
con mi bonico donaire.

No tengo cabellos, madre...
(II, 38; F, 191).[23]

---

[22] Véanse las interesantes observaciones de Devoto, *Cancionero*,
pp. 121-126. Con este tema se relaciona seguramente el cantar «¿Para
quién crié yo cabellos...?», del que nos transmite sólo el primer verso
el libro de música de Venegas de Henestrosa, núm. 119 (dice «romance»).
[23] El editor pone siempre una coma superflua después del *mas;* lo
mismo hace en I, 2, versos 9 y 14; I, 7, v. 2; II, 22, v. 5; II, 34, v. 5.
Otras comas superfluas: después de *entendido*, I, 1, v. 7; de *pues*, I, 7,

Contemplación y afirmación de sí misma hay también en *Que yo, mi madre, yo, / que la flor de la villa m'era yo* (I, 11; A-B, 100) [24] y en *Si me llaman, a mí llaman, / que cuido que me llaman a mí,* de Juan Vásquez (II, 31) y de Mudarra (71; F, 185 y A, 309), [25] cuyo estribillo aparece también en el *Thesoro* de Pedro de Padilla (Madrid, 1587, fol. 431 vº); su glosa es hermana gemela de la de «Gritos daban en aquella sierra», del *CMP*, 15 (F, 186; cf., en el *Tesoro* de Covarrubias, s.v. *leño*, «Voces dan en aquella sierra, / leñadores son que hacen leña»; F, 417). En la misma línea, el tema de las «morenicas», representado en Juan Vásquez por dos canciones; una de ellas dice:

> Morenica m'era yo,
> dicen que sí, dicen que no.
>
> Unos que bien me quieren
> dicen que sí;
> otros que por mí mueren
> dicen que no.
>
> Morenica m'era yo...
>
>   (I, 8; F, 204).

---

vs. 9 y 13; de *que*, II, 6, v. 8; de *fuerça*, II, 10 v. 10; de *matáys*, II, 16, v. 4; de *artero*, II, 26, v. 5; de *rey*, II, 32, v. 5. Puntos suspensivos innecesarios: II, 37, v. 6. Sobra por errata un punto en I, 3, v. 14. Por otra parte, falta coma en I, 1, v. 2; I, 6, v. 3; II, 7, v. 1; II, 16, v. 3; II, 22, v. 5; II, 24, v. 4; II, 26, v. 4; II, 31, v. 3; II, 36, v. 3; II, 42, v. 4. Falta punto y coma en II, 7, v. 7. — En II, 36, los signos de interrogación del estribillo aparecen colocados de distinta manera al principio y al final; en II, 24, v. 9 falta ¿.

[24] Figura también entre los madrigales de Pedro Alberto Vila (F, 184). La quinta voz de Juan Vásquez no canta el verso «¡Qué panadera garrida!»; por eso lo omitió Gallardo, como omitió también «a vender pan a la villa». — Cf., para esta canción, Menéndez Pidal, *La primitiva poesía*, p. 334.

[25] Con una pequeña variante, no notada por Pujol: en Mudarra la glosa comienza con «Y en aquella sierra». (Sobra en Mudarra la coma después de «que cuido».)

Antes se solía reproducirla incompleta, sin su delicioso jugueteo (los dos primeros versos de la glosa faltan en la quinta voz, y, por lo tanto, en Gallardo). La otra es:

> No me llaméis sega la herba,
> sino morena.
>
> Un amigo que yo había
> sega la herba me decía.
>
> No me llaméis...
>   (II, 43; F, 205).

¿Qué implicaba el apodo *sega la herba*? Si pensamos en otros
cantarcillos, como «Blanca me era yo / cuando entré en la
siega, / diome el sol, y ya soy morena» (Lope de Vega, *El
gran duque de Moscovia*, II; F, 198), podremos suponer que
el apodo equivale a «morena», pero con la connotación des-
pectiva de ese tipo de construcciones (cf. «ganapán»); en son
de burla, el amigo diría a la amiga *sega la herba*, y ella, con
auténtico orgullo de morena («Aunque soy morena, /no soy
de olvidar»), exigiría que la llamaran así, «Morena».[26]
    También es un tanto misterioso uno de los villancicos
de Mudarra:

> Isabel, Isabel,
> perdiste la tu faja;
> héla por do va,
> nadando por el agua.
> ¡Isabel, la tan garrida!
>   (núm. 73; F, 536).

---

[26] Sobre todo esto véase el abundante material reunido por Devoto,
Cancionero, pp. 126-132; menciona una canción moderna «No me llame
usté morena». El «no me llame» es lugar común de la poesía popular
española. — Para la glosa, «un amigo que yo había» es comienzo también de otras glosas: «Un amigo que yo había / dejóme y fuese a Castilla» (Vásquez, I, 12, y II, 25; F, 254), «Um amigo que eu havia / mançanas d'ouro m'envia» (Gil Vicente, «E se ponerei la mano em vos»,
Serra da Estrela; F, 100); cf. la variante «Tres amigos que eu havia»
(Gil Vicente, «Sobre mi armavam guerra», *Auto da Feira; F*, 187).

Pujol (p. 86) lo interpreta así: «La faja de Isabel, moza de ostentosa hermosura, y gallarda altivez, flota por el agua. Supuesta derrota de sus despectivas arrogancias en aras del amor». Me parece probable que, en realidad, sea sólo fragmento de un cantar picaresco anecdótico del tipo de «Perdí la mi rueca / y el huso non fallo» (*CMP*, 253; F, 575) o de «Rodrigo Martínez, / a las ánsares ¡ahe!» (*CMP*, 12; F, 590). «¡Isabel la tan garrida!» sería el primer verso de la glosa, semejante al de tantas otras glosas tradicionales, sobre todo de tipo paralelístico: «Rodrigo Martínez / atán garrido», «Miño amor tan garrido» (*CMP*, 61; F, 152), «Fátima la tan garrida» (*CMP*, 116; F, 159).

Otro tema femenino: la muchacha que no quiere ser monja: *¿Agora que sé d'amor / me metéis monja? / ¡Ay Dios, qué grave cosa!* (Vásquez, I, 10; texto, *infra*, p. 279), y el tan semejante:

> Agora que soy niña
> quiero alegría,
> que no se sirve Dios
> de mi monjía.
>
> Agora que soy niña,
> niña en cabello,
> me queréis meter monja
> en el monesterio.
> Que no se sirve Dios
> de mi monjía.
>
> Agora que soy niña...
> (II, 12; F, 121).

Las dos canciones están hechas sobre el mismo molde; [27] la segunda, sin embargo, se inclina hacia el tema «Ahora que

---

[27] No es, pues, lógico escribir, como hace Anglés, una —la primera— en versos largos y la otra en cortos. Por lo demás, es discutible la manera de escribirlas; Henríquez Ureña (*La versificación irregular*, 1933, p. 204) tendía a los versos largos, Gallardo y Dámaso Alonso a los cortos, lo que, en casos de tan marcada separación, me parece preferible. [Cf., sin embargo, *supra*, «Problemas de la antigua lírica popular», pp. 148-151.]

soy *moza*, / quiérome holgar, / que cuando sea vieja / todo
es tosejar» (Correas, *Vocabulario*, p. 31*b*), mientras que la
primera desarrolla más bien el de «No quiero ser monja,
no, / que niña *namoradica* so» *(CMP, 9; F, 119)*. ¿Y cómo no
han de lamentarse las niñas, si hasta las prioresas suelen ser
enamoradas?

> Gentil caballero,
> dédesme hora un beso,
> siquiera por el daño
> que me habéis hecho.
>
> Venía el caballero,
> venía de Sevilla,
> en huerta de monjas
> limones cogía,
> y la prioresa
> prenda le pedía:
> siquiera por el daño...
> (Mudarra, núm. 72; F, 76).[28]

La glosa, como observa muy bien Pujol, recuerda la de «¿Cuál
es la niña / que coge las flores / si no tiene amores?» del
Velho da horta vicentino: «Cogía la niña / la rosa florida. / El
hortelanico / prendas le pedía» (F, 74); recuerda igualmente
la del número II, 39 de Juan Vásquez:

> Que no me desnudéis,
> amores de mi vida,
> que no me desnudéis,
> que yo me iré en camisa.
>
> Entrastes, mi señora,
> en el huerto ajeno,
> cogistes tres pericas
> del peral del medio,

---

28 Pujol menciona la versión de Pisador (Gallardo, *Ensayo*, t. 3, 1237),
pero no la que reproduce Pedrell en el núm. 961 del *Catàlech de la
Biblioteca...*; en ésta la glosa se reduce a dos versos (como en la de
Pisador): «Vase el caballero, / vase de Sevilla».

> dejaredes [29] la prenda
> d'amor verdadero.
> Que no me desnudéis,
> que yo me iré en camisa (F, 75).

Nótese la coincidencia de vocabulario: *huerto (-a, hortelanico), coger, prenda(s)*. Es indudable la relación entre estas tres canciones y las pastorelas francesas; para sólo citar dos ejemplos: «En no *jardin* je suis *entrée*, / trouvay la *rousei* espanouye, / sy doulcement je l'ay *cuillie* / et l'ay donnée à mon amy» (Gaston Paris, *Chansons du* xvᵉ *siècle*, Paris, 1875, número 76), donde aparece la rosa, con su simbolismo erótico; o bien: «...au *jardin* de mon pere *entray*... / *trois* fleurs d'amour je *cueillay*» (Bartsch, *ZRPh*, 5, 1881, pp. 521-549, número 4). Para las *tres pericas* de Vásquez hay también «Las tres periñas do ramo, ¡oy! / son para vos, meo amo» (Tirso de Molina, *Habladme en entrando*, I, 11); para los *limones* de Mudarra, «por las riberas del río, / limones coge la virgo» (Gil Vicente, *Auto dos Quatro Tempos*, «En la huerta nace la rosa», F, 99); para el *huerto ajeno*, «Salí presto del huerto ajeno, / que os quiere (dirá) mal su dueño» (Montemayor, *Cancionero*, p. 140, y *Segundo cancionero spiritual*, fol. 63 rº). En cuanto al estribillo de Juan Vásquez, Anglés recuerda acertadamente el «Que no me desnudéis, / la guarda de la viña...» del *Tesoro* de Covarrubias (s.v. *camisa);* este motivo requiere aclaración; el comentario de Covarrubias es insuficiente para ambos textos.

Volviendo a las monjas que no quieren serlo y que prefieren el amor, hay también el caso inverso, el de la que «monjica en religión se quiere entrar por no malmaridar» *(supra,* página 135), el de las mujeres que rechazan apasionadamente los amores: *Dicen a mí que los amores he. / ¡Con ellos me*

---

[29] Anglés acentúa *dexáredes*, que no tiene sentido aquí; podría pensarse en *dexárades*, si no trajeran *e* las cuatro voces de la música. El futuro parece lo más natural: el caballero relata lo sucedido y «pide prenda» como la prioresa o el hortelanico; también el «dédesme hora un beso» implica realización futura.

vea si lo tal pensé! (Vásquez, II, 2; cf. *Cancionero de Upsala*, 50; texto, *infra*, p. 280). O bien:

> Por mi vida, madre,
> amores no m'engañen.
> (II, 26; F, 270).[30]

Estas parecen haber aprendido la agridulce lección de las malmaridadas, cuyo destino fue tantas veces cantado. En Narváez (núm. 46) aparece el famosísimo villancico de «La bella malmaridada»,[31] y es de notarse que la canción que lo precede (núms. 40-45) es:

> Y la mi cinta dorada,
> ¿por qué me la tomó
> quien no me la dio?

---

[30] La glosa, «Burlóme una vez / amor lisonjero, /de falso y artero / y hecho al revés. / Mi madre, por mi fe, / no m'engañen amores. / Por mi vida, madre, / amores no m'engañen», se parece mucho a la de una canción de los *Villancicos y canciones* del mismo Vásquez: «Amor falso, / *falso* y portugués, / cuanto me dijiste / todo fue *al revés*, / al revés y falso...» (F, 255). Podemos relacionarla asimismo con el romance de Fontefrida: «malo, falso, engañador» (*Primavera*, 116), imitado por Camoens: «Falsos amores, —falsos, máos, enganadores» (ed. Juromenha, t. 4, p. 62). — El verso que prepara la repetición del estribillo, «no m'engañen amores», es un tanto extraño, pues no rima con el resto; en la primera y en la cuarta voz dice sólo «mi madre por mi fe / no m'engañen», en la segunda, «mi madre por mi fe / no m'engañen amores no m'engañen» (en la tercera se pasa directamente al estribillo). Es muy posible que el texto original dijera sólo «mi madre por mi fe» y fuera seguido del último verso del estribillo: «amores no m'engañen», y que las necesidades de la música obligaran a Vásquez a poner unas palabras de relleno. Sospecho que lo mismo ocurre en varias otras de sus canciones, como «No tengo cabellos, madre».

[31] También aquí se equivoca Pujol (p. 51) en la transcripción de la glosa, poniendo los cuatro versos «Extremada y excelente... de mí» antes de los cuatro versos «lucero (no *crucero*)... presente», en vez de ponerlos después.

La mi cinta de oro fino,
diómela mi lindo amigo,
tomómela mi marido.
¿Por qué me la tomó...?

La mi cinta de oro claro,
diómela mi lindo amado,
tomómela mi velado.
¿Por qué...? (F, 295),

que evidentemente no es sino otra canción de malmaridada, con toda la «inmoralidad» de sus hermanas francesas; [32] su estribillo aparece en Sebastián de Horozco *(Cancionero,* número 132): «Esta cinta es de amor toda, / quien me la dio, ¿por qué me la toma?», [33] con una variante que, no por ligera, deja de ponerlo al margen del género. Sí pertenece a él, en cambio, la canción

Llamáisme villana:
yo no lo soy.

_____

[32] En su prólogo a la *Flor nueva de romances viejos* (Buenos Aires, 1938, pp. 25-28), Menéndez Pidal ha llamado la atención sobre la moralización del tema de la malcasada en el romance español. Al lado de esa adaptación hay, en España y Portugal, huellas de canciones de malmaridada a la francesa, con una aceptación natural del amor adúltero (tópico literario como cualquier otro); ahí están, además del cantar presente, «Miño amor tan garrido, / firiôs vuestro marido» *(CMP,* 61; F, 152) y todas las declaraciones de amor a la *casada* (o *malcasada),* convertida ya en personaje estereotipado, como la «niña», la «niña en cabello», la «morenita», la «serrana», lo que por sí mismo parece indicar que en un tiempo hubo efectivamente muchas canciones sobre amoríos adúlteros: «Abaja los ojos, casada, / no mates a quien te miraba...» (Vásquez, *Villancicos y canciones;* F, 179); «No lloréis, casada / de mi corazón...» *(Romancero general,* núm. 160, etc.); «Malcasada, no te enojes, / que me matan tus amores» (Milán, *Cortesano,* 1874, p. 33), etc.

[33] Pujol menciona la versión incompleta de Flecha. Por lo demás, no sabemos qué hace declarar a Pujol que el villancico era «de gran popularidad en su época».

Casóme mi padre
con un caballero;
a cada palabra,
«hija d'un pechero».
Yo no lo soy.

Llamáisme villana...

(Vásquez, II, 30; F, 290)

que, como Anglés señala, tiene una variante en el *De musica* de Salinas; es inversión del tema «doncella casada con villano», tan frecuente en las canciones francesas de malmaridada: «Mon père m'y maria / ung petit devant le jour, / a ung villain m'y donna / qui ne sçait bien ne honour» (A. Gasté, *Chonsons normandes du* xvᵉ *siècle*, Caen, 1866, núm. 17). Estos temas forman a su vez parte de un ciclo más amplio, al cual pertenecen el romance de la «Gentil dama y el rústico pastor» y las canciones de «Llamábalo la doncella y dijo el vil...» (A-B, 378) y «Besábale y enamorábale la doncella al villanchón...» (A-B, 164); lo común es, como se ve, que la mujer sea la de la condición más alta.

Al lado de las malcasadas y de las «desamoradas», las que se burlan de sus amantes: *Cobarde caballero, / ¿de quién habedes miedo, / durmiendo conmigo? // De vos, mi señora, / que tenéis otro amigo. / ¿Y d'eso habedes miedo, / cobarde caballero? // Cobarde caballero...* (Vásquez, II, 24; F, 149),[34] y las que se quejan de su desvío, como en el un poco prosaico *¿Qué razón podéis tener / para no me querer?* (I, 12 y II, 25; cf. 254), cuya glosa —«Un amigo que yo había / dejóme y fuese a Castilla» (cf. *supra*, nota 26)— recuerda aquella otra de «Fuese mi marido / a la frontera, / sola me deja / en tierra ajena» *(CMP, 240; F, 285)*; y en el encantador y único:

---

[34] Anglés no menciona la versión de Fuenllana para vihuela y canto. — [Sobre la estructura estrófica de este cantar ver ahora «Glosas de tipo popular...», *infra*, p. 295, nota 25.]

> Buscad, buen amor,
> con qué me falaguedes,
> que mal enojada me tenedes.
>
> Anoche, amor,
> os estuve aguardando,
> la puert' abierta,
> candelas quemando;
> y vos, buen amor,
> con otra holgando.
> Que mal enojada me tenedes.
>
> (Vásquez, II, 27; F, 225).

Reproches de celosa parece haber también en el *¿De dónde venís, amores? / Bien sé yo de dónde* (II, 35; F, 224), que Dámaso Alonso ha relacionado con una jarcha mozárabe *(Cancioncillas,* p. 325). [35] La atormentada pregunta puede salir también de labios de hombre, como en el tan repetido *Serrana ¿dónde dormistes? / ¡Qué mala noche me distes!* (I, 22; F, 262). [36]

---

[35] Ahora sabemos que Cejador transcribió bien *amores* (cf. Alonso, *loc. cit.,* nota); es el mismo caso de «Que no me desnudéis, amores de mi vida». — Si pensamos en el estribillo análogo «Zagala, ¿do está tu amore? / —Yo me sé adónde» (Timoneda, *Anphitrion*), y en cantares como el «Donde vindes, filha, / branca e colorida? / —De là venho, madre...» (Gil Vicente, *Auto da Lusitânia;* F, 92) y el «¿Dó venís, casada, / tan placentera? / —Vengo de ver el campo / y el alameda» (*Séguedilles,* núm. 35; cf. núm. 55), podremos concluir que también nuestro estribillo es dialogado, y que el «Bien sé yo de dónde» es respuesta —un tanto violenta, es cierto— del amante. Tenemos un esquema análogo en «¿Si jugastes anoche, amore? / —Non, señora, none» (Salinas, *De musica,* VII; A, 647). — La glosa, «Caballero, de mesura, / ¿dó venís la noche escura?», recuerda el «Si la noche hace escura... / ¿cómo no venís, amigo?» de Pisador, del *Cancionero de Upsala,* etc. — Otra queja de enamorada: «D'aquel pastor de la sierra / dar quiero querella» (Vásquez, II, 40).

[36] Es conocida la variante de Lope de Rueda: «Mala noche me distes, María del Rión..., / mala noche me distes, / Dios os la dé peor» (*El deleitoso,* Paso V; F, 261), y la muy semejante de Góngora: «Mala noche me diste, casada, / Dios te la dé mala» (ed. Foulché-Delbosc, número 419). En la forma en que lo trae Juan Vásquez, aparece —con

Estos tópicos están ya a un paso de la lamentación de amor. En boca de enamorada: *¿Con qué la lavaré, / la tez de la mi cara? / ¿Con qué la lavaré, / que vivo mal penada?*, que no sólo aparece en Vásquez (II, 36) y en Narváez (47), sino en casi todos los vihuelistas: Pisador, Fuenllana, Valderrábano (olvidado por Pujol), y en el *Cancionero de Upsala*, núm. 29 (A, 274; F, 297; A-B, 145); y, cosa extraña, parece haber interesado sólo a los músicos. La glosa es la misma —con ligeras variantes— en todas las versiones: *Lávanse las galanas (casadas, mozas) / con agua de limones, / lávome (lavarm'he) yo, cuitada, / con ansias (penas) y pasiones (dolores).* [37]

O bien: *No puedo apartarme / de los amores, madre, / no puedo apartarme* (Vásquez, II, 45; F, 126), incluido también en el *CMP* (citado por Anglés), en Andrade Caminha, en Sebastián de Horozco. La glosa fragmentaria de Vásquez: «María y Rodrigo / arman un castillo» es análoga a la del «Vayámonos ambos» vicentino (F, 98): «Felipa e Rodrigo /passavam o rio». El mismo grito del estribillo lo vemos también en

---

ligeros cambios— en Juan Fernández de Heredia, en Esteban Daza, en el ms. español 371 de la B.N.P., y en el *Cancionero de Upsala*, 32; a juzgar por el encabezado que trae el villancico en Fernández de Heredia, la glosa «A ser con vuestro marido...» es de ese poeta valenciano. *Serrana* aparece sustituido por *corazón* en Sá de Miranda (ed. Carolina Michaëlis, 1885, núm. 30), en el ms. 3700 de la B.N.M. (Cejador, núm. 2387), en *La más prudente venganza* de Lope; por *pensamiento*, en el Marqués de Alenquer (A-B, 488). — La glosa es culta. Al final de ella, el editor escribe equivocadamente (en texto y música) «no por...*más* por», en vez de *mas*. Otros errores de acentuación: I, 3, v. 5, dice *sútil;* faltan acentos en «por ver *qué* tal...» (I, 1), en «Buscad... con *qué* me falaguedes» (II, 27), en «De ver *cómo* los menea» (II, 13), en *¿Cúyas...?* (II, 1), en «*¿Dó* venís?» (II, 35), en *sólo* y *mí* (I, 1, versos 8 y 13), en *queráysme* (I, 13), *avéys* (I, 15), *queréys* (I, 17), *veréys* (II, 11), etc.

[37] Pujol (p. 52) establece mal e incompletamente las variantes: la palabra *flor* no aparece en la *Recopilación* de Vásquez, y sí en el *Cancionero de Upsala* (como en Fuenllana, Pisador y Valderrábano). En Narváez figuran dos versos más al final de la glosa: «Mi gran blancura y tez / la tengo ya gastada», los cuales, seguidos de los dos últimos versos del estribillo, aparecen erróneamente antes de «Lávanse las casadas...», por la ya criticada confusión. También esta poesía cabe escribirla en versos largos, como hace Henríquez Ureña.

«¡No pueden dormir mis ojos, / no pueden dormir!» del *CMP* (F, 308), es decir, en el tema del desvelo del amor, representado en Juan Vásquez por un cantarcillo de giro humorístico: *Quien amores tiene, ¿cómo duerme? / Duerme cada cual como puede* (II, 15; *infra,* p.   ).

En el *Delphín* de Narváez aparece además el repetidísimo villancico *Ardé, corazón, ardé, / que no os puedo yo valer* (F, 298),[38] que sólo ahí figura con una glosa completa, cuyo esquema, asonancia y último verso son, por cierto, idénticos a los de la glosa de «¿Con qué la lavaré?»; *Quebrántanse las peñas / con picos y azadones, / quebrántase mi corazón / con penas y dolores;* en Valderrábano aparecen los dos primeros versos de esta glosa, pero puestos por error en otro texto poético (cf. Devoto, *Cancionero,* p. 103).

Lamento es también —aunque no necesariamente de amor— la canción, más bien artística, *¿Cuándo, cuándo? / ¡Oh, quién viese este cuándo! / ¿Cuándo saldrá mi vida / de tanto cuidado?* (Vásquez, II, 5; F, 328), que se encuentra, con variantes, en Sá de Miranda, Andrade Caminha y Diogo Bernardes (cf. *RHi,* 8, 1901, p. 366), y asimismo la canción de nostalgia *Soledad tengo de ti, / tierra mía do nací* (II, 20; A, 227), no sólo incluida en el *Don Duardos* de Gil Vicente (F, 381), sino también en su *Comédia sobre a divisa da cidade de Coimbra.*[39] La glosa —culta— trata el tema, tan repetido

---

[38] No sólo está en el *CMP* (primer verso). Valderrábano y el Marqués de Alenquer, citados por Pujol, sino además en un ms. del British Museum (Add. 10,328, fol. 265), en Andrade Caminha, Diogo Bernardes, Ferreira de Vasconcelos, Francisco de Portugal, Lucas Fernández, Pérez de Montalván, Lope de Vega. Cf. Carolina Michaëlis de Vasconcelos, *RHi,* 8, 1901, pp. 363-364. [Ver además *NRFH,* 19 (1970), pp. 396 *s.*] En algunas de esas versiones dice *arder,* en otras * arded;* sólo Narváez trae *ardé.* Pujol, que lee *arde,* cree necesario corregirlo en *arded,* para hacerlo concordar con «no *os* puedo yo valer»; pero por los mismos años en que se componía el *Delphín,* un interlocutor de Juan de Valdés pudo decir: «Unos ponéis algunas veces una D al fin de las segundas personas de los imperativos, y otros siempre las dexáis...». La omisión de la *-d* del imperativo era común en todas partes, no sólo en Andalucía, como asienta Pujol.

[39] Hay evidente error tipográfico en la transcripción del texto, al final del cual figuran entre comillas los versos «Soledad tengo de ti, /

en romances y corridos, del «cuando me muera, entiérrenme
en...» También tiene relación con el romancero la glosa de
la canción pastoril «Si el pastorcico es nuevo / y anda enamorado, / si se descuida y duerme, / ¿quién guardará el ganado?»
(Vásquez, II, 1); la glosa es:

> —Digas, el pastorcico,
> galán y tan pulido,
> ¿cúyas eran las vacas
> que pastan par del río?
> —Vuestras son, mi señora,
> y mío es el suspiro.

> (A, 450).

El último verso sugiere que la glosa está, por decir así,
fabricada. Los dos versos iniciales pueden haberse calcado
sobre el comienzo de otras glosas tradicionales; el mismo
Vásquez incluye en su primera obra un villancico cuya glosa
comienza con «Digas, marinero, / del cuerpo garrido» («Puse
mis amores / en Fernandino», F, 253), con la misma asonancia.
Y el resto ¿no tendrá que ver con el romance de la boda
estorbada? Sabido es que no nos quedan versiones antiguas
de este romance, a pesar de su evidente antigüedad. En las
versiones actuales de Tánger y Cataluña, la condesa que va
en busca de su esposo encuentra a un paje que lleva caballos
y le pregunta de quién son. Menéndez Pidal, que en su magis-
tral estudio *Sobre geografía folklórica* ha hecho un examen
de las variantes del romance, considera esas versiones como
las más arcaicas (*RFE*, 7, 1920, p. 272). En Andalucía y Murcia
hay versiones en que la condesa encuentra a un vaquero que
lleva vacas (cf. *Primavera*, 135, vv. 19-21: «Vaquerito, vaque-

---

¡oh!, tierras donde nací» (la versión de Gil Vicente), que tiene que ir
en el comentario. — En contraste con el tono emotivo de esta canción
y de otras análogas está la serena y desapasionada canción de despedida *Zagaleja de lo verde, / muy hermosa en tu mirar, / quédate a
Dios, alma mía, / que me voy deste lugar* (Vásquez, II, 4; A, 453), la
cual pertenece evidentemente a otra tradición distinta. (La glosa contiene estos dos versos casi lopescos: «No me verás en el prado / entre
las hierbas tendido»).

rito, — por la Santa Trinidad... / ¿de quién son estas vaqui-
tas — que en estos montes están?»), y Menéndez Pidal las
cree posteriores a las otras: «El encuentro de la condesa con
un paje de caballos perdió su carácter de vida señorial y se
supuso con un vaquero que cuida una vacada *(loc. cit.,* p. 278).
Los presentes versos, reproducidos a mediados del siglo XVI
por un hombre que pasó toda su vida en Andalucía, ¿no podrían llevar a revisar la idea de la posterioridad de las versiones andaluzas? Muestran, en todo caso, que la pregunta
por las vacas es antigua. También es de notarse que la respuesta del pastor en el romance («Del conde Sol, *son, señora»;
Primavera)* parece estar traspuesta en requiebro galante en
la glosa de Vásquez. La asonancia común del romance es
en *-á,* pero Menéndez Pidal (pp. 290-291) nos dice que en algunas versiones castellanas hay un pasaje en *-ío;* no sería
imposible que hubiese antiguamente una versión (o serie de
versiones) con asonancia en *-ío,* que luego cedió ante la otra,
conservándose sólo algunos pasajes primitivos. [39 bis]

Por lo demás, Juan Vásquez no parece muy amigo de los
romances; en su *Recopilación* sólo incluye dos versos, ya
antes armonizados, de «Por la matanza va el viejo» *(Primavera, 185).* [40] Narváez, por su parte, trae dos romances: «Ya se
asienta el rey Ramiro, / ya se asienta en su yantar» *(sic)
(Primavera, 99)* y «Paseábase el rey moro / por la ciudad de
Granada» *(íd.,* 85). [41] Ninguno de los tres romances de Mudarra figura en la *Primavera.* El primero, «Durmiendo iba el
Señor / en una nave en la mar» (núm. 53), está en el *Cancionero general,* a partir de la segunda edición, 1514, con
diez octosílabos más (y en la *Tercera parte de la Silua de*

[39 bis] [Cf. mis «Apostillas a un artículo sobre el Romancero», *NRFH,*
12 (1958), pp. 58-60.]

[40] En cambio, de uno de los villancicos octosilábicos de la *Recopilación* puede decirse que tiene todo el dramatismo patético de ciertos
romances: *Por amores lo maldijo / la mala madre al buen hijo...*
(F, 322).

[41] En su edición de Mudarra, p. 75, Pujol afirma a propósito de los
romances de Narváez: «la misma música es aplicada a dos diferentes
estrofas», pero no aparece en el original más que una sola estrofa para
cada romance.

varios romances, posterior a la obra de Mudarra); «Israel,
mira tus montes« (núm. 55) figura en el pliego suelto gótico s.l.n.a., «Aqui comiençan seys romances. El primero del
rey don Pedro...» (Moñino, *Dicc.,* 680-682). Del tercer romance, «Triste estaba el rey David, / triste y con gran pasión»
(núm. 54), no conozco otras versiones; pertenece a un tipo
de romances muy grato a los músicos y poetas cortesanos de
los siglos XV y XVI; en el *CMP* (núm. 148) hay «Triste está la
reina, triste», en Luis Milán «Triste estaba, muy quejosa, / la
triste reina troyana», etc. (cf. Durán, *Romancero,* núms. 439,
470, 482, 601, 926, 1156). Pio Rajna *(The Romanic Review,* 6,
1915, p. 20) considera que en el origen de esta moda está
el romance «Triste estaba el caballero» del *Cancionero general* (ed. Bibliófilos, núms. 474 y 458). En todo caso, es
aventurado decir, como lo hace Pujol, que el romance de
Mudarra es «anterior probablemente al siglo XV» (p. 76), y
también lo es para el romance de Israel, al que supone «de
la misma época» (p. 77); el propio Pujol hace notar que en la
Silva de Valderrábano hay una sección intitulada «Historias
de la Sagrada Escritura, *a sonada de romances viejos»;* es
probable que, como ya observaba Menéndez Pelayo (cf. *Antología,* 1.ª ed., t. 10, pp. 299-302), los romances bíblicos no
sean sino composiciones tardías, hechas a base de elementos
tradicionales y para cantarse con una melodía antigua.

Poco tenemos que decir ahora acerca de los demás textos
poéticos de las tres obras que nos han ocupado. Algunos
—los menos— aparecen ya con nombre de autor, o se han
identificado. [42] Otros no deben ser difíciles de identificar;

---

[42] De Garcilaso: «Gracias al cielo doy» (Vásquez, I, 3; concuerda en
general con la edición de Herrera), «Por ásperos caminos *soy llevado*
(Mudarra, 61); de Boscán: «Gentil señora mía» (Vásquez, I, 2), «El que
sin ti vivir ya no querría» (Vásquez, I, 16), «Claros y frescos ríos» (Mudarra, 58). El comienzo de las *Coplas* de Jorge Manrique (Mudarra, 57);
el de las «Lamentaciones de amores» de Garcí Sánchez de Badajoz
(Vásquez, I, 18 y 19); sobre este poema véase ahora el *Cancionero manuscrito de Pedro del Pozo,* ed. A. Rodríguez-Moñino, Madrid, 1950,
pp. 18-20) y su poesía «¡Oh, dulce contemplación!» (Vásquez, II, 6); «¿Qué
sentís, corazón mío?» del Comendador Escrivá (Vásquez, II, 9); «Si n'os
hubiera mirado, / pluguier'a Dios que n'os viera» de Luis de Vivero

«Los ojos de Marfida hechos fuentes», por ejemplo (Vásquez, I, 4), está en el *Cancionero* de Jorge de Montemayor,
página 51, con variantes sólo ortográficas. [43] En general, sería

(Vásquez, II, 22; Anglés menciona la poesía de Boscán que tiene el mismo verso inicial y la del *Cancionero de Upsala*, pero no dice que ambas
son una sola); «Dime a dó tienes las mientes, / pastorcico descuidado...»
(Mudarra, 70) atribuido a Juan del Encina. Hay además en Mudarra
un soneto de Petrarca y uno de Sannazaro, y un fragmento de égloga
de éste. También aparece un pasaje del libro IV de la *Eneida*, el comienzo del *Beatus ille* horaciano y los primeros versos de la *Heroida I* de
Ovidio. — Los poemas latinos llevan en la edición de Mudarra el extraño título «Verso en latín». Pujol nos dice que la palabra *verso* no se
refiere aquí a la «forma de composición organística usada por Cabe-
zón y otros autores coetáneos, sino a... su carácter poético literario»
(p. 81). Lo extraordinario es el singular *verso* aplicado a todo un conjunto de versos. Pero Mudarra no emplea evidentemente el singular;
dice «versos en latín», «versos a la muerte...» (núm. 62) y «versos del
cuarto de Virgilio» (núm. 63; cf. pp. 42 y 97). El singular es, pues, creación del editor moderno (cf. *supra*, nota 16).
    [43] Los anónimos son; por orden alfabético:

    * Ah, hermosa, abríme, cara de rosa, Vásquez, II, 19.
    Amor, virtud y nobles pensamientos, *id.*, I, 5.
    Ay, ay, ay, ay, que rabio y muero, *id.*, II, 7.

    ** Bendito sea el día, punto y hora, *id.*, I, 20.
    Deja ya tu soledad, / pastor chapado, *id.*, II, 21.
    Determinado amor a dar contento, *id.*, I, 1.
    Hermosísima María, / sois una cierta alegría, *id.*, I, 6.
    Lassato a il Tago su dorate arene, Mudarra, 67.
    Mi mal de causa es y aquesto es cierto, Vásquez, I, 7.
    No pensé qu'entre pastores, *id.*, II, 10.
    ¿Para qué busca el morir...?, *id.*, II, 23.
    ¿Qué llantos son aquéstos? ¿Qué fatiga...? Mudarra, 59 (a la
        muerte de María de Portugal).
    Quién me otorgase, señora, Vásquez, I, 14.
    Regia qui mesto spectas cenotaphia vultu, Mudarra, 62 (a la
        muerte de María de Portugal).
    Si por amar el hombre, ser amado / merece, Mudarra, 60.
    Si queréis que dé a entenderos, Vásquez, I, 17.

    *** Sin dudar, / nunca en gota cupo mar, Mudarra, 56.
    Torna, Mingo, a namorarte, Vásquez, II, 8.
    Un cuidado que la miña vida ten, *id.*, II, 23.

    * He encontrado la canción en tres pls. ss. gót., s. l. n. a. de la B. N. M.
(cf. Moñino, *Dicc.*, 212, 800, 819); de uno de ellos pasó a las *Poesías de
antaño* de RHi, 31, 1914, núm. 34.

deseable para las ediciones futuras de este tipo un mayor cuidado en la reproducción de los textos. Son frecuentes las discordancias entre las palabras que figuran en la parte musical y las que aparecen al comienzo, en la descripción del contenido de la obra. [44]

Pujol incluye en la introducción a sus dos publicaciones una sección titulada «Crítica de la edición», donde señala y corrige los errores de música y texto del original (Anglés los indica al pie, en la parte musical). En cuanto al texto, las correcciones —no todas atinadas ni necesarias— se adoptan de ordinario en la sección musical y en el texto solo del principio; pero no siempre: unas veces se dejan los errores sin corregir, en uno de los lugares o en ambos; otras se corrigen, pero sin indicación alguna, o se indica la corrección en la parte musical y no en el texto solo; otras, en fin, el texto está corregido, sin que esto aparezca consignado en la sección de «crítica». Quien quiera enterarse del texto exacto de un poema se ve obligado a consultar detenidamente las tres secciones mencionadas. Convendría también un mayor cuidado en la puntuación y acentuación de los poemas, y, finalmente, en la medida de lo posible, incluir comentarios literarios más abundantes y de mayor rigor científico, apoyados en las ediciones críticas autorizadas.

[**] Imitación del soneto XLVII (XXXIX) de Petrarca, «Benedetto sia'l giorno e'l mese e l'anno / e la stagione e'l tempo e l'ora e'l punto...».

[***] Como observa bien el editor, está glosado en el *Segundo cancionero spiritual* de Jorge de Montemayor, Amberes, 1558, fols. 46-51; lleva ahí el nombre de «copla ajena». El poema figura además en el ms. 3902 de la B.N.M., fol. 129 vº

[44] [Omito aquí la lista, incluida en la versión original del artículo. Ahí podrá ver también el lector curioso las observaciones, de Antonio Alatorre, sobre los textos latinos que figuran en Mudarra. — Ver ahora J. M. Blecua, «Mudarra y la poesía del Renacimiento...», *Studia hispanica in honorem R. Lapesa*, t. 1, Madrid, 1972, pp. 173-179.]

UNA FUENTE POETICA DE GONZALO CORREAS *

El propósito de esta nota es llamar la atención sobre un hecho curioso: al reunir los materiales para su *Vocabulario de refranes y frases proverbiales* y también para su *Arte de la lengua española castellana*, Gonzalo Correas parece haber tenido a la vista, en algún momento, el cartapacio poético manuscrito que ahora se encuentra en la B.N.M., con el número 3915 (antiguo M-4). Su fecha y proveniencia se explican claramente en la hoja inicial: «Por el Conde de Ribadauia con el conde de Monterrey. De la mano y pluma de Jacinto Lopez musico de su Magᵈ. En la villa de Madrid a veynte dias del mes de Enero del año passado de mil y seyscientos y veinte». 1620: el comienzo de la década en que Correas daría fin a su gran recopilación de refranes, giros y canciones populares *(ca.* 1627) y a su Gramática (1625); ésta, como es sabido, contiene un tratado de versificación, en el que Correas concede notable atención a las formas poéticas de tipo popular y las ilustra con abundantes ejemplos.

Dado ese interés científico por las manifestaciones «folklóricas», y dadas las noticias que nos han llegado sobre la manera como recogía Correas los proverbios y dichos, sería de esperar que —fuera de los textos que sabemos que tomó de refraneros anteriores, como los de Pero Vallés y Hernán Núñez— la mayoría de sus materiales poéticos procediera

* Publicado en *NRFH*, 20 (1971), pp. 90-95.

de la tradición oral. Y así es, sin duda. A la vez, coincidencias como las que apuntaré en seguida con el ms. 3915 parecen probar que Correas utilizó también fuentes literarias.[1] Aunque, para este caso al menos, la palabra «fuente» no sea quizá la más adecuada.

De las coincidencias que he encontrado entre textos del manuscrito poético y textos del *Vocabulario* y del *Arte*, no todas dicen algo: Correas no tuvo que conocer el cancionero de Jacinto López para citar cantarcillos tan conocidos como «Estos mis cabellos, madre...», o «Si queréis que os enrame la puerta...», o «Que no me los ame nadie...», o «Un poco te quiero, Inés, / yo te lo diré después».[2] En cambio, nos interesan los textos que, por lo menos hasta ahora, no se han encontrado más que en el ms. 3915 y en Correas: son nada menos que nueve; y nos interesan otros cuatro casos (los números 2, 4, 6 y 7) en que, también según lo que sabemos hasta hoy, el texto sólo aparece en una fuente más. Trece coincidencias así no son desdeñables:

---

[1] Se sirvió, por ejemplo, del *Guzmán de Alfarache*, según ha observado recientemente Francisco Rico. (Cf. el artículo de Monique Joly, *NRFH*, 20 (1971), p. 96, nota 7.)

[2] «Estos mis cabellos, madre, / dos a dos me los lleva el aire» está en el ms. 3915, fol. 69 v°; en el *Vocabulario*, p. 153a, y en el *Arte*, p. 465; «Si queréis que os enrame la puerta», en el fol. 319 r° del ms. (= *Séguedilles*, 319) y en la p. 455 del *Arte*; «No me los ame naide...», en el ms., fol. 319 r° (= *Séguedilles*, 327) y en el *Arte*, p. 455; «Un poco te quiero, Inés...» (con la glosa «El primer día que vayas...»), en el ms., fol. 190 v.° y (sin glosa) en el *Vocabulario*, p. 177b. — Mencionemos de pasada que en el ms. 3915, como en otras colecciones poéticas de la época, se encuentran coplas basadas en un refrán, de los recogidos, entre otros, por Correas: «Cuanto me mandareis / todo lo haré: / casa de dos puertas / no la guardaré» (fol. 318 v° = *Séguedilles*, 11) (cf. *supra*, p. 159). «Si el galán es avisado / y la dama se pica de loca, / anden las manos / y calle la boca» (fol. 318 v°) (cf. *Vocabulario*, p. 279b: «Si la mozuela fuera loca...»). Del mismo tipo parece ser la correspondencia entre «Que no me llevéis, / marido, a la boda, / que no me llevéis, / que me brincaré toda» (ms., fol. 65 v° y «No me llevéis, marido, a la boda, que me brincaré toda» (*Vocabulario*, p. 262a).

Ms. 3915   GONZALO CORREAS

1   1

A la una vine aquí,   A la una vine aquí,
señora, ya son las dos;   señora, ya son [las] dos;
no fuisteis para decir: no fuistes para decir:
«Arrimáos a esa carreta».   «Arrimáos a esa carreta».
(fol. 319 r°=*Séguedilles*, 317).   *(Arte*, p. 426.)

2   2

Ándome en la villa   Ándome en la villa
fiestas principales   fiestas principales
con mi ballestilla   con mi ballestilla
de matar pardales.   de matar pardales.
(fol. 163 v°; glosado: «Unos de   *(Vocabulario*, p. 7b.)
bailar...» — Con la misma glo-
sa en un cancionero ms. de
Florencia.)

3   3

Válgate la mona, Antona,   Válate la mona, Antona, válate
válgate la mona.   la mona. [*En prosa*.]
(fol. 67 r°; glosado: «De tal   *(Vocabulario*, p. 515a)·
suerte amor me inflama...»).

4   4
                             A la mal casada déla Dios pla-
A la mal casada   cer, la bien casada no lo ha mele dé Dios placer,   nester. [*En prosa*.]
que la bien casada   *(Vocabulario*, p. 7b).
no lo ha menester.
(fol. 66 r°; glosado: «Triste y
ocupada...»; sin glosa en fol.
320 r°=*Séguedilles*, 24 [v. 4,
«no le ha»]. — También en
B.N.M., ms. 3168, fol. 43 r°,
con glosa parcialmente distinta de la del ms. 3915, fol.
66 r°).

5

Mi marido es cucharetero:
diómelo Dios y así me le quiero.
(fol. 68 vº; glosado: «Mi marido hace cuchares...»). (A,
544.)

5

Mi marido es cucharatero, Dios
me lo dio y ansí me lo quiero.
[*En prosa.*]
(Vocabulario, p. 553*a.)*

6

Tras las niñas me como los de-
　　　　　　　　　　　　[dos
que ni piden ni hacen enredos.
(fol. 82 rº; glosado: «Como veo
ser tramposas...»—Misma glosa ya en *Flor de varios romances,* Huesca, 1589, fol. 57
rº.)

6

Tras las niñas me chupo los
dedos que ni piden ni hacen enredos. [*En prosa.*]
(Vocabulario, p. 509*b.)*

7

Pastorcilla mía,
pues de mí te vas,
¿cuándo volverás?
(fol. 66 rº; glosado: «Como en
tu presencia...»; también en
fol. 184 rº; glosado: «Cuándo
será el día...»—Con esta segunda glosa, en el cancionero
florentino mencionado *supra,*
núm. 2.)

7

Pastorcilla mía, pues de mí te
vas, dime cuándo volverás. [*En
prosa.*]
(Vocabulario, p. 461*b.)*

8

La piedra que mucho roda
no es buena para cimiento;
la mujer que a muchos ama
tarde cobra casamiento.
(fol. 318 rº=*Séguedilles,* 297.)

8

La piedra que mucho roda
no es buena para cimiento;
la moza que a muchos ama
tarde halla casamiento.
(Vocabulario, p. 196*a;* cf. *ibid.,*
p. 469*b:* «Piedra rodadera...»)

9

Canta la gallina,
responde el capón:
mal haya la casa
donde no hay varón.
(fol. 320rº =*Séguedilles*, 25).

9

Canta el gallo, responde el capón: ¡guay de la casa donde no
hay varón! [*En prosa.*]
(*Vocabulario*, p. 372a.)

10

El abad y su manceba,
el herrero y su muger
de dos huevos comen sendos:
esto ¿cómo puede ser?
(fol. 320 vº=*Séguedilles*, 339.)
(F, 569.)

10

El abad y su manceba, el bar-
bero y su mujer de tres güevos
comen sendos, esto ¿cómo puede ser? [*En prosa.*]
(*Vocabulario*, p. 85a.)

11

Vístete de verde,
qu'es linda color,
como el papagaíto
del rey mi señor.
(fol. 319 rº=*Séguedilles*, 14.)

11

Vestíme de verde,
que es buena color,
como el papagayo
del rey mi señor.
(*Vocabulario*, p. 519a.)

12

Aunque soy morena,
blanca yo nací:
guardando el ganado
la color perdí.
(fol. 320 rº=*Séguedilles*, 26.)
(F, 196.)

12

Aunque soy morena,
yo blanca nací,
a guardar ganado
mi color perdí.
(*Arte*, p. 453.)

13

Aunque soy morenita un poco,
no me doy nada:
con el agua del almendruco
me lavo la cara.
(fol. 318 rº=*Séguedilles*, 298.)
(F, 203.)

13

Aunque soy morenita un poco,
no se me da nada,
que con agua del alcanfor
me lavo la cara.
(*Arte*, pp. 465 y 454.)[3] (A-B,
316.)

---

[3] En la p. 454, Alarcos García suprime las palabras «un poco», que
figuran en el ms., aunque medio tachadas.

Viendo así en conjunto las coincidencias, es difícil pensar que se trata de una mera casualidad. Al mismo tiempo se observa que sólo dos textos (núms. 1 y 2) son idénticos en el ms. 3915 y en Correas; todos los demás presentan variantes más o menos leves, de inversión o sustitución de dos o más palabras. Es poco probable que Correas hiciera retoques caprichosos a los textos que recogía. Más bien da la impresión de que, al leer los cantarcillos del cartapacio, se iba acordando de las versiones ligeramente discrepantes que él conocía, y que prefirió registrar éstas en vez de copiar las del cancionero. O sea que, según parece, la compilación de Jacinto López sirvió, más que de fuente, de estímulo para la memoria del recolector.

Vale la pena observar que con su fuente principal, los *Refranes o proverbios en romance* (Salamanca, 1555) de Hernán Núñez, Correas procedió a este respecto de manera algo distinta: por lo general anotó tanto las versiones del Comendador como las que él recordaba o había recogido en otras fuentes orales y escritas: junto a «Si no fuerdes en esta barqueta, irés en la otra que se calafeta» *(Vocabulario,* página 280*b),* que procede textualmente de Núñez, fol. 120 vº, recogió estas dos: «Si no fue*r*e en esta barqueta, irá en *esotra* que se calafeta» y «Si no fue*r*e en esta barqueta, iré en *esotra* que se *fleta».* Probablemente el refranero del Comendador le parecía una fuente más digna de crédito, en cuanto a su fidelidad a la tradición oral, que un cancionero poético. (Y no le faltaba razón.)

Además de esas versiones ligeramente discrepantes, Correas solía agrupar dos o más refranes o cantares de distinta procedencia emparentados entre sí por su sentido y su esquema sintáctico, pero con rima diferente (como si fueran estrofas de un cantar paralelístico): de Núñez, fol. 86 rº, copia «No entres en g[ü]erto ajeno, que te dirá mal su dueño» (F, 77), y de otra fuente, quizás oral, el refrán que figura inmediatamente antes *(Vocabulario,* p. 246*a):* «No entres en lo vedado, que te prenderá su amo». Lo mismo ha ocurrido con tres textos del ms. 3915: tras «Canta el gallo...» (núm. 9) figura «Canta el gallo, responde la gallina: ¡Amarga la casa do no hay harina! (tomado de Núñez, fol. 22 rº); a continuación de «Tras las niñas me chupo los dedos...» (núm. 6) está «Tras las mozas me como las manos, que ni piden ni hacen engaños (u desgarros)», el cual podría proceder de la tradición oral, lo mismo que el precioso «Vestíme de verde / por hermosura, / como hace la pera / cuando madura» (F, 521), que acompaña a «Vestíme de verde...» (núm. 11).

Algo podremos ir aprendiendo sobre el modo como trabajó ese hombre extraordinario que fue Gonzalo Correas. Aunque será inevitable que nos quedemos con ciertas dudas. ¿Cómo explicar, por ejemplo, que si tuvo a la vista el cancionero de Jacinto López, no tomara de él todas las cancioncitas de estilo popular y que dejara fuera cosas del tipo de «Aunque soy morena, / no soy de olvidar, / que la tierra negra / pan blanco suele dar» (fol. 320 rº=*Séguedilles*, 340; F, 202). [4] Si tanto en el *Arte* (p. 449) como en el *Vocabulario* (páginas 528b y 167a) recogió, con variantes, la seguidilla «Mal haya la falda / del mi sombrero, / que me quita la vista / de quien bien quiero», ¿por qué no incorporó estas dos del cancionero (fol. 318 rº=*Séguedilles*, 1 y 2)?:

Mal haya la torre,   Mal haya la torre
   fuera de la cruz,   que tan alta es,
que me quita la vista   que me quita la vista
   de mi andaluz.   de mi cordobés.

Y puesto que le gustó aquello de «—Ved, marido, si queréis algo, que me quiero levantar. —Mujer, no seáis tan pesada, levantáos, que no quiero nada» (*Vocabulario*, p. 519b; cf. «Marido, si queréis algo...», p. 526a; F, 557), ¿cómo no le interesó la versión del ms. (fol. 319 rº=*Séguedilles*, 315)?:

Mirad, marido, si queréis algo,
que me voy a levantar;
la camisa tengo puesta,
tornarla he a quitar.

---

[4] Cf. en el *Vocabulario*, pp. 197b-198a, los muchos refranes del tipo «La tierra negra buen pan lleva...» (y p. 190b, «La buena tierra negra...»).

En realidad, nos topamos aquí con un problema más amplio y general: el de por qué Correas acogió textos poéticos en su *Vocabulario*, con qué criterio los seleccionó y aun por qué escribió la mayoría de esos textos como si fueran prosa. En otra ocasión he hablado de los cantares incorporados en los refraneros antiguos y de cómo Juan de Mal Lara se planteó abiertamente la cuestión de si podían o no equipararse las canciones con los proverbios: «Yo no tengo por qué rehusar los refranes que puso [Hernán Núñez], *aunque* algunos son cantarcillos»; pero también: «no pierde el refrán por ser cantar, porque se puede hacer el uno del otro».[5] Correas supo igualmente, porque había podido verlo en casos concretos,[6] que «de cantares han quedado muchos refranes» *(Arte*, p. 399). Quizá esto le diera la idea de que cualquier canción muy divulgada era un refrán en potencia y como tal podía figurar dignamente en una colección de proverbios y frases proverbiales. Así se explicaría el enorme número de cantarcillos incorporados al *Vocabulario* y el hecho de que, continuando la costumbre de sus predecesores, los pusiera casi todos en prosa. Sin embargo, también es evidente, y hemos podido comprobarlo aquí, que no emprendió la recolección de cantares en forma sistemática ni con la ambición de exhaustividad con que realizó el acopio de refranes y dichos: como si, en el fondo, no estuviera tan seguro de la conveniencia de mezclar las canciones con los refranes. Si fuera lícito forjar utopías retrospectivas, yo diría que a lo mejor, de haber tenido tiempo, Correas habría acabado por separar las dos cosas y habría elaborado una obra aparte con los materiales líricos: una gran recopilación de cantares y rimas de la tradición oral...

[5] Cf. *supra*, pp. 161 *s.*
[6] Cf. *ibid.*, p. 165 y nota 23.

«QUIEN MAORA CA MI SAYO» *

En 1927, el profesor Gillet dedicó una nota al inquietante cantarcillo que figura dos veces en el *Triumpho do Inverno* (1529) de Gil Vicente: [1]

> Quien maora ca mi sayo,
> cuytado,
> quien maora ca mi sayo.

Ningún editor, dice Gillet, ha tratado de aclarar tan oscuras palabras. El propone que se lea:

> ¿Quién me ahoraca mi sayo...?

'Who is piercing, or tearing, my coat?' (o bien, en pretérito, «¿Quién me ahoracó...?») Documenta ampliamente el uso de *horacar* 'perforar' («una continua gotera horaca una piedra», *Celestina*), de las formas sayaguesas *uraco*, *buraco* 'agujero', *uracar* 'agujerear', de portugués antiguo *furaco*, judeo-español *buraco*, de regionalismos actuales como salmantino *(a)buracar*, asturiano *afuracar/aburacar*, cubano *horaco*, etc.

* En *NRFH*, 11 (1957), pp. 386-391.
[1] Joseph E. Gillet, «A *villancico* in Gil Vicente», *MPh*, 24 (1926-27), pp. 405-407. Cito a Gil Vicente por la *Copilaçam* de 1562; la canción está en los fols. 175 vº y 178 vº. En su ed. del *Triumpho* (Junta de Educação Nacional, Lisboa, 1934), Marques Braga cita la interpretación de Gillet, sin añadir elementos nuevos.

«No es difícil imaginar —dice Gillet— el porqué de esa
desgracia acaecida al sayo»: se relaciona con los «juegos de
manos» de los rústicos, con las querellas entre mozos y mozas en que no era raro que saliera desgarrada alguna prenda
de vestir. Cita el Introito de la *Himenea* de Torres Naharro
y el de la *Serafina* del mismo autor: «¿Qué tal os paré a Te-
resa / el día de la bellota? / Deljéla la saya rota...» En efecto,
cabe añadir otros testimonios, frases que asocian una prenda
exterior, sayo o capa, con palabras como *roto, horadar*, etcétera. En un texto dramático del siglo XV, publicado por
A. Miola, leemos: «porque con sotiles mañas / nos arrancas
las entrañas / sin horadarnos el sayo».[2] Correas trae en su
Vocabulario, p. 298a, el refrán «Zanquil y manquil y Val de
Andorra y la capa horadada» (también «Zanguil y mandil,
y capilla rota»; cf. «Andar de Ceca en Meca...», p. 57b).

Creo, sin embargo, que cabe otra interpretación, y aun
—por desgracia— otras interpretaciones. Veamos, en primer
lugar, el contexto en que Gil Vicente coloca la canción. El
Invierno se jacta de sus hazañas («dios de los fríos vapo-
res / y señor de los ñublados, / peligro de los ganados, / tor-
miento de los pastores...»); entra en seguida el pastor Brisco
Pelayo cantando «Quien maora ca mi sayo...» y renegando
del viento y del frío que le ofuscan la vista, el oído, el en-
tendimiento. ¿No asociará Brisco la canción con el invierno,
como cuando más adelante (fol. 178 r°) canta «Pollo canaual
da neue / nam ha hi amor que me leue»? Nos saca de dudas
el hecho de que muchos años antes, en su *Auto dos quatro
tempos* (fol. 17 r°), Gil Vicente había citado ya la enigmática
frase de nuestro cantarcillo, relacionándola precisamente con
el frío: «Quiérome hechar a dormir, / ver si puedo callen-
tar... / ¡O, *quién mora ca mi sayo* / para cobrirme estos
pies!» Aquí no cabe la interpretación «m'*h*oraca» 'me perfo-
ra'. Es una frase desiderativa, violentamente elíptica, con
un sentido indudable:

---

[2] En *Miscellanea di Filologia e Linguistica in memoria di Napoleone
Caix e Ugo Angelo Canello*, Firenze, 1886, p. 185, estr. 47, v. 10. (El editor
interpreta «sin hora darnos ensayo».)

¡Quién me diera ahora acá mi sayo...! [3]

Gil Vicente, que escucharía el cantarcillo de labios de algún cantor del pueblo, lo interpretó, pues, de esa manera, y al escribir el *Triumpho do Inverno* el texto le vino de perlas para subrayar la desesperación del congelado Brisco Pelayo. [4] Pero cabe preguntar si su interpretación fue certera, si «oyó bien». Tan extrañas le sonarían esas palabras como a nosotros. La versión escuchada por Gil Vicente puede haber estado corrompida, y quizá la música contribuyera aún más a confundir las palabras y el ritmo del octosílabo. [5] La transcripción y la interpretación del cantar pueden haber correspondido a su sentido originario, pero también pueden haberlo falseado.

En este último caso, ¿qué posibilidades nos quedarían? Descartada la lectura de Böhl de Faber *(maora = m'aurá 'me*

[3] Alternaban *(h)ora* y *a(h)ora;* de ahí que en el *Auto* pueda leerse *mora* (m'hora) y en el *Triumpho, maora* (m'ahora). La *h-* (*-h-*) no ofrece problema, pues ambas formas solían escribirse sin ella. El *ca* sólo puede ser, en esta interpretación y en la que mencionaré en seguida, un *acá* (¿lusismo o *a-* embebida?). — ¿Será también recuerdo de nuestro cantar esta exclamación de un pastor de Diego Sánchez de Badajoz: «O quién traxera el mi sayo / y el mi jubón recosido...» *(Recopilación en metro,* 1554, fol. 99 rº)? En caso afirmativo, ¿parafraseó Badajoz el «quién m'ahora acá» o citó una versión distinta del mismo cantar, en que la idea se expresaba sin elipsis?

[4] Tácitamente han captado esa intención los editores que escriben «quién *me ahora* ca mi sayo» (Barreto Feio-Monteiro, Hamburgo, 1834; Mendes Leal-Pinheiro, Lisboa, 1852; Mendes dos Remédios, Coimbra, 1912, en la sección «Versos líricos...») o «quién *m'ahora* ca» (Concha de Salamanca, Madrid, 1946). A. F. G. Bell, *Lyrics of Gil Vicente* (3.ª ed., 1925), traduce «O for my coat against the storm», y Dámaso Alonso, *Poesías de Gil Vicente* (Madrid, 1934), explica: «Oh, quién me diese ahora acá mi sayo» (p. 44).

[5] Es bien sabido que el ritmo de la melodía suele no coincidir con el del verso. En cuanto al texto mismo, en la lectura de Gillet el octosílabo más el pie quebrado adquieren un ritmo dactílico: «quién m'ahoráca mi sáyo / cuitádo», mientras que la interpretación vicentina les da acentuación trocaica, igual a la. de este otro cantar, también citado por Gil Vicente (fol. 168 rº): «Enganado andais, amigo, / conmigo; / dias há que vo-lo digo» (F, 277).

habrá'), [6] debemos prestar atención a la de Julio Cejador, quien reproduce el cantar del *Triumpho* en esta forma: «Quién me ahorra acá mi sayo...», y explica en nota: *ahorra* 'quita, desnuda'. [7] En efecto, el verbo *ahorrar(se)*, derivado del arabismo *horro* 'libre', está ampliamente documentado en obras antiguas con varios sentidos, entre ellos el de 'quitarse del cuerpo una prenda de vestir, aligerarse de ropa' *(Dicc. Acad.)*. [8] Con este sentido el verbo solía usarse como reflexivo y seguido de la preposición *de*, [9] pero también lo encontramos —y justamente en la época de Gil Vicente— como transitivo, sin preposición. Así en «Dale si le das, / mozuela de Carasa», canción tan deliciosa por su música como obscena por su texto: «Pidiérame de comer; / yo primero la quisiera *ho*... / *rrar* un sayuelo que llevaba». [10] *Horrar* 'quitar', más próximo al adj. *horro*, alternaría con *ahorrar* como, semánticamente, *hora* con *ahora*. [11] Queda la dificultad de la -*r*- en vez de -*rr*-, nada grave si tenemos en cuenta 1) que

6 En el glosario final de su *Teatro español anterior a Lope de Vega*, Hamburgo, 1832; en el texto mismo (p. 92) dice, quizás por errata, «Quien *malora* ca mi sayo».

7 Esta interpretación está escondida en el rarísimo tomo 8 de *La verdadera poesía castellana*, Madrid, 1921-30, bajo el núm. 3113.

8 Correas dice: «*ahorrarse* es quitarse la capa y vestidos que sobran para estar ágil para hacer cualquier cosa» (S. Gili Gaya, *Tesoro lexicográfico*, s. v.). Más frecuente parece haber sido el uso del participio *ahorrado* 'aligerado de ropa' («el que está en calzas y jubón», Correas, *ibid*.), documentado, como amablemente me ha hecho notar el profesor Yakov Malkiel, en varias crónicas del siglo xv y del xvi (*Dicc. hist. de la R. Acad. Esp.*, t. 1, p. 334*b*) y en obras de la literatura clásica.

9 Así en este pasaje de la *Década* de Guevara (cit. en R. Costes, *Antonio de Guevara, son œuvre*, p. 90): «Luego empós déste vino de súbito un calor o bochorno que constriñó a todos a desabrocharse los pechos, afloxar la cintura, *ahorrarse de* la ropa...».

10 *CMP*, 141. — Otro ejemplo de *ahorrar(se)* sin preposición: «Pues mirái qué salto do... / El gabán quiero ahorrar» (por *ahorrarme*), Lucas Fernández, *Farsas y églogas*, Madrid, 1867, p. 55.

11 Véase la nota 3. Las dos versiones vicentinas (*mora* y *maora*) se ajustan también a esta nueva interpretación. En cuanto a la caída de la *h*- (-*h*-), ya vimos que no ofrece problema: Gil Vicente transcribió *ora*, *aora* porque interpretó 'hora', 'ahora', formas que se escribían corrientemente sin *h*.

Gil Vicente, al entender 'ahora', pudo haber oído *(a)hora* por *(a)horra*, y 2) que entre los cantores mismos pudo producirse la confusión, puesto que se produjo también con el verbo *forrar* (de *forro*), escrito *forar* en muchas ocasiones (Corominas, s.v. *forrar*). [12]

Desde el punto de vista lingüístico es, pues, plenamente verosímil la interpretación de Cejador, distinta de la de Gillet y casi opuesta, por su sentido, a la del propio Gil Vicente:

¡Quién m*e* a*h*orra *a*cá mi sayo! = '¡Quién me quita acá mi sayo!'

Pero ¿es verosímil también en cuanto al sentido? Por sí solo, leído así, ese estribillo no nos dice nada. Y ya es tiempo de ver su continuación. Pues el cantar del *Triumpho do Inverno* tiene además dos estrofas, cantadas por Brisco después de sendos pasajes hablados:

> El moço y la moça
> van en romería,
> tómales la noche
> n'aquella montina.
> (Cuₓtado,
> quién maora ca mi sayo.)

> Tómales la noche
> n'aquella montina,
> la moça cantaua,
> el moço dezía:
> (Cuytado,
> quién maora ca mi sayo.)

---

[12] Hubo frecuentes contaminaciones entre *forrar*, de origen galogermánico, y el arabismo *ahorrar*. En portugués son homófonos *(forrar)*. En español se dijo esporádicamente *ahorrar* por *aforrar* 'forrar' (Corominas, s. v. *forrar*) y *aforrar* por *ahorrar* 'poner en libertad, librar de un trabajo, etc.' (*ibid.*, s. v. *horro*). Sin embargo, en general parece haberse tenido consciencia de la distinción. Cuando un personaje de *Peribáñez* comenta: «*de mi capote me ahorro* / y para escuchar me asiento» (II, III), quiere decir evidentemente 'de mi capote me libero, me desnudo', y no 'me abrigo, me envuelvo' (de *aforrar*), como dicen Bonilla (ed. de Madrid, 1916, p. 235) y otros editores más recientes.

Aquí sí que no hay secreto. Estas estrofas encajan dentro de una tradición poética muy clara. Frecuentísima es la alusión a la romería en las cantigas d'amigo gallegoportuguesas, y muy concreta la función que en ellas tiene: «De fazer romaria pug' en meu coraçon / a Sant-Iag' un dia, por fazer oraçon / *e por veer meu amigo logu'i*»; «Fui eu rogar muit' a Nostro Senhor, / non por mia alma candeas queimar, / *mais por veer o que eu muit' amei*»; «Fui eu, madr', en romaria / a Faro *con meu amigo* / e venho d'el namorada...» (J. J. Nunes, *Cantigas d'amigo*, núms. 97, 172, 499). La lírica medieval castellana también conoció, sin duda, ese tema, aunque sólo se nos conserven escasas muestras, como el famoso cantar «So el encima» (*CMP*, núm. 20; F, 95):

> ...Yo me *iba*, mi madre,
> a la *romería*...,
> halléme perdida
> *en una montiña;*
> echéme a dormir
> al pie dell encina...
> A la media *noche*
> recordé, mezquina,
> halléme en los braços
> del que más quería...

He escogido los versos y subrayado las palabras que más coinciden con las estrofas de nuestro cantar; la situación es, en efecto, muy parecida, aunque varían los detalles: en «So el encina», la moza va sola a la romería, y el encuentro con el amante ocurre después (como en Nunes, 97 y 172); en «Quién maora ca mi sayo» los jóvenes van juntos (como en Nunes, 499). No sabemos qué pasa con ellos después de tomarles la noche en la montina, pero el final de «So el encina» nos permite suponerlo; en todo caso, la situación misma está cargada de erotismo.

Indudablemente, la connotación erótica de las estrofas podría ser decisiva para la interpretación del estribillo. Veamos si en efecto nos ayuda a aclararlo. Comenzando por la lectura de Gillet, es digno de recordar el tema poético del brial rasgado, símbolo de virginidad perdida, que subsiste en la tradición bajo la forma del mandil (o delantal) roto, y aun *(RDTP*, 2, 1946, 118):

> No quiere mi madre
> que al molino vaya,
> porque el molinero
> *me rompe la saya;*

pero, desde luego, la queja «¡quién me rompe mi sayo!», con este sentido, sólo es concebible en labios femeninos (tendría que ser «...mi saya, / cuitada»), y además *ahoracar* no parece significar propiamente 'romper en forma violenta'.

En cuanto a la versión «¡quién me diese ahora acá mi sayo!» (Gil Vicente), ¿qué tiene que ver la situación del mozo y la moza, sorprendidos en una montina por la noche —ni siquiera se dice que sea fría—, con el imperioso deseo de tener a la mano un prosaico abrigo contra la helada? Para relacionar ambas cosas habría que acudir nuevamente al simbolismo erótico de la lírica folklórica. El ansia de comunión física suele ocultarse bajo la imagen «tápame (con tus alas, con tu rebozo, etc.)», ya de manera burda, como en este cantar del *Cancionero asturiano* de Torner (*supra*, p. 84), núm. 223: «Tápame, tápame, tápame, / tápame que tengo frío. / —¿Cómo quieres que te tape, / si yo no soy tu marido?», ya en forma sutil, como en una canción argentina recogida por Furt en su *Cancionero popular rioplatense* (núm. 2135): «Tápame con tus alitas / como la gallina al huevo, / dejemos cosas perdidas, / volvéme a querer de nuevo», y aun, más sutilmente, sin alusión expresa al amor:

> ¡Ay de mi Llorona, Llorona,
> Llorona, llévame al río!
> ¡Tápame con tu rebozo (Llorona),
> porque me muero de frío! [13]

---

[13] Es una de las muchas estrofas de la famosa canción *La Llorona,* del Istmo de Tehuantepec [cf. *CFM*, t. 1, núm. 1439]; aparece también en otras canciones mexicanas. Una canción comienza así: «—Paloma,

Vemos que la súplica aparece generalmente en boca de un hombre. Así, no es imposible que, en nuestro cantar, al clamar por un sayo el mozo dé expresión a un deseo más profundo y menos prosaico, aunque es extraño que lance su ruego al aire, estando la moza a su lado. La relación entre las estrofas y el estribillo —así visto— es concebible, pero quizá peca de indirecta y compleja.

A primera vista, más parecería corresponder a la situación descrita e insinuada en las estrofas la idea *maora=me ahorra* 'me desnuda' (Cejador). Nuestra frase no sería entonces una lamentación, sino una gozosa y picaresca exclamación, y el *¡cuitado!* sería tan fingidamente patético como el *mezquina* del cantar «So el encina». Sin embargo, la exclamación «¡quién me desnuda de mi sayo!» resultaría inverosímil en labios del mozo (reparo hecho antes a la lectura de Gillet), a menos que, insólitamente, la moza perteneciera al agresivo tipo de ciertas serranas.

En los tres casos las objeciones son graves. Llegamos así a una conclusión negativa: las estrofas *no* dan apoyo directo y claro a ninguna de las tres posibles interpretaciones del estribillo. ¿Será porque no conocemos en su integridad la historia de los dos mozos que van en romería? Los versos finales de la parte narrativa —«la moça cantaua, / el moço dezía»— establecen un enlace formal con el estribillo, pero no un enlace de sentido; debemos suponer que antes de ellos habría otros que aclararían más la situación, [14] o incluso que Gil Vicente añadió por cuenta propia esos versos para compensar la brevedad del poema y dar al pastor Brisco algo

---

¿de dónde vienes? / —Vengo de San Juan del Río. / —Cobíjame con tus alas, / que ya me muero de frío. / —Te abrigaré con mis alas, / ¡pobre pichoncito mío!» [*ibid.*, núms. 1441*ab;* cf. también 1438, 1440, 1442-1444.]

[14] Así, no veríamos relación clara entre el estribillo de *CMP*, 254 (F, 317), «Aquella mora garrida / sus amores dan pena a mi vida», y la estrofa «Mi madre, por me dar placer, / a coger rosas me envía; / moros andan a saltear / y a mí llévanme cativa», si no viniera al final esta otra: «Lloraba cuando lo supo / un amigo que yo había; / con el gran dolor que siente / estas palabras decía: // Aquella mora garrida...»

más que cantar; de hecho, toda la segunda estrofa podría ser hechura del dramaturgo.

Pero quizá no sea el estado fragmentario de la narración lo que causa el divorcio entre estrofas y estribillo, sino que aquéllas y éste pueden provenir de cantares totalmente distintos y sólo haberse asociado por una de esas «contaminaciones» tan frecuentes en la literatura folklórica. La semejanza de la música pudo haber bastado para reunir los dos textos dispares en una sola y falsa unidad.

Hay en el repertorio conocido de la antigua lírica de tipo popular varias canciones cuyo estribillo, exclamación personal y subjetiva, va seguido de una o varias estrofas que constituyen un fragmento de narración sin nexo manifiesto con aquel estribillo. [15] A ellas debemos añadir el cantarcillo del *Triumpho do Inverno:* la parte narrativa, que pertenece claramente a la tradición peninsular de los cantares de romería, no presenta relación evidente con el estribillo, que por ello mismo guarda su enigma con tenacidad de esfinge. Tres soluciones posibles, cada una con sus pros y sus contras, ninguna plenamente satisfactoria. ¿O deberemos confiar, de una vez por todas, en el instinto folklórico del gran Gil Vicente y entender, como él lo entendió:

Quien maora ca mi sayo = ¡Quién me diese ahora acá mi sayo?

---

[15] [Cf. *infra*, «Glosas de tipo popular...», pp. 302-304, §§ 38-39.]

UN DESCONOCIDO CANTAR DE LOS COMENDADORES, FUENTE DE LOPE

A William L. Fichter *

Al escribir, hacia 1596, su comedia *Los comendadores de Córdoba*, Lope de Vega se basó, como es sabido, en el «Romance de los Comendadores» de Juan Rufo, jurado de Córdoba, publicado ese mismo año en Toledo, en su libro *Las seiscientas apotegmas*. [1] El romance de Rufo difiere en muchos aspectos de los testimonios anteriores que se conservan sobre el trágico suceso ocurrido en 1447.

Un documento firmado en noviembre de 1449 certifica que a Fernán Alfonso, Veinticuatro de Córdoba, se le achaca el asesinato «de D.ª Beatriz de Finestrosa, su mujer, e de Catalina e de Beatriz, sus criadas, e de Fernando de Córdoba, Comendador de Calatrava, e de Jorge, Comendador de la Cabeza del Buey..., muertos... agora puede haber 21 meses poco más o menos». [2] La elegía en octavas de arte mayor que por esos años compuso Antón de Montoro «a la muerte de los dos hermanos Comendadores» insinúa que el motivo del

---

* Publicado en el *Homenaje a William L. Fichter*, Valencia, 1971, pp. 211-222.
[1] Utilizo la reedición hecha por A. G. de Amezúa, Madrid, 1923. Sobre la fecha de la comedia (citada en el *Peregrino*, 1604, y publicada en la Parte segunda de las *Comedias* de Lope, 1609), cf. Morley y Bruerton, *Cronología de las comedias de Lope de Vega*, Madrid, 1968, pp. 221-222, y *NRFH*, 6 (1952), pp. 57-58.
[2] Para los testimonios históricos y literarios del suceso, cf. *Cancionero de Antón de Montoro (El Ropero de Córdoba)*, ed. E. Cotarelo y Mori, Madrid, 1900, pp. 316-325, y Menéndez Pidal, *Acad*, t. 11, pp. lviii-lxxxv.

crimen fueron sus amoríos adúlteros con «dos fijas de Eva»;
muestra al menor de ellos, muerto ya el mayor, suplicando
que se le conceda la vida y describe la saña del asesino: «con
su flamejante / cara, más viva que rayos nin truenos, / jamás
no cesaba atrás ni adelante, / matando los suyos, mejor los
ajenos».[3]

Más descriptivas y detalladas son las famosas «Coplas de
los Comendadores» que comienzan

> Los Comendadores,   por mi mal os vi:
> yo vi a vosotros,   vosotros a mí.

Se supone que estas *Coplas* (abreviaré así) fueron compuestas
en el siglo XV,[4] pero no poseemos por ahora testimonios
anteriores a los comienzos del siglo XVI. Se conocen dos versiones impresas, una, en la primera mitad de ese siglo y, la
otra, quizá en la segunda: en el pliego suelto gótico, sin lugar
ni año, *Lamentaciones de amores hechas / por vn gentil
hombre apassionado...*[5] y en el *Cancionero llamado Flor de
enamorados.*[6] Durán encontró otra en un «códice del siglo XVI» y la utilizó para la versión híbrida que ofrece en
su *Romancero general.*[7]

---

[3] Ed. cit. en la nota anterior, pp. 38-43.

[4] «Canción popular, compuesta, sin duda, poco después del suceso»,
dice Menéndez Pelayo, y «Creemos firmemente que esta canción es contemporánea del hecho» (*op. cit.*, pp. lxi, lxiii). Para Menéndez Pidal, «el
romancillo de Los Comendadores... remonta a la segunda mitad del
siglo XV» (*Romancero*, t. 1, p. 129).

[5] Moñino, *Dicc.*, 922; reproducción facsimilar en *Pliegos poéticos
B. N. M.*, t. 2, pp. 161-168 (las *Coplas*, pp. 163-164). Gallardo, al describir
el pl. s., atribuye las *Coplas*, sin fundamento, a Pedro de Lerma. Desconocemos la fecha de este impreso. En cambio, nos consta que antes
de 1539 Fernando Colón compró un pliego que contenía un «Romance
con unas coplas de los comendadores» y otro de los «Comendadores con la mora» (cf. A. Rodríguez-Moñino, «Doscientos pliegos poéticos
desconocidos, anteriores a 1540», *NRFH*, 15, 1961, p. 97, núms. 32 y 37).
¿Se trataría de las *Coplas* conocidas? No lo sabemos.

[6] Ed. cit., fols. 136 vº - 138 rº. Las *Coplas* no figuran en la primera
edición conocida, de 1562; posiblemente sí en la de 1573, y en todo caso,
en las de 1601, 1608, etc.

[7] Núm. 1902. No se sabe qué códice sea ése, ni, por desgracia, se
conoce el texto íntegro de las Coplas que en él figuran.

En las dos fuentes impresas, después del estribillo «Los Comendadores, por mi mal os vi...», vienen diez estrofas que relatan el suceso. Primero monologa la heroína (cito por el pliego suelto): «El comienço malo de mis amores / combidó Fernando los Comendadores, / a buenas gallinas, mejores capones; / púseme a la mesa con los señores; / nunca tiró Jorge los ojos de mí. // ...De que oý, cuytada, su pedimento, / d'amores vencida, díxele de sí». Luego el relato se hace impersonal. Los Comendadores cabalgan de Sevilla a Córdoba, ven en una ventana a doña Beatriz con su criada; saben por una mensajera que el marido se ha ido por quince días a la sierra; anuncian que se retirarán temprano a cenar y dormir. Antes de media noche «ya subía Fernando por una escala / y entra muy feroz por la ventana, / un arnés vestido y espada sacada: / "Cavalleros malos, qué hazéys aquí?"». El menor de los Comendadores suplica: «a mi hermano Jorge ya muerto lo auéys, / vos de la mi muerte poco ganaréys»; también implora, inútilmente, la adúltera: «Vos amores míos aued de mí duelo, / pues ya veys mi mano en esse suelo». Después de matar a cuantos encuentra, Fernando descubre en un rincón a un esclavo, y lo mata también. El pliego suelto añade otra estrofa, en que se contempla el trágico suceso desde lejos: «Jueves era, jueves, día de mercado... / dizen que Hernando el Veynte y quatro / auía muerto a Jorge y a su hermano / y a la sin ventura doña Beatriz».

Como muchos romances, este poema popular —entre canción y romancillo— concentra más su interés en las situaciones que en la acción misma, y hay aspectos de ésta que quedan en misteriosa penumbra. Las tres estrofas del códice utilizadas por Durán aclaran algunos de ellos. Después de cenar, los Comendadores «llegan donde amores los atendían. / Acuéstase Jorge con la su dama, / también el su hermano con la criada». Presenciamos además el asesinato de Jorge y la amputación de la mano de Beatriz, sólo aludidos indirectamente en las versiones impresas. Y también aparece en el códice el motivo del sueño présago, sobre el cual volveremos después.

Sin duda, circularon en la España de los siglos xv y xvi varias versiones de esta canción, al parecer con una melodía única, que era bien conocida. [8] De la difusión del estribillo dan fe testimonios como el de Luis Milán; [9] una cita de la *Lozana andaluza* y la canción que, en jerga de negros, se canta en el *Coloquio de Tymbria* de Lope de Rueda prueban la divulgación de tres de las estrofas que he mencionado. [10]

El larguísimo romance de Rufo (¡1.340 versos!), aunque sigue los lineamientos generales de la historia, difiere en su desarrollo. Dejando de lado las mil digresiones (invocaciones a las musas, elogios de Córdoba y del Veinticuatro, generalizaciones sobre el amor, la belleza, la mujer, etc.), y concretándonos a la trama misma —que luego dramatizará Lope—, el *Romance* (abreviaré así) la presenta de este modo: los Comendadores visitan a su primo Hernando, el Veinticuatro. Jorge y Beatriz se enamoran al primer encuentro; cometen adulterio mientras Hernando está en la Corte. Jorge

[8] Ya hacia 1501 se compuso, para cantarse con esa melodía, una elegía a la muerte de Alonso de Aguilar, «¡Ay, Sierra Bermeja, / por mi mal te vi, / qu'el bien que tenía / en ti le perdí!...», que puede verse en la *Antología* de Menéndez Pelayo, t. 7, pp. 148-149. También la canción de «Casamonte alegre», que en un pl. s. (cf. *infra*, pp. 226-227, nota 8) relata el múltiple asesinato cometido por un «varón infernal» en Jerez de la Frontera, debía cantarse «al tono de Los Comendadores por mi mal os vi».

[9] *Cortesano*, fols. [85] v° s. (2.ª ed., Madrid, 1874, p. 182): «...como mostraron los Comendadores por mi mal os vi». Y ¿será alusión a nuestro cantar la frase «Fernando, por meu mal te vi, / como laa diz a cantiga», que encontramos en el *Auto em pastoril portugues* (1523) de Gil Vicente (*Copilaçam*, fol. 28 r°)?

[10] En *La Loçana Andaluza*, XV, ed. A. Vilanova, Barcelona, 1952, p. 59: «Jueves era, jueves, / día de mercado, / conbidó Hernando / los Comendadores», lo cual es un cruce de la última estrofa del pl. s. con la primera estrofa de las dos versiones impresas. La negra de Lope de Rueda (*Obras*, Madrid, 1908, t. 2, p. 105) canta: «La Comendadoras / por mi mal me vi, / amarga te veas, / cuitara de mí. // La Comendadoras / de Casalava / sali de Sevilla / enora mala / para la vosotros / quien no la daba / y a los pajesicos / que van pos de ti. // La Comendadoras...» Se entrevé aquí un texto análogo al de la tercera estrofa de las *Coplas* impresas: «Los Comendadores de Calatrava / *salen* de Sevilla en hora *mala* / para la ....(?) / lindos paje*sicos llevan pos* de sí». En cuanto al estribillo, cf. *infra*.

va también a Toledo, y el rey ve en su mano un anillo, regalo
de despedida de Beatriz. El rey reprocha a Hernando el haber
dado a Jorge ese anillo que él mismo le había regalado. Deses-
perado por la revelación, Hernando va a Córdoba, interroga
a un esclavo negro (Rodrigo), que le cuenta todo, y decide
disimular. Después de mes y medio, los Comendadores visitan a Beatriz. Hernando los invita a comer y observa a los
amantes; para regocijo de ellos, anuncia que saldrá a cazar;
Jorge hace planes para la noche y propone a su hermano
que se entretenga con Ana, la secretaria de Beatriz, mientras
el camarero Galindo hará las veces de Sempronio.

A la media noche Hernando regresa a Córdoba con Rodrigo, irrumpe en la casa, mata a Jorge y luego a Fernando
y Ana. Pese a sus súplicas, Galindo muere a manos de Rodrigo. Sigue la matanza general: escuderos, porteros, «las dueñas y las doncellas, / los pajes grandes y chicos» y hasta los
perros, los gatos, la mona y el papagayo. Beatriz, que ha estado desmayada, vuelve en sí al amanecer, y pide confesión.
El confesor ruega por su vida, pero el marido ultrajado sabe
su oficio —«vos habláis conforme al vuestro, / yo haré conforme al mío»— y la degüella. Huye Hernando a Francia,
donde el Rey Católico le concede perdón, y, vuelto a su patria,
contrae segundas nupcias. [11]

El *Romance*, como puede verse, detalla lo que en las
Coplas está apenas insinuado. Nada se nos decía en ellas de
cómo se había enterado el Veinticuatro del adulterio, ni sa-
bíamos que su ausencia era fingida (tanto más eficaz su
súbita y terrible aparición). Coinciden los dos polos de la
historia —el enamoramiento y la masacre—, pero la trama
central es distinta y más compleja en Rufo. Este, sin embargo, conoció las *Coplas*: lo prueban ciertas coincidencias, como

---

[11] En el mismo año de 1596 en que se publicó el *Romance* de Rufo
apareció, también en Toledo, la Octava parte de las *Flores del Parnaso*
(por otro nombre, *Flor de varios romances*), que incluía una afortu-
nada refundición del texto de Rufo, dividido en cinco romances; éstos
pasaron luego al *Romancero general* de 1600 (núms. 634-638). Aunque
en esta versión se reducen y cambian —mejorándolos, casi siempre—
muchos pasajes, los episodios básicos se conservan iguales.

la de los versos 965-968 del *Romance*, «En un rincón de la
sala / hubo señal de ruido, / y fue que detrás de un cofre /
estaba el pobre Galindo...», con «vido un esclavo   detrás de
un rincón» en las *Coplas*. [12]

¿Cómo se explican, entonces, las divergencias? ¿De dónde
tomó Rufo los ingredientes nuevos de su trama? Menéndez
Pelayo sugiere *(op. cit.*, p. lxiv) que el jurado de Córdoba se
hizo eco de tradiciones cordobesas, pero también habla de
las «caprichosas variantes introducidas» por él. Del importante episodio del anillo dice cautamente que Rufo lo «inven-
tó o recogió».

Parece que Rufo tuvo presentes, no sólo las leyendas que
circulaban en su tierra y las *Coplas*, sino textos poéticos
distintos de ellas. Por lo menos es evidente que utilizó una
composición, desconocida hasta ahora, que fue copiada quizá
hacia fines del siglo XVI en un manuscrito de la Biblioteca
de Palacio de Madrid: el que lleva hoy la signatura 570. [13] Está
en los folios 159 r.o-160 v.o y consta de 214 versos. Su comienzo
y unos pocos detalles [14] coinciden con las *Coplas*, y hay cierta

---

[12] He numerado los versos del *Romance*. En los vs. 763-764 Hernando
sale de cacería «Por la Puerta del Rincón», por la cual entran los Comendadores a Córdoba —el verso es idéntico— en las *Coplas*. La fingida
cacería es en Trassierra (v. 739) y Fernando, en la *Flor de enamorados*, finge estar *en la sierra*, lo cual podría ser una deturpación del to-
pónimo, quizá intacto en la versión que conoció Rufo (el pl. s. trae
ahí un disparate: «Dize que Fernando que entreuerra...»). Las súplicas
que dirige Galindo al verdugo en Rufo (vs. 974 ss.) podrían ser un recuerdo de las que en las *Coplas* formula el hermano de Jorge. Y sin
duda la segunda pareja —el hermano y la criada—, que aparece en la
versión del códice, dio pie a la relación del hermano con Ana, «secretaria» de Beatriz (recuérdese, por cierto, que ya Montoro hablaba de
«dos fijas de Eva»).

[13] Según me informa Arthur L. Áskins, este manuscrito, que contiene las poesías de Damasio de Frías, es de finales del siglo XVI. El
poema de los Comendadores parece haber sido añadido por otra mano.
Su texto se publica aquí con expresa autorización del Patrimonio Nacional de España.

[14] El uso del monólogo, aquí extendido a toda la composición (incluso a la muerte de la heroína); los vs. 13-14; el v. 59 (cf. «con ricos
trotones» en las *Coplas*); los vs. 187-188 y 191 (cf., en la *Flor*, «Ya que
huvo muertos quantos allí son»).

semejanza en la estructura estrófica, pero la composición es
más culta en su métrica, en su estilo y en el uso de ciertos
motivos:

Los Comendadores,
por mi mal os vi:
¡tristes de vosotros,
cuytada de mí!

5 Quando la fortuna
puso en mí su rrayo,
quinze eran de luna,
catorze de mayo,
quando aquel desmayo
10 de amores sentí.

En mi casa estando,
libre de dolores,
conbidó Hernando
a los Comendadores;
15 con pasión de amores
Jorje miró a mí.

Tanto me mirava,
de mi amor pagado,
que se trasportava
20 sin comer bocado;
su rrostro abaxado,
sin color, le bi.

Yo sentí su pena
y tormento esquibo,
25 y vime en cadena,
si él se bio captibo,
y si él ardía vivo,
yo me abrasé allí.

En la triste ora
30 caý sospirando.
«¿Qué sentís, señora?»
me dixo Hernando;
yo, disimulando,
tal respuesta di:

35 «El manjar me á echo
el nuebo açidente
que dentro en mi pecho
mi corazón siente».
Mas él, mansamente,
40 me rrespondió así:

«Lunbre de mis ojos,
de mill graçias llena,
si ellos son antojos,
vengan norabuena».
45 Yo a llorar mi pena
me aparté de allí.

Vime de amor presa,
con desconfianza,
pues dexé a la mesa
50 toda mi esperanza,
que amorosa lanza
Jorje tiró a mí.

Después de comer
fue la su partida,
55 do me vino a ver
el bien de mi vida;
yo por despedida
un anillo le di.

En ricos trotones
60 parten a la brida,
de oro guarniçiones
y seda torzida;
su gente vestida
de oro y carmesí.

65 Su partida echa
como avéis oýdo,
conçibió sospecha

dello mi marido,
mas, como entendido,
70 recojióla en sí.

Jorje en corte estando
con el rey, muy ledo,
viole el rey mirando
un anillo en el dedo,
75 y en secreto y quedo
dixo a Hernando así:

«Un anillo vuestro,
que mío ser solía,
en el dedo diestro
80 Jorje le traýa».
Y ésta fue la guía
por do me perdí.

Hernando, avisado,
viendo lo que pasa,
85 muy disimulado
vino para casa,
y como una brasa
me dixera así:

«No mostréis tristeza,
90 lunbre de mi vida,
que manda su Alteza
haga una partida».
Yo, triste, aflixida,
luego le creý.

95 Allí me abrazó
el pobre de Hernando
y se despidió
de mí sollozando;
yo deseava el quándo
100 verle ydo de allí.

Que el fuego amoroso
que en mi pecho ardía
de todo reposo
pribado me auía;

105 busqué modo y ora
y a Jorje escribí.

Lo qual fue ocasión
que luego partiese,
por que el corazón
110 de pena saliese
y que se viniese
luego para mí.

De brocado y verde
mi Jorje venía,
115 sin que se le acuerde
de su honrra y la mía.
¡Triste fue aquel día
que me vio y le vi!

Llegan a mi casa,
120 y abríles la puerta,
sin sentir la brasa
que estava encubierta;
fuimos a la huerta
a holgar allí.

125 Mesas nos pusieron
cabo unos laureles
y las conpusieron
sobre los manteles,
de rrosas, claveles
130 que abundan allí.

Muy lindos pabones
sirben rricos pajes,
perdizes, capones
y dos mill potajes;
135 de carnes salvajes
a comer les di.

Si les di muy buena
y rrica comida,
muy más fue la zena
140 costosa y cunplida,
pues costó la vida
a ellos y a mí.

Gran sera tubimos
despúes de zenar,
145 hasta que nos fuimos
todos a acostar,
triste, sin pensar
el mal para my.

Salas tapizadas
150 y camas hermosas,
todas rroziadas
con agua de rrosas;
de frutas sabrosas
colazión les di.

155 Y las mis criadas,
de mi mal testigos,
despúes de zerradas
puertas y postigos,
a sus dos amigos
160 lleban para sí.

Llegada la ora
de nuestros amores,
Jorje me enamora,
yo le di favores,
165 pues nuestros dolores
feneçían allí.

Y todos estandó
en gozo cunplido,
saliera Hernando,
170 que estava escondido:
todo mi sentido
en velle perdí.

Un negro alunbraba
con acha enzendida,
175 y él con furia braba
y saña crezida:
¡triste su venida
fuera para mý!

Y con un montante
180 a Jorje, en mis brazos,
con furia pujante
hizo mil pedazos:
¡mirá qué enbaraços
sentiría yo allí!

185 Con golpes esquibos
yere y desbarata
quantos alla vivos:
a todos los mata,
y a mí más, yngrata,
190 que matarlos vi.

Ya que los auía
muerto y asolado,
a mí se bolbía
muy encarnizado,
195 y con rrostro ayrado
me dixera ansý:

«Pues me deshonraste
sin darte ocasión
y tal ansia echaste
200 en mi corazón,
justo es tal traizión
la pagues aquí».

Luego mi cabeza
cortó como a ellos;
205 túbola gran preza
por los mis cavellos,
porque con aquéllos
a Jorje prendí.

Por tal sacrifiçio
210 fenezcan mis hadas;
nadie (?) sigua el vicio [14 bis]
de tales pisadas:
señoras casadas,
escarmentá en mý.

[14 bis] Verso de difícil lectura.

La regularidad métrica de esta *Canción* (la llamaré arbitrariamente así), su clara división en versos cortos, marcada por las rimas en los nones, y su esquema de rimas (ABCB dedeeb...) contrastan por su artificio con la irregularidad métrica y el esquema más simple —tipo romancillo— de las *Coplas*, en las cuales la unidad parece ser más bien el verso largo. [15] Se diría que éstas son más antiguas, y quizá lo sean. Pero ya en el siglo XV se cantó la historia de los Comendadores con el esquema rímico de la *Canción;* lo prueba el hecho de que la endecha «Ay, Sierra Bermeja...» (cf. nota 8) tiene la misma fórmula. [16] Antigua debe de ser también la variante

[15] El esquema de rimas en el texto del pl. s. y de la *Flor de enamorados*, dividiéndolo en versos largos, es AB ccccb ddddb... Aunque en ambas versiones todas las estrofas tienen igual número de versos monorrimos (cuatro), parece ser que en otras versiones había a este respecto desigualdad entre las estrofas: una (sólo una) de las del códice que incorporó Durán («Entre mil regalos   Jorge se durmió...») tiene cinco versos monorrimos. Compárese, asimismo, la estrofa chapurrada por la negra de Lope de Rueda, que tiene tres versos monorrimos, con la correspondiente de las *Coplas* impresas, que tiene cuatro. Sin duda, todos los versos monorrimos se cantaban con la misma frase melódica, y era indiferente que ésta se repitiera tres, cuatro o cinco veces. A ese respecto es interesante ver que la antes mencionada canción de «Casamonte alegre», que utilizaba la melodía de «Los Comendadores», tiene estrofas de sólo tres versos monorrimos, y que también son tres los de una composición del ms. 17.693 de la B.N.M., f. 46 r°, que parece calcada sobre el esquema de las Coplas: «Ser quiero, madre, señora de mí: / no quiero ver mal gozo de mí. // Dize mi madre que me meta monja, / que me dará un frayle qual yo le escoxa; / mas bien entiendo la su lisonja: / no verá, çierto, tal gozo de mí...» (cf. ahora A, 583). Es también el esquema de «Señor Gómez Arias,   dóleos de mí...» (*ibid.*, número 241).

[16] «En ti los paganos / hallaron ventura; / tú de los cristianos / eres sepultura; / tinta tu verdura / de su sangre vi...» Parecido es el esquema de una composición del *Cancionero de Velázquez de Avila* (1535-1540), que también es, evidentemente, un calco hecho sobre algún texto de «Los Comendadores...»: «Vuestros ojos negros, / por mi mal los vi: / ¡ay de mí, que en verlos / no fui más de mí! // De junio son veynte / quando vuestros ojos / en mí cruelmente / hazen mill despojos; / crueles antojos / me dieron allí; / aquel mesmo punto / no fui más de mí...» (ed. A. Rodríguez-Moñino, Valencia, 1951, pp. 81-84).

«tristes de vosotros, / cuytada de mí», a juzgar por la deformada versión del *Coloquio de Tymbria* («...cuitara de mí»).

En cuanto al desarrollo del tema, la *Canción* difiere en varios puntos de las *Coplas*, por un lado, del *Romance* por otro.[17] Pero concentrémonos en los aspectos que comprueban que Rufo tuvo conocimiento de la *Canción*. De los elementos de la trama, el más obvio es el episodio del anillo: Beatriz se lo regala a Jorge de despedida (v.s. 57-58); el rey lo ve en su mano (73-74), habla a Hernando «en secreto y quedo» (75-76); el anillo había sido un regalo del rey para Hernando (77-78): todo está ya ahí.

Para Menéndez Pelayo (*op. cit.*, p. lxxi), «muestra el jurado de Córdoba talento y sensibilidad en reservar para el fin la muerte de D.ª Beatriz»: este rasgo parece proceder igualmente de la *Canción*. La figura del negro, que alumbra a Hernando mientras ejecuta su venganza (173-174), fue muy probablemente el germen del esclavo negro Rodrigo (cf. en Rufo «Ya está Hernando en la sala; / deja a la puerta a Rodrigo», vs. 915-916); y el disimulo de Hernando en la *Canción* (vs. 67-70, 89-92, 95-98) bien puede estar en la base de su prudente espera en el *Romance* («Fernando tiempla su furia...», «Como el cazador astuto...», v.s. 655-670).

Hay además algunas imágenes y ciertos modos de formular las ideas que hacen pensar que Rufo conoció, si no exactamente nuestra versión de la *Canción*, una muy parecida (por supuesto, algunas coincidencias pueden ser casuales):

[17] Así, la comida, que en las *Coplas* provoca el enamoramiento de Beatriz y Jorge y que en el *Romance* constituye una estratagema de Hernando para comprobar el adulterio, en la *Canción* se duplica: aparece al principio, igual que en las *Coplas*, y se repite al final, muy desarrollada, como orgiástico preludio de la culminación. Es curiosa en las *Coplas* la ausencia del menor de los hermanos: se habla de «los Comendadores» o bien de Jorge en particular. Si en las *Coplas* hay una criada, aquí —de acuerdo con el documento histórico— se infiere que son dos, pues en la escena de la consumación amorosa están con «sus dos amigos».

Canción	Romance
Tanto me mirava... que se trasportava sin comer bocado (16-20).	y aun hubo quien estuviese del manjar tan divertido, que de la mano a la boca erró el derecho camino (723-726)
De brocado y verde mi Jorje venía (113-114)	y Fernando iba vestido de verde... (760-761).
que amorosa lanza Jorje tiró a mí (51-52).	Ya la penetrante vira da a la tragedia principio (215-216)
y vime en cadena, si él se bio captibo, y si él ardía vivo, yo me abrasé allí (25-28)	ella en Jorje se transforma, y él en ella es convertido (219-220)
con pasión de amores Jorje miró a mí (15-16).	Jorje y Beatriz se miraron con un afecto encendido (205-206)

Los elementos básicos que Rufo tomó de la *Canción* pasaron del *Romance* a la comedia *Los Comendadores de Córdoba* de Lope, como pasaron algunos de los motivos de las *Coplas*. Por supuesto, en el proceso de dramatización quedaron ampliados varios aspectos: el tema del anillo, por ejemplo, se desarrolla extraordinariamente (cf. *Acad*, t. 11, pp. 265*ab*, 274*b* s., 282*a*, 284*b* s.); Fernando, el menor de los Comendadores, hace pareja con Ana (aquí sobrina del Veinticuatro) [18] desde el comienzo de la intriga; Rodrigo se transforma en prototipo de sirvientes fieles, etc.

Lo que nos interesa ahora es comprobar si Lope conoció directamente las poesías que precedieron al *Romance*. Por lo pronto, es muy probable que tuviera presente alguna ver-

---

[18] A propósito del Veinticuatro hace Galindo un mal chiste: «¿Vive aquí el dos veces doce?» (p. 267*a*). Quizá fuera un lugar común. Lo encuentro en forma de seguidilla en una ensalada burlesca del ms. 4052 de la B.N.M. (segunda mitad del siglo XVII): «Dos dozenas quisiera / ser de Sevilla, / y como veyntiquatro / te serviría».

sión de las *Coplas* semejante a la del códice de Durán: de
ella procedería el motivo de la pesadilla anticipatoria, que
no está en Rufo y que en la Jornada III engendra toda una
secuela de agüeros fatídicos. En efecto, en la estrofa 8 de la
versión fabricada por Durán, estrofa procedente del códice,
leemos: «Entre mis regalos   Jorge se durmió; / pero un sueño malo   dicen que soñó»; y en la comedia (p. 290*a*) dice
Fernando: «Esta noche toda, hermano, / un mal sueño me
espantó».

En cuanto al cantar que entona la criada en el último
acto (p. 286*ab*) el estribillo concuerda con el de la *Canción*
(«...tristes de vosotros, / cuitada de mí»); pero ya hemos
visto que desde tiempos de Lope de Rueda esa versión del
estribillo se cantaba con estrofas de las *Coplas*. En cambio
hay en la glosa de Lope dos versos en que parece oírse como
un eco de los v.s. 99-100 de nuestra *Canción* («yo deseava el
quándo / verle ydo de allí»):

> pues no llega el cuándo
> de volver aquí.

¿Conoció Lope la *Canción?* No es difícil encontrar en la
comedia rasgos que, como el anterior, hacen probable, aunque
no segura, la utilización de ese texto. En la comedia, como
en la *Canción* (vs. 67-68), el Veinticuatro concibe sospechas
antes de que el reproche del rey le revele la traición:

VEINTICUATRO: ¿Quién son?
RODRIGO: Los Comendadores.
D.ª BEATRIZ: ¡Jesús, entren! ¿Qué reparas?
VEINTICUATRO: *No entendí que tú gustaras...*
               No tengo amigos mayores (p. 275*a*).

Desde luego, Lope pudo haber ideado esta teatral anticipa-
ción de los hechos —como tantas otras— sin necesidad de
una fuente. Lo mismo cabe decir de la entrega del anillo
a Jorge (p. 282*a*), que no se ve en Rufo y sí en la *Canción*.
El convite durante el cual Fernando confirma sus sospechas
no ocurre en escena, pero por los relieves que Esperanza

ofrece a Galindo sabemos (p. 293*a*) que ha habido perdices
y capones, como en la comida final de la *Canción* («perdizes,
capones», v. 133), sabroso paralelo que, a su vez, podría ser
casual.

Pero hay una coincidencia que ya no puede ser obra del
azar. Recordemos los versos 144 a 154 de la *Canción:* «Gran
sera tubimos / después de zenar, / hasta que nos fuimos /
todos a acostar... // Salas tapizadas / y camas hermosas, / todas rroziadas / con agua de rrosas; / de frutas sabrosas / colazión les di». Nada de esto vemos en el *Romance*
de Rufo. Pero Lope, en la escena que precede a la matanza,
nos muestra a Beatriz loca de alegría por la ausencia de
su marido y preparando voluptuosamente el encuentro con su
amante (p. 295*a*):

BEATRIZ:	¡Gran loca estoy!
	¡A mil partes vengo y voy!
	Presto ropa y lumbre aplica;
	abre aquesos cofres, ¡anda!
ESPERANZA:	¿Ahora andamos en esto?
BEATRIZ:	¡Ay, don Jorge! Enjuga presto
	cuatro sábanas de holanda.
	Saca pastillas, pues sabes,
	del escritorio pequeño;
	haz fiestas al nuevo dueño.
	¿Qué aguardas? Toma las llaves.
	Perfuma esta cuadra toda,
	echa aquella colcha indiana.
	Hoy es, amiga doña Ana,
	nuestro desposorio y boda.
	....
	Haz perfumar
	una camisa también
	y apercibe colación.

No hay duda: la *Canción* recién desenterrada no sólo actuó
sobre Lope a través de Juan Rufo, sino que influyó directamente en la elaboración de su comedia.

V

GENEROS Y FORMAS

SOBRE LAS ENDECHAS
EN TERCETOS MONORRIMOS *

Cuando hablamos de endecha pensamos por lo común en una «composición de duelo, generalmente en forma de romancillo pentasílabo, hexasílabo o heptasílabo...» (T. Navarro, *Métrica española*, p. 527); tenemos presentes cantares como el de *Los Comendadores* o *Señor Gómez Arias*. Existe, sin embargo, otro tipo diferente de endecha, poco conocido, al cual José Pérez Vidal ha dedicado un interesante estudio.[1] Son las endechas compuestas en tercetos monorrimos de versos que fluctúan entre nueve y once sílabas. Los principales testimonios antiguos que de este género se nos conservan pertenecen curiosamente a dos regiones extremas de España y están compuestos en lengua no romance. En efecto, entre los cantos fúnebres vascos recogidos en el siglo XVI por Esteban de Garibay y las endechas indígenas canarias que en el mismo siglo transcribió el italiano Torriani hay asombrosas coincidencias formales. Parece evidente, como ha dicho Pérez Vidal (p. 28), «la existencia de una gran área, ya des-

---

* Publicado en *NRFH*, 12 (1958), pp. 197-201. [Sobre este tema, ver ahora, en *Studia hispanica in honorem R. Lapesa*, t. 2, mi artículo «Endechas anónimas del siglo XVI», que rectifica varias observaciones hechas aquí.]

[1] *Endechas populares en trístrofos monorrimos, siglos XV-XVI*, La Laguna, 1952. — La poco usual designación *trístrofo*, por trístico o terceto, tiene a mi ver la desventaja de que se ha aplicado a una forma estrófica distinta (Nebrija, II, 10. «Llámanse los versos tristrophos cuando el cuarto torna al primero», esto es: cuarteta con rimas abrazadas *abba*).

aparecida, de estos cantos, de la que Vasconia y Canarias, dos regiones de señalado arcaísmo, fuesen distantes y coincidentes islotes»; otro de esos islotes sería Córcega, cuyos *voceri* o lamentaciones fúnebres adoptan el mismo esquema.

A aquella gran área debió de pertenecer el resto de España. Las famosas endechas escritas en Canarias a la muerte de Guillén Peraza (1443), tan integradas temáticamente a la literatura española contemporánea, se compusieron sin duda «siguiendo el modelo de endechas peninsulares» (p. 39). Menéndez Pelayo consideró ese cantar como un «romancillo pentasilábico», aunque notó su división en cuatro series asonantadas y «su analogía con los cantos fúnebres vascongados que cita Garibay» *(Antología,* t. 9, 1945, p. 333). De romancillo pentasilábico lo califica también Tomás Navarro *(op. cit.,* p. 142), quien además asocia su ritmo y rimas con los de la estampida *Kalenda maya...* de Vaqueiras.

El trabajo de Pérez Vidal demuestra, sin lugar a dudas, que se trata en realidad de una forma distinta, la misma que se empleó en las antiguas endechas en vasco y en bereber canario: tercetos monorrimos constituidos, en este caso, por decasílabos compuestos (5+5). Las «endechas de Canarias» que se pusieron de moda en la Península durante la primera mitad del siglo XVI siguen el mismo esquema. El género, entre tanto, había cambiado de carácter (aunque conservando siempre su forma): «ya no son verdaderas endechas funerarias, sino cantos tristes de asunto amoroso o de tema en que se mezcla la tristeza con cierta gravedad sentenciosa» (Pérez Vidal, p. 41). Así la hermosa canción «Si los delfines mueren de amores...» (F, 333), que Torriani escuchó en La Gomera, y que no sólo figura en el libro de Fuenllana, sino también entre los madrigales de Pedro Alberto Vila. [2]

---

[2] *Odarum quas vulgo madrigales appellamus... Altus,* Barcelona, 1561, p. 61. Comienza: «Pues los dalphines tratan amores» (el resto es igual que en Fuenllana). La canción debe de haber estado más divulgada en la Península de lo que permiten suponer estos dos únicos testimonios directos. En su *Sobremesa y alivio de caminantes,* II, 53 *(BAE,* t. 3, p. 181*a*) cuenta Timoneda una anécdota, que luego resumirá Correas *(Vocabulario,* pp. 279*b* s.) en esta forma: «un galán que se le murió

El mismo Vila incluyó también las «endechas de Canarias» de Diego Pisador, «¿Para qué es, dama, tanto quereros?...», imitación en estilo cortesano, y asimismo otra canción que evidentemente pertenece al género canario:

> Mis penas son como ondas del mar,
> qu'unas se vienen y otras se van;
> de día y de noche guerra me dan (F, 331).[3]

Con gran acierto aduce Pérez Vidal (p. 50) el poema del *Cancioneiro de Evora* que comienza «Ahum que me veáis en tierra agena...» sin conocer su forma original, que señala claramente su procedencia:

> Aunque me veis en tierra ajena,
> allá en Canaria tengo una prenda:
> no la olvidaré hasta que muera.[4]

Interesante es también la «endecha de Canaria» que cita Juan de Mal Lara: «Quien tiene hijo en tierra ajena...» (Pérez

el rocín corriéndole delante de su dama» exclamó: «Si los rocines mueren de amores, ¿qué harán los hombres?» El esquema pertenece al refranero; cf. por ejemplo «Cuando el cojo de amor(es) muere, ¿qué hará quien andar (no) puede?», recogido por Santillana, Pedro Vallés, Hernán Núñez y Correas (L. Martínez Kleiser, *Refranero general ideológico español*, Madrid, 1953, núm. 3753; cf. 3916, el análogo refrán de S. Horozco) y conservado por los judíos de Marruecos *(BRAE, 14, 1927, p. 222, núm. 51).* Conocemos otras dos canciones en cuyo estribillo reaparece, con variantes, el refrán: «¿Qué harán los que pudieren, / que los viejos de amores mueren?» de la *Flor de enamorados,* fol. 69 vº, y «Si los pastores han amores, / ¿qué harán los gentiles hombres?» (con la misma palabra de rima de «Si los delfines»), incluida en *Cantares,* p. 63 (cf. la nota, p. xlii) (F, 334).

3 Entre los *Romancerillos de Pisa* (núm. 8) y entre las *Séguedilles* de Foulché-Delbosc, p. 319, figuran sendas versiones de este cantar, ambas *sin* el tercer verso; así lo conservó la tradición oral: «Las penitas que yo siento / son cual las olas del mar: / unas penitas se vienen / y otras penitas se van» (Rodríguez Marín, núm. 5285; cf. nota respectiva). Torner citó una versión argentina en su *Lírica,* núm. 131.

4 Figura en la *Declaración de instrumentos musicales* (Osuna, 1555) de fray Juan Bermudo, fol. 83 rº (A, 402; cf. F, 248) ¿Tendrá algo que ver con este texto la frase que reproduce Correas *(Vocabulario,* p. 34b) acompañada de su respectiva anécdota: «Aunque me veis picarico en España, señor soy en la Gran Canaria»?

Vidal, p. 48; *supra*, p.   ). Se trata, como dice él mismo, de
un verdadero refrán; podemos ver ahora las versiones que
de él recogieron Vallés, Hernán Núñez, Correas y Rodríguez
Marín, en el *Refranero* de Martínez Kleiser, núms. 5827-5830.
Carácter de refrán tiene, como hemos visto, la endecha de
los delfines; y también salta a la vista el tono proverbial
—«gravedad sentenciosa»— de «Mis penas son...» y de aquella otra endecha canaria que sólo conocemos por la traducción italiana de Torriani. [5] Se trata evidentemente de un rasgo
típico —aunque no constante— del género. Por eso creo que
puede asociarse con él un terceto monorrimo que figura
glosado, quizás por Góngora, en un romancero de la Biblioteca Ambrosiana, en el de Barcelona (el de la Brancacciana
lo trae sin su tercer verso) y en el ms. I.E.42 de la Biblioteca
Nacional de Nápoles: [6]

> Aquel pajarillo que vuela, madre,
> ayer le vi preso, y hoy trepa el aire:
> por penas que tenga, no muera nadie (A, 725).

Se observará que en este texto, como en *todas* las «endechas de Canarias» españolas, el tercer verso constituye una
unidad aparte: ya conclusión de los dos primeros versos, ya
comentario adicional. No creo remota la posibilidad de que
muchos tercetos monorrimos del mismo tipo, asimilándose
a los géneros más en boga, perdiesen ese tercer verso, con-
virtiéndose en dísticos o cuartetas (recuérdese lo dicho sobre
la versión Brancacciana de «Aquel pajarillo...», sobre la pa-

---

[5] «Dite vuoi, madre, a l'ellera uerde / que miri l'arbor doue ella
serpe: / s'ei casca in terra ella si perde». No me satisface del todo la
traducción de Alvarez Delgado ni la enmienda de Pérez Vidal (p. 46).
Propongo algunos cambios (que subrayo): «*Digades*, madre, a la yedra
verde / que mire al árbol *donde se prende:* / si él cae en tierra, ella se
pierde».

[6] Las tres primeras fuentes fueron editadas por Foulché-Delbosc en
RHi, 45 (1919), 510-624 (Ambrosiana; es el núm. 49); 29 (1913), 121-194 (Barcelona; núm. 156); 65 (1925), 345-396 (Brancacciana; núm. 60); del texto
napolitano, atribuido a Góngora, dio noticia Alda Croce en *BHi*, 53
(1951), p. 36.

rodia de «Si los delfines...» y los refranes análogos y sobre las demás versiones de «Mis penas son...»). Pero también es muy posible que ocurriera lo contrario: que la moda de las endechas en tercetos atrajera transitoriamente en España y quizá también en Canarias —Vallés, Núñez y Correas registran el refrán «Quien tiene hijo...» sin la última frase— canciones compuestas primero de dos versos.

El hecho es que el género cuenta con muy escasas muestras dentro del *corpus* conocido de la antigua lírica de tipo tradicional. Hay estribillos y glosas formados por tercetos monorrimos, pero sus versos son de seis, siete u ocho sílabas y su tono es otro.[7] ¿Y qué decir de las endechas españolas típicas? Aquellos «romancillos» se agrupan siempre en estrofas con cambio de rimas; no pueden interesarnos las de cuatro versos («Parióme mi madre...», *supra*, p. 102) ni las de diez versos, dos de ellos de «vuelta» («Los comendadores...», F, 62), sí, en cambio, las compuestas por seis versos más dos de vuelta, porque escribiéndolas en versos largos nos dan un terceto monorrimo con verso de vuelta (zéjel). Es el caso de «Señor Gómez Arias...» (F, 324) y de una poco conocida endecha «sobre vn caso acontescido en Xerez de la Frontera».[8] Tratándose de endechas, ese terceto monorri-

---

[7] Cuando alguna vez el esquema métrico recuerda el de las endechas, el estilo desmiente esa asociación, como en el gracioso cantarcillo citado por Correas, *Vocabulario*, p. 324b (F, 144):

—Dime, pajarito, que estás en el nido:
¿la dama besada pierde marido?
—No, la mi señora, si fue en escondido.

Y viceversa, podemos encontrar analogías de tono —carácter proverbial— en un terceto de distinta configuración métrica:

Quien amores ten,
afinque-los ben,
que nan he veinto que va y ven.

(Luis Milán, *El maestro*, fol. 41 rº-vº; F, 230). La glosa de este cantar, más cercana por su metro a la endecha (tres versos monorrimos de 10 + 11 + 11 sílabas, y repetición del último verso del estribillo) constituye un desarrollo del estribillo; carece, pues, de independencia suficiente para parangonarla con las endechas canarias.

[8] Figura en un pliego suelto s.l.n.a., conservado en la B.N.P., sign. Rés.Yg.99: *Coplas hechas sobre vn caso acontescido en Xerez de la*

mo da qué pensar; sin embargo, el importante verso de vuelta, [9] el dodecasílabo compuesto (excepcional en las endechas canarias) y sobre todo el carácter eminentemente narrativo,

---

frontera de vn hombre que mato veynte y dos personas a traycion (Moñino, *Dicc.*, 815). Se cantaba el tono de «Los comendadores».

Casamonte alegre — por mal te vieron
los tristes cuitados — que en ti murieron.

Tu malvado dueño — queriendo robar
convidaba a muchos — para en ti folgar;
5 colación les daba — por asegurar;
matólos de noche — desque dormieron.
    Casamonte.

A otros decía — que fuesen a ver
vinos que tenía — allá para vender,
levasen dineros — al precio hacer,
10 así iban los tristes — a do fenecieron.
    Casamonte.

Muchos a ti iban — por placer tomar.
Tu dueño, que dije — mal hombre sin par,
estando seguros — después d'acostar,
el fin que les daba — no merecieron.
    Casamonte.

15 A los que a ti iban — a holgar con él
decía te dijesen — alegre vergel;
tornóseles todo — amargura y hiel:
llorad el triste trago — que allí sintieron.
    Casamonte.

Con su cauteloso — y falso vivir
20 llevó así a los tristes — diciendo a reír;
no viendo el engaño, — fueron a morir,
donde vida y bienes, — todo perdieron.
    Casamonte.

¿Qué dirá tu dueño, — varón infernal,
que así mató a tantos — sin hacelle mal?
25 Cuando allá en sus tierras — supieren lo tal
tristes de las madres — que los parieron.

Cosa curiosa, el texto está escrito así, en versos largos, y en varios de ellos (8, 12, 16 a 19) no hay clara separación de hemistiquios (que yo he dividido por analogía con las demás endechas de este tipo). El «Casamonte» con que terminan las estrofas significa seguramente que después de ellas se volvía a cantar el estribillo íntegro. — Para todo esto, cf. *supra*, p. 230, notas 15 y 16.

[9] [Cf. *infra*, «El zéjel: ¿forma popular castellana?».]

sumado al hecho de que existen otras composiciones con igual estructura estrófica que nada tienen que ver con la endecha, son factores que impiden establecer una relación eficaz.

Es decir, que la lírica peninsular de tipo folklórico que se nos ha conservado no contribuye a aclarar el oscuro origen ni la primitiva extensión geográfica de las endechas en tercetos monorrimos. Más interesantes pueden resultar algunas estrofas de las *Endechas judeo-españolas* publicadas por Manuel Alvar en 1953. Dentro de su anarquía métrica, esas endechas tienden a la cuarteta asonantada; pero a veces se encuentran tiradas de seis versos con asonancia en los pares que, si no son mero producto del azar y de la corrupción general de los textos, podrían ser reminiscencia de las antiguas endechas en tercetos. Así ésta, que escribo en versos largos (núm. VII, vs. 23-28):

> La ropa de Pascua — sacaila al solare,
> con la pez y la resina, — mi madre, lo safumare.
> Y escribei su nombre — y en vuestro lumbrale.

Véase también II, vs. 32-37, y VII, vs. 15-20 (invirtiendo los vs. 19 y 20). Quizá la publicación de nuevas endechas sefardíes arroje más luz sobre esta cuestión, cuyos alcances comienzan ahora a vislumbrarse gracias al escrupuloso empeño de José Pérez Vidal.

DE LA SEGUIDILLA ANTIGUA A LA MODERNA

A Américo Castro *

Toda manifestación folklórica tiene carácter histórico. Es ésta una verdad bien sabida, pero muchas veces olvidada. El concepto romántico de que los productos de la «musa popular» son eternos, atemporales, parece perdurar tercamente, alimentado por el espejismo de su larga vida. Larga vida, sí, pero no vida eterna. A cada tradición le llega su muerte, gradual unas veces, violenta otras.

Si se quiere tener una idea de estas dos maneras de muerte, bastará volver los ojos a España y comparar el destino del Romancero con el de la lírica medieval de tipo folklórico. Muchos romances nacidos en la tardía Edad Media sobreviven hoy en España, en América y entre los judíos sefardíes. En cierta medida, se sobreviven a sí mismos.

A pesar de la vitalidad que aún muestra en muchos sitios, el género está, como dice Menéndez Pidal, en su «etapa rapsódica», lo que probablemente equivale a decir en un proceso de muerte lenta, prolongada.

Frente a ella, el casi brusco final de la canción lírica. Nace no sabemos cuándo; la vemos existir ya en el siglo XI, en forma de breves estrofillas puestas en boca de una muchacha enamorada. El tenue arroyo se va ensanchando al correr de los siglos, absorbiendo el agua de otras fuentes (cantiga

* Se publicó en los *Collected studies in honour of Americo Castro's eightieth year*, Oxford, 1965, pp. 97-107. Para la primera parte de este trabajo, ver también *supra*, 47-80.

d'amigo gallego-portuguesa, canción francesa, poesía trovadoresca, Romancero) hasta convertirse en el ancho río que
conocemos gracias a la literatura del Renacimiento. El culti-
vo literario de la canción folklórica durante los siglos XV
a XVII nos la da a conocer en toda —en casi toda— su ple-
nitud; pero a la vez será, paradójicamente, la causa de su
desaparición. A fines del siglo XVI la poesía artística popularizante asestará a la antigua canción folklórica el golpe que
la hará morir en cuatro o cinco décadas, sin dejar de ella
más que recuerdos, reliquias. En su lugar ha quedado otra
canción popular, de reciente creación.

El proceso se inicia aproximadamente en 1580. En ese
momento todavía se cantan en los pueblos, campos y ciudades de España centenares de cantarcillos conocidos desde
hace siglos, junto a otros que, aunque más nuevos, se ajustan
a una técnica multisecular. Nada parece turbar el curso seguro de la tradición, que podría seguir existiendo, alimen-
tándose a sí misma (y alimentando, de paso, a la poesía
«culta»), durante varios siglos más. Pero entonces nace, como
por milagro, una nueva «escuela» de poesía lírica de tipo
semipopular. Su principal paladín es Lope de Vega. Con
increíble empuje, la moda invadirá en muy poco tiempo
el gusto de los poetas jóvenes y de un amplio círculo de
aficionados; en unos años más se generaliza entre las pobla-
ciones urbanas y de ahí, poco a poco, se va infiltrando en
las aldeas.

El enorme éxito de la nueva poesía se debe en parte al
genio y a la fama de Lope. Pero se debe también, sin duda,
al arraigo de aquella poesía en la tradición folklórica medieval, a su carácter *semi-popular*. La letrilla, el romance y la
seguidilla, las tres manifestaciones principales de esa escuela,
eran recreaciones de formas antiguas, conocidas de todos.
Tenían el doble atractivo de ser viejas y a la vez modernas,
de combinar los moldes familiares con un espíritu original, de satisfacer conjuntamente la tendencia tradicionalista y
el afán de renovación. A no ser por eso es probable que la
moda no habría pasado de los círculos literarios o, en todo
caso, del ambiente urbano. La seguidilla «nueva» no habría

podido hacerse folklórica si su ritmo característico no se hubiera asociado con el de muchas danzas y canciones tradicionales.

La seguidilla es, en efecto, la única de las tres especies poéticas de la nueva escuela que logró un arraigo permanente y una verdadera folklorización. El romance nuevo, pese a su enorme difusión, no llegó a suplantar al romance viejo en la tradición oral, en última instancia quizá por demasiado artificioso; y más aún lo era la letrilla, que sólo en su estribillo tomaba aires de canción popular. La pequeña seguidilla, en cambio, arrumbó ella sola con todo un acervo folklórico multisecular.

La lírica popular hispánica de nuestros días se manifiesta en dos formas fundamentales: la cuarteta octosilábica romanceada y la seguidilla. Ambas se remontan en cierta medida a la más antigua lírica popular conocida en España; [1] sin embargo, ninguna de ellas desempeña un papel predominante en la lírica medieval de tipo popular, tal como la conocemos; son dos formas entre muchas. La importancia que cobrará la cuarteta octosilábica se debe posiblemente, al menos en parte, a la generalización de ciertas cuartetas pertenecientes a la lírica cortesana, «de cancionero», cuartetas usadas una y otra vez como pie y punto de arranque de

---

[1] La jarcha núm. 4, cuya estructura métrica es $8 + 8 — 8 + 8$, hace exclamar a Menéndez Pidal: «Teníamos por comúnmente admitido que la copla popular de sólo dos rimas asonantes era una forma moderna... Y ahora nos sale al paso, nada menos que a comienzos del siglo XII, una auténtica «copla» popular octosílaba asonantada...» La jarcha número 13 tiene la estructura clásica de la seguidilla moderna: $7 + 5 — 7 + 5$; la 15 se acerca a ella $(5 + 5 — 7 + 5)$. El esquema $5 + 7 — 5 + 7$ de la 34 suele aparecer entre las «seguidillas» de hacia 1600 (cf. *infra*), aunque lo característico del ritmo seguidillesco es la alternancia largobreve. Véanse R. Menéndez Pidal, *Cantos*, pp. 221-225; T. Navarro, *Métrica española*, Syracuse, N. Y., 1956, pp. 29-30. Dorothy C. Clarke ha encontrado el molde de la seguidilla en Alfonso X: «The early *seguidillas*», *HR*, 12 (1944), pp. 211-227. Véanse también, para la historia de la seguidilla, el clásico estudio de F. Hanssen en *Anales de la Universidad de Chile*, 125 (1909), pp. 697-796 (reimpreso ahora *ibid.* 1957, números 107-108) y *La versificación irregular* de Henríquez Ureña.

glosas y «villancicos», [2] y posiblemente también a una influencia del Romancero. De hecho, se puede decir que la renovación del folklore lírico hispánico se inicia antes de 1550. Pero fue una infiltración lenta, que no perturbó la existencia misma de la lírica popular de tipo antiguo: ambas manifestaciones siguieron lado a lado sin estorbarse. Nada comparable, pues, a la irrupción destructora de la seguidilla.

Esencialmente, la seguidilla de hoy es la misma de 1600. En cambio, entre la de 1600 y la que se cantaba en 1580 media un abismo: media el paso de una escuela poética a otra distinta. He aquí dos composiciones arcaicas escritas en el molde típico de la seguidilla, publicadas respectivamente en 1556 y 1560:

Decilde al caballero
    que non se queje,
que yo le doy mi fe
    que non le deje.

Decilde al caballero,
    cuerpo garrido,
que non se queje
    en ascondido.
Que yo le doy mi fe
    que non le deje (F, 155).

Agora que soy niña
    quiero alegría,
que no se sirve Dios
    de mi monjía.

Agora que soy niña,
    niña en cabello,
me queréis meter monja
    en el monesterio.
que no se sirve Dios
    de mi monjía (F, 121). [3]

---

[2] La poética de la lírica «de cancionero» del siglo XVI, con su característico conceptismo, está viva en coplas actuales como «Ni contigo ni sin ti / tienen mis males remedio: / contigo porque me matas / y sin ti porque me muero», y muchísimas otras. Pero además sobreviven con sorprendente exactitud cuartetas tan antiguas como la de Juan Alvarez Gato († 1509) «En esta vida prestada, / do bien obrar es la llave...». Cf. J. A. Carrizo, *Antecedentes hispanomedievales de la poesía tradicional argentina*, Buenos Aires, 1945, p. 450; María Rosa Lida de Malkiel, *Juan de Mena*, México, 1950, pp. 340-342; Yvette Jiménez de Báez, *Lírica cortesana y lírica popular actual*, México, 1969.

[3] La primera está en el *Cancionero de Upsala*, núm. 49; la segunda, en Juan Vásquez, *Recopilación*, p. 37.

Véanse ahora estas veintidós seguidillas pertenecientes a la nueva escuela. Van aquí revueltas las del siglo XVII y las actuales, para poner a prueba la sagacidad del lector:

1. Ojos disimulados
   son los mejores,
   porque logran a tiempo
   las ocasiones.

2. Cada vez que me miras
   y yo te miro
   te digo con los ojos
   lo que no digo.

3. Con los ojos me dices
   lo que me quieres;
   dímelo con la boca
   cuando quisieres.

4. Me han dicho que me quie-
   dueño del alma;   [res,
   dímelo con las obras,
   no con palabras.

5. No me mires, moreno,
   cuando te miro,
   que se encuentran las almas
   en el camino.

6. Tus ojos y los míos
   se han enredado
   como las zarzamoras
   por los vallados.

7. Son tus ojos, niña,
   más bellos que el sol;
   cada vez que los miro
   me matan de amor.

8. A esos tus bellos ojos
   échales llave,
   que me matas con ellos
   cuando los abres.

9. Tienes, niña, en tus ojos
   el padre Alcalde,
   que aunque mates y robes
   no hay quien te agravie.

10. Unos ojillos negros
    me han cautivado.
    ¡Quién dirá que los negros
    cautivan blancos!

11. Cuando estoy sin tus ojos
    al cielo miro,
    por ser éste el retrato
    más parecido.

12. Agua tengo en los ojos,
    sangre en los labios,
    y el corazón herido
    de tus agravios.

13. Dicen que la ausencia
    cura los males;
    pues los míos no cura:
    son incurables.

14. ¡Ay, ay, ay, que me muero,
    porque no puedo
    olvidar el camino
    de mi consuelo!

15. Hay galán que pretende
    tener dos damas,
    y luego al fin se queda
    tocando tablas.

16. Casadme con fea,
    que sea rica,
    aunque tenga la cara
    de una borrica.

17. En méritos no fundo
    mi confianza,
    que amor no es de justicia,
    sino de gracia.

18. En mujeres firmeza
    y en hombres dicha
    son dos cosas que faltan
    en esta vida.

19. Yo no estimo las Indias
    en una paja,
    porque tiene mi niña
    perlas y plata.

20. Por que tú me quisieras,
    serrana mía,
    diera yo todo el oro
    que hay en las Indias.

21. Corresponde a mis ansias,
    que es tiranía
    no aplicar el remedio
    quien dio la herida.

22. Los lenguados, morena,
    andan por la mar,
    pero los deslenguados
    en la tierra están.[4]

La dificultad o aun imposibilidad de distinguir la seguidilla antigua de la moderna en este muestreo hablan por sí solas. Hay comunidad de temas, de motivos (los ojos ladrones y asesinos de los números 8 y 9, por ejemplo, o la comparación de los ojos con el sol y las estrellas), de modos de expresión (cf. «dímelo con la boca» 3, «dímelo con las obras» 4, «te digo con los ojos» 2; «cada vez que los miro» 7, «cada vez que me miras» 2). Pero sobre todo hay un mismo espíritu, un espíritu en que dominan el ingenio, el conceptismo —heredado de la lírica de cancionero—, el jugueteo verbal que llega hasta el chiste («lenguados-deslenguados» 22, negros que cautivan blancos 10), la búsqueda de la metáfora

---

[4] Son del siglo XVII las núms. *3, 5, 7, 9, 10, 11, 13, 16, 18, 19, 22.* Proceden del *Vocabulario* de Correas (n.º *3*), de los mss. 3890 y 3895 de la B.N.M. (núms. *5, 11, 13, 19; 16;* cf. *Séguedilles,* núms. *147, 181, 109, 113, 52*), del *Laberinto amoroso,* p. 18 (núm. *7*), del *Cancionero de Sablonara,* núm. 28 (núm. *9*); del *Baile del Pastoral* y el entremés *El duende,* en Cotarelo, *Colección,* t. 2, p. 473*b* y t. 1, p. 193*a* (núms. *18* y *22*). Entre las seguidillas actuales, las núms. *1, 2, 4, 6, 12, 15, 17, 20* y *21* están en los *Cantos populares españoles* de F. Rodríguez Marín, núms. 1128, 1710, 2486, 4204, 4414, 4821, 1781, 1831, 1795. Las núms. *8* y *14* están en el *Cancionero popular de la Rioja* (Argentina), de J. A. Carrizo, Buenos Aires-México, s. f., t. 3, núms. 947, 2004. El núm. *10* es antiguo *y* actual; la versión aquí dada figura en Rodríguez Marín, *op. cit.,* núm. 1207; la otra, en Correas, *Arte,* p. 450 (variantes: v. 1 *ojos;* v. 3 *quién dijera que negros*).

aguda (cf. núms. 6, 8, 9, 11).[5] Y hay muchas maneras comunes de presentar y ordenar las ideas; por ejemplo, el frecuente corte y cambio de tono después del segundo verso, rasgo que —no por mero azar— la seguidilla tiene en común con la copla octosilábica actual.[6] A estos caracteres comunes hay que añadir otros muchos no evidentes en los ejemplos citados y por supuesto las numerosas coincidencias textuales entre seguidillas del siglo XVII y de hoy.[7]

Buen número de tales rasgos son totalmente ajenos a la lírica de tipo popular anterior a 1580. Importa insistir en esto, porque ha sido común hablar conjuntamente de los villancicos de los siglos XV y XVI y de esas seguidillas del XVII como de «poesía popular», sin parar mientes en la profunda diferencia de estilo que hay entre unos y otras[8] ni en lo que

[5] El genial Gonzalo Correas, que en su *Arte*, pp. 447-454, dedica unas páginas extraordinarias a las seguidillas, las alaba por su «elegancia y agudeza: que son aparejadas y dispuestas para cualquier mote y dicho sentencioso y agudo de burla o grave», y observa perspicazmente que, aunque son «poesía muy antigua», «se les ha dado tanta perfeción... que parece poesía nueva».

[6] Es evidente que ha habido una mutua influencia entre ambas formas. Valdría la pena estudiarla.

[7] Cf. mis «Supervivencias...», *supra*, pp. 81-112, núms. 13, 19, 20, 21, 30, 37, 54, 65, 66.

[8] He aquí unos pocos ejemplos que ilustran el contraste entre los dos estilos:

Antes de 1580	*Después de 1580*
Abaja los ojos, casada no mates a quien te mi- [raba.	Esconde tus ojos, hermosa niña, porque matas con ellos a cuantos miras.
No me los enseñes más, que me matarás.	Si habéis de matarme, ojuelos verdes, dadme corta vida y no tantas muertes.
Por una vez que mis ojos [alcé, dicen que yo lo maté.	Puñalicos dorados son mis dos luces, que los meto en el alma hasta las cruces.
Pelo mar vai a vela, vela vai pelo mar.	Galericas vienen, galericas van, y en la mar parecen olas de la mar.

hay de «literatura» en la seguidilla nueva, que, si es «popular», lo es en un sentido muy distinto (no es «folklórica» en sus comienzos, aunque luego llega a serlo). La seguidilla nueva nace, al parecer, en un ambiente de poetas jóvenes y alocados, de estudiantes alegres, amigos de la buena vida y aun de la «vida airada», cantantes, bailarines, grandes improvisadores. Pero no por alocados dejan de ser, en muchos casos, poetas muy literatos, muy imbuidos de cultura y de tradición literaria.[9]

Volviendo a la comparación de la seguidilla de 1600 con la actual, hay que añadir que, por supuesto, no todo son coincidencias. Hay temas y rasgos expresivos de la seguidilla del XVII que desaparecieron sin dejar huella, y a la vez los tres siglos intermedios aportaron cosas nuevas, desarrollando elementos antes apenas apuntados (piénsese, por ejemplo, en la importancia que cobró la seguidilla de siete versos) y añadiendo otros inéditos. Todo esto convendría estudiarlo en detalle. Parecen haber desaparecido v. gr. la evocación idílica de la amada en medio de la naturaleza, del viento a la orilla del mar, de los pájaros que cantan al alba..., toda una temática bucólica extraordinariamente favorecida

Los ejemplos podrían multiplicarse. Se ve claro, entre otras cosas, el carácter más razonado, más explícito, más discursivo y por eso menos misterioso de la seguidilla moderna, frente a la «elementalidad» intuitiva de la canción arcaica.

[9] Puede citarse como ejemplo el caso del valenciano Don Carlos Boyl (1577-1617), autor de sonetos, poemas en dobles quintillas y octavas, lo mismo que de romances amatorios, moriscos, pastoriles. Rodríguez-Moñino (*Los cancionerillos de Munich, op. cit. infra*, pp. 45-47, 89-90) le atribuye las seguidillas de los pliegos valencianos (cf. *infra*). Quizá no sean todas de él, pero algunas lo son sin lugar a dudas; las escribió antes de los veintiún años. Lo que no sabemos es cuál fuera la participación de Lope y su generación en el nacimiento de la nueva seguidilla. Montesinos la supone ya existente cuando ellos la adoptan («Cuando la seguidilla resuene en todas partes, Lope cultivará apasionadamente la seguidilla», Prólogo a la *Primavera y flor*, p. xii; «a los poetas del tiempo [la boga de la seguidilla] les llegó de las calles», p. lxxii). El anonimato de casi todas las seguidillas —como el de las letrillas— es definitivo y fatal. Pero las conexiones con la literatura contemporánea —que habría que analizar en detalle— son patentes.

por la lírica culta de aquel momento.[10] También murieron
las seguidillas referentes a galeras y forzados, lo mismo que
las de carácter rufianesco a que aludiré en seguida. Pero
esos cambios no son nada junto a lo conservado, y no hay
duda alguna de que se trata de una misma y única escuela
poética. No hay duda tampoco de que esa escuela nace a
fines del siglo XVI, en estrecha asociación con el romance
nuevo y con la letrilla. Pero apresurémonos a decir que la
seguidilla nueva no nace exactamente en el mismo momento
en que surgen los otros dos géneros.

Aquí conviene hacer un poco de cronología. La moda del
Romancero nuevo y de las letrillas se inicia en la penúltima
década del siglo XVI, y a partir de 1589 esas poesías se divulgan por medio de pliegos sueltos y de antologías en
pequeño formato (las famosas «Flores»). Durante los años
que siguen al 89 la seguidilla desempeña en folletos y cancionerillos un papel insignificante; sólo la encontramos aquí
y allá como estribillo de alguna letra. Hay que esperar un
poco para verla surgir como un género individualizado. Este
aparece propiamente cuando las seguidillas se comienzan a
cantar y a bailar, no ya sueltas (o glosadas), sino en *series*
más o menos largas, en que se suceden una a la otra sin
necesaria conexión temática o expresiva.[11] La primera fecha
que podemos dar por ahora es 1597. En ese año se publica
el primer pliego suelto conocido que contiene una larga
tirada de «siguidillas»; es el «Qvarto / Quaderno de va /

---

10 Cf. Montesinos, Prólogo citado, pp. xlvii *s.*
11 Se inaugura así, junto con la seguidilla nueva y en estrecha conexión con ella, un modo de ejecución que también es de origen medieval [cf. *infra*, «Historia de una forma...»], pero que sólo ahora se
impone al punto de hacer desaparecer del folklore la canción hecha de
estribillo y coplas glosadoras. [Cf., sin embargo, ahora mi «Permanencia
folklórica del villancico glosado», *Actas del cuarto Congreso Internacional de Hispanistas.*] La nueva costumbre de cantar y bailar *segui-
das* una serie de estrofas de contenido a menudo heterogéneo debe de
haber llamado poderosamente la atención, y de las varias etimologías
propuestas para la palabra *seguidilla* (también llamada *seguida*) me
parece ésta la más verosímil (cf. M. García Matos, *Cancionero popular
de la provincia de Madrid*, t. 1, Barcelona-Madrid, 1951, pp. xxxviii *s.*).

rios Romances los mas modernos / que hasta hoy se han can- / tado», impreso, como la gran mayoría de los folletos con romances nuevos, en la ciudad de Valencia.[12] Como se ve, el título no anuncia aún las seguidillas incluidas: parecería que éstas todavía no eran mercancía bien conocida. Otro tanto ocurre en el «Segvndo / Quaderno de va / rios romaces...», de Valencia, 1598 (Munich, XVIII, pp. 215-219). Pero en 1601 el género está ya consagrado, y las «sigui / dillas modernas, al trato $\bar{q}$ oy / se vsa» constituyen un cebo para los compradores de pliegos sueltos, como lo muestran dos de ese año.[13]

Los cuatro pliegos sueltos sólo reflejan la moda tal como se produjo en Valencia (contienen muchas seguidillas escritas ahí). Pero hay razones para suponer que en otras ciudades españolas la irrupción de la seguidilla ocurrió por los mismos años. Correas, que pudo haberla presenciado en Salamanca, la sitúa en 1600 (Arte, p. 447). Mateo Alemán vivía en Madrid cuando escribió, en 1597 (o poco antes), que «las seguidillas arrinconaron a la zarabanda» (Guzmán de Alfarache, Primera parte, lib. 3, cap. 7). Antes de 1604 muestra Cervantes, en Rinconete y Cortadillo, la vitalidad del género en el ambiente rufianesco sevillano («porque Monipodio le había rogado que cantase algunas seguidillas de las que se usaban...»). Sevilla parece hacer sido por esos años finales del siglo el emporio de las seguidillas, y quizá fuera su cuna (cf. Montesinos, Prólogo cit., p. lxxvii). Es interesante que entre las seguidillas impresas en Valencia en 1597 y 1598, figuren ya la famosa de «Río de Sevilla, / ¡quién te pasase...!»

[12] Se conservan de él dos ejemplares: uno en la Universidad de Pisa y otro en la Biblioteca de Munich. Cf. Romancerillos de Pisa, pliego IX, composición 52; A. Rodríguez-Moñino, Los cancionerillos de Munich (1589-1602) y las series valencianas del Romancero nuevo, Madrid, 1963 (admirable edición y estudio conjunto de esos pliegos sueltos): pliego XXVI, pp. 260-267.

[13] Munich, XXII y XXX. Ambos forman partes de series de las cuales no parecen haberse conservado números anteriores a 1601 (cf. Rodríguez-Moñino, op. cit., p. 40). No sabemos, pues, cuándo comenzaron a anunciarse las seguidillas en el título, pero es muy poco probable que ello ocurriera antes de 1598.

y (Munich, XIV) la de «Salen de Sevilla / barquetes nuevos...», lo cual parece demostrar, al menos, una influencia de la seguidilla sevillana en 1597 o poco antes. De lo que no cabe duda es de que la moda seguidillesca brota y se expande en los años inmediatamente anteriores a 1597, quizá hacia 1595.[14]

El hecho de que sólo en 1597 comenzaran a publicarse (por lo que hoy sabemos) las series de seguidillas tuvo una curiosa consecuencia: que quedaran excluidas de los romanceros y cancioneros de mayores pretensiones. La última de las nueve partes de la *Flor* apareció precisamente en ese año, y debe de haberse preparado antes, antes de que se hiciera costumbre el poner en letras de molde esos breves y traviesos brotes del ingenio y la picardía. Con eso, las series de seguidillas quedaron fuera, no sólo del *Romancero general* de 1600, sino de su edición de 1604, y por consiguiente de las partes 10-13 de la *Flor*, demasiado fieles a la tradición de publicar sólo romances y letras. Aún más, quedaron fuera de antologías innovadoras como el *Laberinto amoroso* (1618) y la *Primavera y flor de los mejores romances* (desde 1621), en cuyas letrillas y romances la seguidilla desempeña ya un papel de primerísima importancia.[15] Parece que un mero azar cronológico lanzó un anatema sobre la seguidilla en cuanto género independiente y la relegó a la publicación en baratos pliegos sueltos o a la recopilación en cartapacios manuscritos. Pero el teatro —sobre todo los géneros breves— la redimirá y favorecerá además extraordinariamente su difusión y su definitiva folklorización.

Volviendo a 1597, es interesante ver que ya en ese «Qvarto Quaderno» que parece inaugurar la publicación de seguidillas encontramos muchos de los temas característicos del

[14] El hecho puede ser importante para fechar ciertas obras. Así, por ejemplo, el «Cartapacio del siglo XVI» extractado por Menéndez Pidal (*Cartapacios salmantinos*, pp. 307 *ss.*) tiene que ser muy de fines del siglo, si no del XVII, por lo menos en los folios que contienen las seguidillas; lo mismo el manuscrito del cual Foulché tomó sus «Séguedilles anciennes» 251-284 y el cancionero «Tonos castellanos» descrito por Gallardo, *Ensayo*, t. 1, cols. 1193-1203.

[15] Cf. Montesinos, Prólogo cit., pp. lxxiv *ss.*

género. He aquí algunas de las ahí incluidas (Munich, número 151); las reproducimos como están, en versos largos, aunque modernizando la ortografía y puntuación y numerándolas:

1. El sol y la luna   quedan ñublados
   cuando alza mi niña   sus ojos claros.
4. Mañanitas floridas   del mes de mayo,
   despertad a mi niña,   no duerma tanto.
5. Que no me tiréis   garrochitas de oro,
   la de Pedro de Bamba,   que no soy toro.
6. Vi tus bellos ojos,   nunca los viera,
   y que hechizos me dieron   y adormideras.
7. A quien no te quiere   gustas de querer:
   ordinario gusto   tienes de mujer.
9. Cabellicos de oro,   cuerpo delgado,
   tus manos son nieve,   tu pecho mármol.
10. Cuando mi morenita   su cuerpo baña,
    sírvele de espejo   el cristal del agua.
24. Tienes lindos ojos,   lindos cabellos;
    tiéneslos revueltos,   y a mí con ellos.
25. En la Calle Mayor   di una caída
    por poner el pie   a la airada vida.
26. Al que vieres, niña,   que gasta en regla
    dile tú todo el año   que estás con ella.
27. Al que vieres, niña,   que gasta y quiere
    finge que le riñes,   y no te pese.
29. El viento me trae   rosas y flores,
    pero no los suspiros   de mis amores.

Domina el elogio hiperbólico de la «niña» y la «morena», y a la vez se perfila ya, junto al ambiente bucólico y en contraste con él, la seguidilla aplebeyada, rufianesca, que cultiva el prosaísmo, la chocarrería, el chiste burdo y aun a menudo la procacidad,[16] como puede verse de sobra en la colección

---

[16] Observa Correas, *loc. cit.*, que «en este tiempo [las seguidillas] se han usado más en lo burlesco y picante, como tan acomodados a la tonada y cantar alegre de bailes y danzas... de la gente de la seguida y enamorada, rufianes y sus consortes» (para Correas *seguidilla* deriva, precisamente, de *seguida* 'hampa'). Ya antes de 1601 hablaba Lasso de

reunida, a base de cartapacios manuscritos, por Foulché-Delbosc en la *Revue Hispanique* de 1901.

Si en cuanto a la temática y al estilo la seguidilla de 1597 aparece ya con muchos de los rasgos típicos, en su forma métrica encontramos irregularidades que serán inconcebibles dos décadas después. Gonzalo Correas registra como seguidillas corrientes hacia 1625 las de $6 + 5 - 6 + 5$, $6 + 5 - 7 + 5$, $7 + 5 - 6 + 5$ (menos frecuente), $7 + 5 - 7 + 5$ *(op. cit.*, p. 448) y también las que tienen en los versos pares pentasílabos agudos (p. 453), o sea las seguidillas por ley de Mussafia. Correas considera propio de seguidillas *viejas* la inversión de los versos largos y los breves (esquemas como $5 + 6 - 5 + 6$). Pero para Correas —como se ve por los ejemplos que cita— son viejas también las seguidillas de hacia 1600. Estas presentan, en efecto, la mencionada inversión, junto con otras irregularidades. A todas luces, en esas primeras seguidillas la unidad es el verso largo, de once o doce sílabas, y la distribución de los hemistiquios no está aún bien definida. Así, encontramos en los cuatro pliegos seguidillescos de Munich casos de $6 + 5 - 5 + 6$ (núm. 102, seguidilla 9), $5 + 6 - 6 + 5$ (151_{13}, $102_{3, 5, 11}$), $6 + 6 - 5 + 6$ ($102_{4, 7}$), $5 + 5 - 6 + 5$ (102_{18}), $6 + 5 - 5 + 5$ (170_7), $7 + 4 - 6 + 5$ (102_2), etc. La cesura no está siempre «en la sesta o séptima sílaba», como exigirá Correas (p. 448), y por otra parte abundan, particularmente en 1597 y 1598, los casos de sinalefa y compensación.[17]

Por otra parte, no cabe duda de que hay ya en esos primeros años una tendencia hacia la regularización y el esta-

---

la Vega de un paje músico «glotón de las seguidillas / más verdes y coloradas» y de dos mujeres y un muchacho que cantan en el prado «mucha de la seguidilla / a lo verde y colorado» (*Manojuelo*, pp. 169 y 347). Recuérdense también las seguidillas rufianescas sevillanas de *Rinconete y Cortadillo* (a. de 1604).

[17] Sinalefa: («sírvele de espejo el cristal del agua»): núm. 151 $(1597)_{10, 13, 25}$; 102 $(1598)_{4, 8, 5}$; 126 $(1601)_{1, 7}$; 170 $(1601)_{43, 48}$. (En cambio, hay hiato en 126_{18}; $170_{4, 15, 30, 33, 40, 42, 44, 46, 47, 49}$). Compensación («hazme algún favor que en el alma lleve»): $151_{18, 21}$; $102_{6, 13, 14, 15}$; 126_6. (En 1601 la compensación casi ya no existe; cf. 126_{21}; $170_{1, 11, 20, 23, 38, 41, 44, 45, 49}$).

blecimiento de los tipos que serán normales en 1625. Domina el esquema 6 + 5 − 6 + 5 (27,4 %, en los cuatro pliegos, o 33,5, si añadimos los casos de 6 + 5 − 6 + 5); le sigue en frecuencia 6 + 5 − 7 + 5 (22 %, o 27,4 % incluyendo 6 + + 5 − 7 + 5 y 6 + 5 − 6 + 5); 7 + 5 − 6 + 5, aparece sólo en un 7,6 % (10 % si contamos el esquema 7 + 5 − − 6 + 5), y 7 + 5 − 7 + 5, apenas en el 3 (ó 6) % de los casos. Este último tipo, que es el que va a predominar con mucho a partir de la segunda mitad del siglo XVII y hasta nuestros días, es el que parece preferir Correas en 1625 por ser «de mexor proporzion» (p. 448). Se ve que en el mismo Correas, que tan extraordinario sentido tenía para la poesía de metro irregular, obra ya el impulso a la simetría que acabaría por imponer la seguidilla «clásica», de 7 + 5 − 7 + 5.

En 1597 predice Mateo Alemán que, si las seguidillas han arrinconado a la zarabanda, «otros vendrán que las destruyan y caigan» *(loc. cit.).* Quizá no sospechaba él la extensa vida que esperaba a las intrusas seguidillas; pero a la larga su predicción no andará tan errada. Ni siquiera la seguidilla podía ser inmortal. Esto ya lo estamos viendo hoy, al menos en algunos países del mundo hispánico. En México, por ejemplo, la seguidilla tiene una vitalidad infinitamente menor que la de la copla octosilábica. Aparece sólo en un pequeño grupo de canciones, y no es raro encontrar irregularidades (8 + 5 − 7 + 5, 7 + 6 − 7 + 5, 7 + 5 − 7 + 7, etc.) que no se deben ciertamente a una perduración de las fluctuaciones antiguas, sino al hecho de que se está perdiendo el sentido de la forma métrica (como se ha perdido el nombre de *seguidilla).* Otra prueba de ello es un fenómeno que vale la pena consignar, como una curiosidad y porque ilustra bien el carácter transitorio —histórico— de las formas poéticas populares. En algunas canciones compuestas de seguidillas los versos largos llevan un añadido, del tipo «cielito lindo» o «bien de mi vida». Ahora bien, en varias seguidillas de reciente creación la melodía de ese añadido se ha rellenado con palabras significativas. He aquí dos seguidillas de siete versos pertenecientes a una versión del *Cielito lindo* que se canta en la Huasteca potosina; la primera es normal, la segunda anómala:

Para cuando te cases	El hombre que se casa
(cielito lindo)	*y que le toca*
yo te aconsejo	mujer celosa
cásate con un joven	cuando va por la calle
(cielito lindo)	*va con la vieja*
no con un viejo.	más que rabiosa.
Pues da dolor	Pues no hay cariño,
ver una rama seca	ella va presumiendo
(cielito lindo)	*y el pobre viejo*
con una flor.	cargando al niño.[18]

Ha surgido una seguidilla monstruo o, de hecho, una nueva forma métrica.

[18] [*CFM*, t. 2, núms. 4692 y 5517*b*.]

HISTORIA DE UNA FORMA POETICA POPULAR *

La escasez de estudios sobre la actual lírica folklórica de los países hispánicos ha hecho posible que una y otra vez se hable de ella como de una poesía cuyos orígenes se pierden en un remoto pasado. Si los romances que hoy se cantan son medievales, ¿por qué no habían de serlo las canciones líricas? Nada más falso, sin embargo. La lírica folklórica medieval murió en el siglo XVII, sin que hoy queden en la Península más que reliquias aisladas de ella. Y en ese mismo siglo XVII se estableció una nueva tradición poética que la suplantó, tradición en la que influyeron poderosamente la poesía cortesana de los siglos XV y XVI y la poesía de tipo semi-popular creada por los poetas contemporáneos de Lope de Vega.

En esas dos escuelas poéticas podrán encontrarse con relativa facilidad los antecedentes de muchas de las estrofas que hoy se cantan, tanto en su aspecto formal como en el temático y estilístico. Pero quedará por resolver un problema que atañe a la forma, no de las estrofas, sino de la canción folklórica como conjunto integrado por varias estrofas. Porque eso son muchas de las canciones líricas que hoy cantamos; pensemos en los «Pastores de Extremadura», por ejemplo, o en el «Cielito lindo» mexicano. Las estrofas, métricamente iguales, se van engarzando como cuentas en un

* Leído en el III Congreso Internacional de Hispanistas (1968) y publicado en las *Actas*, México, 1970, pp. 371-377.

collar, cada una por separado, sin que, en general, importe mucho el orden. Suele haber entre todas o entre algunas una conexión temática y aun verbal; pero a menudo lo único que las asocia es un pequeño *leitmotiv* o la tónica general de la canción, y no faltan casos en que no hay ningún lazo de unión entre las diferentes estrofas.[1] Creando un tecnicismo, podríamos hablar de la actual canción hispánica como de una canción básicamente *heteroestrófica*.

¿De dónde viene esta forma? En mi comunicación al anterior Congreso de Hispanistas hice notar que cuando, hacia 1595, surge como en un estallido el género de las seguidillas semipopulares, éstas se cantan «en series más o menos largas, en que [las seguidillas] se suceden una a la otra sin necesaria conexión temática o expresiva».[2] Es decir, que su modo de ejecución coincide con el de nuestras canciones actuales; entre ambas hay, sin duda, una relación de filiación. Ahora bien, esas series heteroestróficas ¿nacieron con las seguidillas mismas, en los últimos años del siglo XVI? ¿O se trata de un esquema más antiguo? Para encontrar una respuesta debemos interrogar a la canción medieval de tipo popular y abordar ciertos aspectos no bien dilucidados hasta ahora.

Los especialistas están de acuerdo en que el núcleo de las canciones líricas medievales que se pueden llamar «de tipo popular o tradicional» era una breve coplita de dos, tres o cuatro versos, un «villancico», como suele llamársele. Por ejemplo: «La niña que los amores ha / sola ¿cómo dormirá?» (F, 105), o «Ya cantan los gallos, / buen amor, y vete, / cata que amanece» (F, 112). En el fundamental ensayo que dedicó a las jarchas en 1949, Dámaso Alonso dijo que los «villancicos mozárabes del siglo XI... prueban perfectamente que el núcleo lírico popular en la tradición hispánica es una breve y sencilla estrofa: un villancico. En él está la esencia lírica intensificada: él es la materia preciosa».[3] Menéndez

---

[1] Prescindo aquí del problema de los estribillos y los omito en las citas.

[2] «De la seguidilla antigua a la moderna», *supra;* la cita, p. 252.

[3] *RFE*, 33 (1949), p. 334.

Pidal[4] ha insistido también en esta idea; el villancico-núcleo se encuentra en las tres grandes ramas conocidas de la lírica tradicional de la Edad Media hispánica; en las jarchas andalusíes, las cantigas d'amigo gallego-portuguesas y los villancicos castellanos recogidos de la tradición oral en el Renacimiento.

El problema comienza cuando se trata de saber qué ocurría con esa coplita al cantarla; a menos que se cantara sola, algo más tenía que haber. Una solución podría ser la que encontramos en las series heteroestróficas, pero éstas exigen uniformidad métrica, y los villancicos medievales presentan una enorme diversidad de moldes métricos. ¿Qué otras posibilidades hay? Las jarchas guardan a este respecto un mutismo total. Acudamos, pues, a las otras dos ramas mencionadas. Cada una de ellas nos ofrece un modo peculiar de desenvolvimiento del villancico.[5] Es bien conocido el de las cantigas d'amigo gallego-portuguesas paralelísticas y encadenadas. El villancico-núcleo se duplica en una estrofa casi idéntica; ambas generan, por medio del leixa-pren, otra pareja de estrofas, que a su vez puede dar lugar a otra pareja. Esta sucesión lineal de estrofas simétricas y repetidas va creando lentamente una diminuta anécdota. Del villancico-núcleo «Per ribeira do rio / vi remar o navio» surge el poema de Joan Zorro:

Per ribeira do rio
vi remar o navio.

Per ribeira do alto
vi remar o barco.

Vi remar o navio:
i vai o meu amigo.

Vi remar o barco:
i vai o meu amado.

I vai o meu amigo,
quer-me levar consigo.

I vai o meu amado,
quer-me levar de grado (F, 30).

---

[4] *Cantos, passim.*

[5] Cf. Menéndez Pidal, art. cit., § 25: «Varias formas glosadoras del cantarcillo lírico», párrafos 1.º y 2.º (el 3.º no alude propiamente a una forma «glosadora»).

Esta estructura progresiva no es la de las canciones de tipo popular citadas en la literatura de los siglos XV a XVII, canciones en su mayoría castellanas, pero también gallegas y portuguesas, catalanas y valencianas. En ellas el villancico-núcleo no es un mero punto de partida de la composición, sino el eje en torno al cual giran las estrofas. Estas, de métrica muchas veces distinta de la del villancico, se subordinan temáticamente a él; lo amplían, concretando detalles, o lo explican y glosan, [6] y siempre vuelven al villancico, repitiéndolo al final parcial o completamente:

> En la fuente del rosel
> lavan la niña y el doncel.
>
> En la fuente de agua clara
> con sus manos lavan la cara.
> Él a ella y ella a él
> lavan la niña y el doncel (F, 78).

Frente a la estructura progresiva de las cantigas d'amigo, tenemos aquí una estructura regresiva, centrípeta. Si en la cantiga d'amigo todas las estrofas están en un mismo nivel, y ninguna domina sobre las demás, aquí hay dos elementos dispares, situados en nivel distinto: un villancico imprescindible, que da la pauta, y una «glosa» (podemos llamarla así a falta de término mejor) que depende de ese villancico, se somete a él y es prescindible o sustituible. Se trata del mismo esquema que encontramos en la lírica culta peninsular desde las *Cantigas* de Alfonso el Sabio y que priva en la lírica cortesana cantada de los siglos XIV a XVII; sólo que en las glosas de tipo popular la forma métrica y los esquemas rímicos de las estrofas son más simples. [7]

6 [Cf. *infra*, «Glosas de tipo popular...».]

7 Además, las estrofas suelen enlazarse unas con otras por medio del paralelismo o del encadenamiento y a veces por medio de ambos, al modo gallego-portugués. A este respecto hay que notar que en las canciones paralelísticas y encadenadas que recogen las fuentes renacentistas la estrofa que inicia el movimiento paralelístico *no* es el villancico núcleo, sino una estrofa distinta (la primera de la glosa), que depende de él.

Volviendo a nuestra pregunta inicial, ¿puede alguna de estas dos formas haber sido el antecedente de la canción heteroestrófica? Evidentemente no hay punto de contacto entre ésta y la canción constituida por un villancico y su glosa, que, según los testimonios, es la que domina en el folklore en el momento de nacer las series heteroestróficas de seguidillas. En cambio, parece haber algo de común entre éstas y las cantigas d'amigo: ambas consisten en una sucesión de estrofas métricamente equivalentes y situadas en un mismo nivel. Pero, claro, las diferencias son grandes: por una parte tenemos un desarrollo orgánico y homogéneo a partir de una estrofa; por otra, una ristra de estrofas independientes y a menudo desligadas. Y hay además el problema de la cronología: entre la extinción de las cantigas d'amigo gallego-portuguesas, en la primera mitad del siglo XIV, y el nacimiento de las series de seguidillas median dos siglos y medio. ¿No habrá entre ambas un puente cronológico y formal?

Ya es hora de traer a cuento una manifestación de la lírica folklórica antigua en la que no suele pensarse al hablar de la lírica medieval porque sólo aparece documentada desde fines del siglo XIX y fuera de España. Son las canciones judeo-españolas. No hay duda acerca del origen medieval de muchas de ellas y de los géneros en cuanto tales. ¿Qué estructura tienen esos cantos? Citaré uno muy típico, procedente de los Balcanes:

Mi esposica 'sta en el baño,
vestida de colorado...

Mi esposica 'sta en el río,
vestida de amarío.

Mi esposica 'sta a la fuente,
vestida un fustán verde.

Entre la mar y el río
hay un árbol de bimbrío.

Entre la mar y la arena
hay un árbol de canela (F, 610).[8]

Esquema progresivo; paralelismo. Y esto, en castellano y en el siglo XV. La gran mayoría de las canciones sefardíes son

---

[8] Cf. Manuel Alvar, *Poesía tradicional de los judíos españoles*, México, 1966, núm. 158.

paralelísticas; algunas tienen leixa-pren; todas, sin excepción, presentan la estructura que he llamado «progresiva». Esta existía, pues, en gran parte de la Península (si no en toda ella) y seguía viva en boca del pueblo hacia fines del siglo xv. ¿Por qué no la registran los textos renacentistas? Muy probablemente porque no encajaba en los esquemas poético-musicales cultos, que en cambio sí concordaban, como hemos visto, con el esquema folklórico «regresivo». Este gozó de favor entre músicos y poetas cultos; el otro quedó al margen. Aun así, hurgando en los textos de la época se encuentran vestigios aislados de estructura progresiva con paralelismo, que prueban su vigencia entre el pueblo iletrado. Gonzalo Correas, por ejemplo, cita esta canción:

> Lloraba la casada por su marido
> y agora la pesa porque es venido.
>
> Lloraba la casada por su velado,
> y agora la pesa de que es llegado.
>
> (F, 549).

Y esta otra:

> Ovejita blanca,
> requiere tu piara:
> en hora mala hubiste
> pastora enamorada.
>
> Ovejita prieta,
> requiere tu cordero,
> en hora mala hubiste
> pastor carabero (F, 420).

Por lo pronto está, pues, salvado el abismo temporal (y también geográfico y lingüístico). Pero el texto judeo-español que citamos nos revela algo más: hay en él una mezcla de dos grupos de estrofas con distinta temática: por un lado, la esposica que está en el baño, por otro el árbol de bimbrío o de canela, asociados sólo por el motivo común del agua. Obsérvese que estamos a un paso de ciertas canciones que se cantan hoy, como la de los pastores de Extremadura, en la cual tres estrofas paralelas hablan de los pastores que se van, dejando triste y oscura la sierra, y otras dos, también paralelas, presentan a una muchacha que apostrofa al lucero y le pide que dé luz a su amante pastor; dos temas diferentes, unidos por una asociación de ideas.

Pero otra vez nos vemos en la necesidad de salvar un abismo cronológico: entre el siglo xv y fines del xvi. Y otra vez el azar nos depara un lazo de unión, que al mismo tiempo nos acerca más a la canción heteroestrófica. Se conservan testimonios del siglo xvi que revelan la existencia de un género poético consistente en series de estrofas sólo en parte conectadas. Me refiero a las endechas, muy ligadas, por cierto, a la tradición judía. He aquí las diez primeras endechas de la larga serie contenida en un interesante y desconocido manuscrito de entre 1560 y 1570: [9]

Preguntáiseme
qué vida es la mía:
es la del alarbe
que está en Berbería.

Es la del alarbe
que está en la Berbería,
que espera combate
de noche y de día.

Si como viene
el pesar durase,
no habría mármol
que no se quebrase.

Armé una torre
encima del agua;
salióme falsa
y contraminada.

No me llamen
flor de las flores,
llamadme castillo
de dolores.

No me llamen
flor de ventura,
llamadme castillo
de fortuna.

No me llamen
castillo fuerte,
que soy muchacha
y temo la muerte.

Parióme mi madre
una noche oscura,
cubrióme de luto,
faltóme ventura.

Cupido, indinado
de sus sufraganos,
un arco en las manos
tenía encarado.

Cuando fui engendrado
en curso noturno,
reinaba Saturno
en signo menguado, etc.

---

[9] Es el ms. 17 698 de la B.N.M., cancionero toledano cuya edición preparan Rosa María Falgueras y Alberto Blecua. A ambos, mi agradecimiento por haberme permitido consultarlo y citarlo. El texto que aduzco está en el fol. 89 rº. Otros poemas de este cancionero han sido reproducidos recientemente por Alín (A, 572-618). — En cuanto a estas y otras endechas, cf. mi colaboración al Homenaje a Lapesa, t. 2.

¿Qué relación guardan entre sí estas estrofas? Hay de todo: estrofas ligadas por el encadenamiento (las dos primeras) o por el paralelismo (las tres que comienzan «No me llamen...»), estrofas ligadas por un hilo narrativo-descriptivo (las últimas, que, por cierto, perviven entre los sefardíes), [10] y dos estrofas sueltas, que no tienen con las demás otra conexión que la de su tónica de patética lamentación. Salvo esta tónica, nuestra serie de endechas presenta el mismo aspecto de las series de seguidillas semipopulares de hacia 1600, incluso en su métrica; parecen ser su antecedente inmediato.

Tal como la veo, la línea evolutiva que conduce a la actual canción folklórica sería, pues, la siguiente: Además de las canciones formadas por un villancico-núcleo y su glosa, existió en la España medieval un tipo de canciones folklóricas que consistían en un villancico duplicado o multiplicado por el paralelismo, o bien prolongado por el encadenamiento de sus versos (los trovadores gallego-portugueses combinaron ambos procedimientos en sus cantigas d'amigo). En cierto momento comenzaron a sumarse a estas canciones grupos de estrofas procedentes de otra o de otras canciones métricamente parecidas. Una vez rota la unidad original, pudieron incorporarse a la misma canción una o más estrofas sueltas, ya no duplicadas paralelísticamente. Surgió así un tipo de canción mixta, heteroestrófica, que a finales del siglo XVI fue adoptado en las series de seguidillas semipopulares. Cuando éstas se hicieron folklóricas, se generalizó también su peculiar sistema de asociación, que desplazó al otro tipo formal. La canción mixta, que incluye dos o más conjuntos de estrofas paralelas, sobrevive en el folklore actual; de ella se pasó fácilmente a la canción totalmente heteroestrófica, frecuente hoy, entre cuyas estrofas ya no existe ningún nexo temático y sólo, si acaso, una vaga relación de tono y de ambiente.

---

[10] Cf. *supra*, pp. 102-103.

GLOSAS DE TIPO POPULAR
EN LA ANTIGUA LIRICA *

A Raimundo Lida

«El núcleo lírico popular en la tradición hispánica es una breve y sencilla estrofa: un villancico. En él está la esencia lírica intensificada: él es la materia preciosa» (Dámaso Alonso, *RFE*, 33, 1949, p. 334). Breves y sencillísimas son las jarchas mozárabes, las coplitas que sirvieron de base a las cantigas d'amigo gallego-portuguesas, los antiguos villancicos castellanos. En distintas épocas y distintas lenguas, dentro de la Península, la misma forma diminuta se ha convertido en material poético para composiciones de más complejas pretensiones. «Piedra preciosa que por su concentradísima brevedad necesita ser engastada», la pequeña estrofa ha sido adorno o fundamento de varios tipos de poesía lírica: adorno cuando se la ha intercalado en un poema más o menos extenso a manera de cita pintoresca (pastorelas, «ensaladas»); fundamento cuando constituye la culminación y al mismo tiempo el punto de partida métrico de una composición (en las muwashahas), o cuando se ha creado todo un poema con la simple repetición, variación y ampliación de su texto (cantigas d'amigo); fundamento también cuando sobre ella, a base de ella, se construye una glosa.

Es esta última la forma más generalizada, sobre todo en Castilla. Es la forma en que el cantarcillo lírico ejerce más de lleno su soberanía literaria, pues constituye aquí la clave, el núcleo patente de una composición, a la cual impone su tema, sus rimas y, muchas veces, la estructura misma, la intención, el vocabulario. Pero debemos apresurarnos a es-

---

* Publicado en *NRFH*, 12 (1958), pp. 301-334.

tablecer una distinción esencial. Si a menudo —y justamente en los breves cantares líricos— la frontera entre lo popular y lo culto es bastante huidiza, en las glosas es casi siempre clara y tajante. Glosa culta («estribotes», «villancicos», «canciones», «letrillas» de los siglos xv a xvii) y glosa de tipo popular (o folklórico): entre ambas hay poco en común. Basten dos ejemplos. En el primero la glosa culta es de comienzos del siglo xvi, en el segundo de comienzos del xvii; entre las dos glosas cultas hay hondas diferencias, pero frente a las respectivas glosas de tipo popular resaltan, por contraste, sus semejanzas.

Glosa culta

Por vida de mis ojos,
    el caballero,
por vida de mis ojos,
    que bien os quiero.

Quierôs de manera
que fuera mejor
sufrir mi dolor
por más que muriera.
Que no lo dijera,
mas creed que muero
—por vida de los vuestros—
del bien qu'os quiero (A-B, 384).

De los álamos vengo, madre,
de ver cómo los menea el aire.

¿Qué firmeza, madre mía,
conmigo el amor tendrá
si un árbol se viene y va
adonde el viento le guía,
si mil veces en un día
hojas y ramas se mudan?
Las mismas temen y dudan
su esperanza y mis verdades.
De los álamos vengo, madre...

Glosa popular

Por vida de mis ojos,
    el caballero,
por vida de mis ojos,
    bien os quiero.

Por vida de mis ojos
    y de mi vida,
que por vuestro amores
    ando perdida.
Por vida de mis ojos,
    el caballero... (F, 156).

De los álamos vengo, madre,
de ver cómo los menea el aire.

De los álamos de Sevilla,
de ver a mi linda amiga,
de ver cómo los menea el aire

[F, 346).[1]

---

[1] La primera glosa culta está en las *Obras* de Fernández de Heredia, pp. 163-164; la segunda, en el *Laberinto amoroso*, p. 111. Las dos glo-

La diferencia entre ambos tipos de glosa no estriba sólo en el contenido, en la forma métrica, en el vocabulario y la sintaxis: el autor de la glosa culta toma el cantarcillo como tema de sus cavilaciones personales, que expresa, con mayor o menor alarde de técnica, en un estilo muy de la época y muy suyo; la glosa es para él una creación en la que vierte, si no originalidad, sí pericia de poeta. La estrofa inicial, muchas veces ajena, es, ni más ni menos, un pretexto para ejercitar esa pericia. La actitud de los autores de glosas populares es del todo distinta: no quieren sino continuar modestamente el cantarcillo, respetando las más veces su espíritu y su tono. La glosa popular no es un poema en sí: es esclava fiel de la breve canción, cuyo contenido repite variándolo («Por vida de mis ojos...»), o desarrolla con mayor o menor extensión («De los álamos vengo...»), o despliega o explica o complementa, todo ello de acuerdo con ciertas técnicas tradicionales.

En la Edad Media, se nos ha dicho, el breve villancico era entonado por el coro antes y después de cada una de las estrofas glosadoras, cantadas por solistas. [2] El villancico actuaba, pues, como estribillo, pero su función era mucho más

---

sas populares (anónimas) figuran en la *Recopilación* de Juan Vázquez, pp. 47 y 37.

[2] Dice Menéndez Pidal: «El villancico temático, que es por sí mismo ya un poemita, está concebido con una más vaga simplicidad que el resto, es el elemento tradicional conocido por todos, o fácilmente asimilable por todos y destinado a hacerse tradicional, propio, en fin, para ser cantado a coro; mientras las estrofas glosadoras son meramente populares, ideadas por la improvisación más personal, y propias para ser entonadas por la voz sola del que guía el canto» (*La primitiva poesía*, pp. 332-333). Sin duda sería frecuente la improvisación de estrofas glosadoras, pero, como toda improvisación folklórica, también ésta se basaría en moldes tradicionales, perfectamente establecidos. Creo evidente, por otra parte, que muchos villancicos tendrían *su* propia glosa, tan conocida por todos como el villancico mismo («En los tálamos de Sevilla...» cantan ahora los judíos marroquíes, recuerdo probable de la glosa —sin duda tradicional— «De los álamos de Sevilla...»; cf. *supra*, p. 93). Muchas glosas de tipo popular incluidas en los antiguos cancioneros musicales y en otras fuentes provendrían del acervo folklórico medieval.

importante que la de un mero estribo o apoyo; no era pie, sino cabeza, y decidía, no sólo el tema, sino el carácter mismo de las estrofas glosadoras.

Esa sujeción al cantar inicial, el ajuste a determinados moldes tradicionales y, por supuesto, la sencillez misma de la expresión, de las formas métricas y de las rimas, en una palabra, el carácter folklórico de las estrofas plantea la cuestión de si es conveniente aplicarles el nombre de *glosa*, usado para aquella otra forma, razonada, compleja y personal de la poesía culta. Sin embargo, la falta de un término más adecuado y el hecho de que, en un sentido lato, las estrofas populares también constituyen casi siempre una especie de «glosa» del «villancico» (palabra que aquí aplico exclusivamente al breve cantar-núcleo) hacen lícito su empleo.

La glosa culta ha sido ya objeto de estudio; la glosa de tipo popular, en cambio, no ha merecido sino alusiones fugaces; [3] ni siquiera se ha analizado el repertorio de sus moldes

[3] Hans Janner, «La glosa española, estudio histórico de su métrica y de sus temas», *RFE*, 27 (1943), pp. 181-232, y Pierre Le Gentil, *La poésie*, t. 2, IV, han estudiado detenidamente las glosas cultas. En cuanto a las populares, sólo se han comentado, que yo sepa, las de forma zejelesca (Menéndez Pidal, art. cit. y «Poesía árabe y poesía europea») y las de estructura paralelística; sobre éstas se ha entablado una polémica entre José Romeu Figueras (artículos citados *infra*, nota 6) y Eugenio Asensio, quien examina con notable agudeza el paralelismo de los cantares gallego-portugueses y castellanos, lo mismo que el practicado por Gil Vicente, en su libro *Poética y realidad en el cancionero peninsular de la Edad Media*. — Al comentar brevemente las glosas de tipo popular en mi tesis cit. *supra* (p. 47, nota *), contaba yo con un material insuficiente, que me llevó a conclusiones ya insostenibles: *1)* esas glosas son pocas y no constituyen supervivencias tradicionales, sino probablemente creaciones de poetas que imitaban el estilo popular (evidentemente, para que hubiese imitación tenía que haber algo que imitar; las glosas populares que se nos conservan, aunque muy inferiores en número a las cultas, son suficientes para revelarnos la existencia de todo un *corpus* de procedimientos tradicionales, aplicados lo mismo por los poetas populares de la Edad Media que por sus imitadores renacentistas); *2)* «casi todas las [glosas] de carácter popular que hemos encontrado son narrativas», y por lo tanto «las glosas o no son populares, o si lo son, no son líricas» (como podrá verse a continuación, abundan las glosas populares de carácter no narrativo, y —cf. *infra* § 27— aun las narrativas son de hecho, líricas). En su reciente *Historia de la poesía líri-*

estróficos (la forma zejelesca, única estudiada, es la menos frecuente),[3 bis] a pesar de la importancia que se adjudica a las cuestiones métricas en la dilucidación de los comienzos de la lírica romance.

Ante todo importa, pues, ver de manera general qué y cómo son esas glosas populares, y, dada su estrecha dependencia respecto del villancico, el primer paso será un examen de *su relación con él:* hasta qué punto y de qué manera determina el villancico el contenido, la estructura y el lenguaje de la glosa. Tal es el objeto de este trabajo. Sólo de pasada nos ocuparemos de lo que es la glosa en sí misma. Su estructura métrica y musical y ciertos procedimientos estilísticos se comentan parcialmente en la primera parte; en cambio, se omite toda referencia a la ligazón —paralelismo, encadenamiento, etc.— entre una estrofa y otra.[4]

Las fuentes

Adoptar es adaptar. Cuando la poesía cortesana, hacia fines del siglo XV, abrió sus puertas a la canción rústica y callejera, no quiso dejarla entrar desaliñada como venía: le puso un vestido decente y a la moda, dejándole sólo la cabeza al descubierto. Con su nuevo ropaje (glosa al estilo cortesano), la intrusa pudo ya figurar dignamente al lado de damas y caballeros. Los músicos hicieron otro tanto: acep-

---

ca a lo divino en la cristiandad occidental (Madrid, 1958, p. 145, nota 31, y p. 184, nota 64), Bruce W. Wardropper se hace eco de tales juicios, que ahora me veo obligada a contradecir.

3 bis [Cf. el último ensayo de este libro.]

4 De las glosa paralelísticas y encadenadas sólo tomo en cuenta la primera estrofa, que es la que parte directamente del villancico: de ella surgen, por desenvolvimiento interno, las demás estrofas. (En todos los cantares paralelísticos recogidos y compuestos durante el Renacimiento la estrofa que inicia el movimiento repetitivo no es —a diferencia de lo que parece ocurrir en las cantigas d'amigo medievales— el núcleo básico de la composición, sino que deriva del villancico, en la misma medida en que derivan de él las demás glosas populares que en seguida estudiaremos).

taron la sencilla melodía, pero la revistieron de galas polifónicas. A esos músicos, sin embargo, no les preocupaba el
decoro de las palabras que acompañaban a la melodía, y
a menudo no esperaron a que les pusieran su vestimenta
cortesana. Así se colaron en el gran *Cancionero musical de
Palacio* buen número de canciones con sus glosas originales,
que en vano buscaremos en las compilaciones poéticas contemporáneas.[5] Durante el siglo XVI siguieron siendo los músicos los protectores por excelencia —ya no inconscientes, sino
deliberados— de la glosa popular; los polifonistas, un Juan
Vásquez sobre todo, o los anónimos del *Cancionero de Upsala*, y también los vihuelistas: Milán, Narváez, Mudarra, Valderrábano, Pisador, Fuenllana, Esteban Daza.

Protectores, y quién sabe si no también productores. Porque esos músicos —algunos eran a la vez poetas— pudieron
sentirse tentado a imitar las glosas populares, siguiendo su
técnica en parte facilísima. ¿Quién juraría que la glosa «Por
vida de mis ojos / y de mi vida...» es antigua y no de Juan
Vásquez? Hacía falta sensibilidad, compenetración con el
cancionero popular y una buena dosis de talento; todo eso
lo tenía Juan Vásquez sobradamente. Y no sería el único.

Años antes de que Vásquez compusiera sus «villancicos

---

[5] En glosas tan sencillas y folklóricas como, por ejemplo, las de
«Dentro en el vergel», «No pueden dormir mis ojos», «Miño amor, dexistes "¡ay!"» y «Buen amor, no me deis guerra» (F, 91, 308; 152, 555),
no logro percibir la mano de un refundidor culto, por más que mi gran
amigo Eugenio Asensio nos haya puesto sobre aviso al escribir: «La po-
lifonía sabia y complicada impulsaría a pulir los textos musicados
cuando su tosquedad y rudeza no armonizasen con el nivel musical.
Sin excluir el que contadas veces la intención satírica o de contraste
haya mantenido una pátina de rústico arcaísmo, ordinariamente se evi-
taría la inarmónica oposición entre palabras toscas y melodía [¿polifo-
nía?] refinada» (*Poética*, p. 157). Textos como los citados y otros muchos me hacen pensar que en tiempos del *Cancionero musical de Palacio* los músicos no sentían el escrúpulo de los poetas contemporáneos,
y solían aceptar sin más el texto que les venía a la mano. A propósito del romance del Prisionero dice Menéndez Pidal (*Romancero*, t. 2,
p. 45): «La versión acortada para el Cancionero musical [de Palacio]
es inferior..., desordenada y confusa; al músico no le preocupó el texto
de la canción». — Ver también *supra*, pp. 52, 57 y 130-133.

y canciones» vivió otro gran entusiasta de la canción folklórica; músico también, pero sobre todo dramaturgo, intercaló
en sus autos, farsas y tragicomedias un sinnúmero de canciones con encantadoras glosas al estilo antiguo: «Cuando
Gil Vicente, dice Eugenio Asensio, ha incluido un cantable
más dilatado —estribo y una o dos estrofas—, podemos dar
por asentado que... a lo menos ha transformado y adaptado
ampliamente la glosa» *(Poética*, pp. 170-171). La intervención
de Gil Vicente me parece muy probable en muchos casos
(cf. *infra*, § 39 y nota 30), aunque no necesariamente en todos,
pero sus esquemas siguen siendo casi siempre los tradicionales.

En la utilización de glosas de tipo arcaico ningún dramaturgo español, contemporáneo o posterior, iguala a Gil Vicente. Unas cuantas hallamos en Lope de Rueda, Diego Sánchez de Badajoz y, ya en el período clásico, algunas más en
comedias de Lope, Tirso y sus seguidores o en los «bailes»
anónimos.

Como es lógico, los cancioneros poéticos, particulares o colectivos, sólo por milagro nos ofrecen algún ejemplo, y lo
mismo cabe decir —con una única y notable excepción— de
los pliegos sueltos, casi siempre atentos a la moda aristocrática.

No podía faltar entre las fuentes el *Vocabulario de refranes* del maestro Correas, portentosamente rico en cantares
folklóricos, aunque en materia de glosas se nos muestra
más bien avaro.

En su conjunto, las fuentes nos ofrecen más de doscientas
glosas populares castellanas, gallegas, portuguesas y catalanas; muchas de ellas, sin embargo, aparecen demasiado frag-
mentarias o corrompidas para que sea fácil reconocer su
estructura; o dejan traslucir en exceso la intervención personal de un poeta culto; o son, por su temática y su estilo,
más bien populacheras y vulgares que tradicionales. Ninguna
de estas composiciones se ha tenido en cuenta aquí, y tampoco, por supuesto, las que constan de varias estrofas equivalentes, sin villancico (como las endechas «Parióme mi
madre...»). Estudiaremos en total ciento sesenta y cuatro

cantares cuya glosa puede considerarse de tipo popular, tanto
por su tema como por su estructura y estilo, y por su relación con el villancico. Poco importa, para el caso, que sean
arcaicas o tardías.

La mayoría de los cantares que se examinarán figura en
mi antología de 1966 (=F), que nos dispensa de multiplicar
las citas y de precisar las fuentes antiguas de los textos. Para
algunos cantares, remito a otras antologías y a los trabajos
de Romeu Figueras; [6] otros, no incluidos en ninguna de estas
publicaciones, requieren indicaciones bibliográficas. Una sola
versión (en los casos en que existen varias análogas) bastará
para los fines del presente trabajo. [7]

Los principales tipos

He dicho que la glosa popular —en contraste con la culta— es esclava fiel del villancico. De un modo general esta
afirmación es aplicable, en efecto, a todas las glosas que aquí
nos ocupan; en sentido riguroso, sin embargo, sólo le está
a cierto tipo. Porque hay que empezar a distinguir. Las glosas
populares pueden dividirse en dos grandes grupos: 1) las que

[6] José Romeu Figueras, «La poesía popular en los cancioneros musicales españoles de los siglos xv y xvi», *AnM*, 4 (1949), pp. 57-91; «El cosante en la lírica de los cancioneros musicales españoles de los siglos xv
y xvi», *AnM*, 5 (1950), pp. 15-61; «El cantar paralelístico en Cataluña. Sus
relaciones con el de Galicia y Portugal y el de Castilla», *AnM*, 9 (1954),
pp. 3-55 (abrevio, respectivamente, *Poes. pop.*, *Cosante*, *Catal.*, y doy el
número de la composición).

[7] Unas palabras más sobre las fuentes. Las ediciones modernas de
los cancioneros musicales no siempre nos proporcionan una lectura
correcta de las glosas; suelen repetir innecesariamente un verso, o bien
omiten —sin duda por creerlo mero relleno de una frase musical— la
repetición de un verso que en realidad forma parte del texto poético
(cf. *infra*, §§ 6, 16, notas 10, 19). Como es lógico, esos errores pasan después a las antologías. Se impone, pues, una revisión de la música, cosa
que he hecho en la mayoría de los casos. Más grave es lo que ocurre
con los cancioneros poéticos, obras dramáticas y demás fuentes antiguas, que a menudo registran incompleta u omiten del todo la repetición final del villancico: aquí no hay, por desgracia, posibilidades de
rectificación.

constituyen una versión ampliada del villancico, y 2) las que constituyen, frente a éste, una entidad aparte. Lo que llamo «versión ampliada del villancico» surge, ya por un despliegue de éste, cuyos elementos se repiten y amplían, uno tras otro, ya por un desarrollo que parte por lo general del primer verso del villancico. En ambos casos la glosa nace por un crecimiento orgánico del cantar-núcleo. Puede hablarse, en cambio, de «entidad aparte» cuando se rompe el cordón umbilical, o sea la dependencia textual. La glosa suele entonces colocarse en el mismo nivel del villancico y complementarlo prolongándolo o «dialogando» con él, o bien puede enfrentar al villancico una narración que lo explique.

Nuestro análisis de las glosas populares se guía por esta clasificación de procedimientos, que, como toda clasificación, podrá pecar a veces de rígida y arbitraria, pero que —confío— pondrá de manifiesto las líneas generales que seguían los autores de glosas. Comenzaremos por las glosas más fieles al villancico-núcleo, para estudiar luego las que logran cierto grado de emancipación. Finalmente, y a manera de apéndice, se examinarán en breve ojeada veintisiete cantares cuya «glosa» constituye la parte primordial, en cuanto al sentido, quedando el villancico reducido a mero estribillo-apoyo.

I. LA GLOSA ES VERSION AMPLIADA DEL VILLANCICO

1. *Despliegue*

§ 1. Las glosas que más estrechamente dependen del villancico son aquellas que, repitiendo uno por uno sus elementos, los despliegan o desdoblan por medio de adiciones. Los elementos —versos o hemistiquios— del villancico que se amplían son *siempre* los dos primeros, y al repetirse en las coplas aparecen invariablemente en sus versos impares. Cuando el villancico es un dístico, el despliegue suele ser total; cada verso recibe un compañero:

> Dícenme qu'el amor no fiere,
> mas a mí muerto me tiene.
>
> *Dícenme qu'el amor no fiere*
> ni con fierro ni con palo,
> *mas a mí muerto me tiene*
> la que traigo de la mano.
>
> *Dícenme qu'el amor no fiere*
> ni con palo ni con fierro,
> *mas a mí muerto me tiene*
> la que traigo d'este dedo.
>
> *(Cantares, p. 64).*

Los villancicos de tres o cuatro versos sólo alcanzan un desdoblamiento parcial, puesto que el último o los dos últimos versos se repiten sin ampliaciones. También se despliegan parcialmente algunos dísticos (y un terceto) cuyo primer verso se fracciona en dos partes que se repiten y amplían y después de las cuales reaparece, sin adiciones, el resto del villancico.

Tales son las modalidades de este procedimiento, del cual conozco veintiocho casos (todos, salvo dos, castellanos). A propósito de él ha hablado Eugenio Asensio de una «inserción del estribillo en la estrofa» y ha dicho que la estrofa «está bordada sobre el cañamazo» del villancico.[8] Examinemos el cañamazo y después el bordado.

---

[8] *Poética*, pp. 210-212 (cf. además, pp. 93, 95-98). Asensio estudia la estructura de los textos incluidos en *Cantares* (véase también mi Introducción a la edición de ese cancionerillo, pp. xl-l) y hace notar la originalidad de la fórmula que he llamado «despliegue». El la bautiza con el nombre de *rondel castellano*, que no creo del todo adecuado: existe una diferencia demasiado profunda entre nuestro procedimiento y el seguido en el rondel francés, no sólo por el lugar de la estrofa en que éste intercala el primer verso del estribillo, sino ante todo por el hecho de que ese verso constituye en general un elemento *extraño* dentro de la estrofa: «Prendes i garde s'on mi regarde; / s'on mi regarde, dites le moi. // *(Copla:)* C'est tout la jus en cel boschage / —*prendes i garde s'on mi regarde*— / la pastourele gardoit vache: / plaisans brunete, a vous m'otroi...» (Bartsch, *op. cit. supra*, p. 39, nota 1; p. 222); se produ-

a) *Despliegue total* (villancico de dos versos: copla de cuatro)

§ 2. Además del cantar citado, conozco otros once casos [8 bis] de despliegue total. Del mismo pliego suelto: «Enojástesos, señora», «Si los pastores han amores» y «Poder tenéis vos, señora» (F, 206, 334, 160). De otras fuentes: «Agora viniese un viento», «Alta estaba la peña», «No tengo cabellos, madre» (*supra*, p. 187), «Que si viene la noche», «Quien bien hila» (F, 131, 340, 191, 429; A-B, 470), «(Ay) Luna que reluces» (A-B, 247; *Romancerillos de Pisa*, 89; hay otra glosa distinta, *infra*, § 20), «Quien tal árbol pone» *(CMP*, 187; sólo la primera estrofa es popular); «Romero verde» (Lope de Vega, *AcadN*, t. 8, p. 75*a).* La repetición de los versos del dístico dentro de la estrofa es textual, salvo en los dos últimos cantares, que muestran una leve variación («razón es que llore»: «bien tiene que llore»; «Romero verde»: «Aquel romerico verde»).

§ 3. En todos estos casos la copla glosadora constituye una unidad cerrada, y —como puede verse en *CMP*, 187, *Cancionero de Upsala*, 19 y Vásquez, *Recopilación*, pp. 214 y *ss.*— posee su música propia (aunque a menudo derive de la del villancico). ¿Se repetía otra vez después de ella el villancico íntegro? Esto sólo consta en un caso *(CMP*, 187); en dos, no hay indicación alguna; en los demás, es evidente que se repite la música de todo el villancico, pero su primera parte está ocupada, no por el primer verso del villancico-dístico, sino por otro distinto, mientras que la segunda conserva su texto original (segundo verso del dístico). [9] La naturaleza de ese

---

ce, pues, una verdadera «intercalación» del estribillo, mientras que en los cantares españoles con despliegue la glosa constituye un desenvolvimiento orgánico de esos versos del villancico que en ella se repiten. El estribillo no se *inserta* realmente, sino que forma el núcleo mismo de la estrofa.

[8 bis] [Otro texto más, *infra*, p. 315, ejemplo *a.*]

[9] Es el procedimiento que P. Le Gentil llama *reprise en manière de refrain* y del cual se ocupa detenidamente en *La poésie*, t. 2, pp. 217, 250 *ss.*, 269 *ss.*, *passim*, y en *Le virelai*, pp. 57-74, *passim*. Esa repetición parcial del estribillo, que él supone de origen provenzal, «semble liée au développement du chant polyphonique» *(Le virelai*, p. 65 nota) y al pa-

verso que sustituye al primero del villancico es variable:
puede consistir simplemente en la repetición del último verso
de la copla (F, 334 y 340) [10] o de sus últimas palabras (F, 429),
pero puede también ser un verso nuevo:

> Poder tenéis vos, señora,
> de matar el amor en un hora.

> Poder tenéis vos, señora,
> y del rey dada licencia,
> de matar el amor en un hora
> sin espada y sin rodela.
> *Y sin rodela, señora,*
> de matar el amor en un hora.

> (*Cantares*, pp. 61-62; F, 160).

«Y sin rodela, señora»: se repiten las últimas palabras de
la copla y en seguida el final —que suele ser un vocativo—
del verso inicial del villancico. Lo mismo en otros tres cantares de este grupo (F, 206, 191; *Romancerillos de Pisa*, 89).
Ese verso «nuevo» [11] no dice nada y ni siquiera establece un

---

recer excluye, en la mayoría de los casos, la repetición íntegra del villancico. He aquí un problema grave. Si la *reprise en manière de refrain*
es en efecto un producto tardío, las muchas glosas de tipo popular y arcaico en que la encontramos —ya veremos otros casos— habrían adaptado su estructura, en ese aspecto, a la poesía musical cortesana de los
siglos XV-XVI. Su estructura sería híbrida. ¿Cómo saberlo? No podemos
por ahora sino describir los modos de ejecución propios de la música
renacentista, únicos que conocemos.

[10] Este último cantar, «Alta estaba la peña», se suele imprimir sin
la repetición: «y el trébol florido, / nace la malva en ella», que la música, sin embargo, pone de manifiesto (véase *Cancionero de Upsala*, música, p. 39).

[11] Lo encontramos también en otros cantares (cf. por ejemplo *infra*,
§ 15, y suele actuar de «verso de vuelta». En el presente caso, sin embargo, no cumple tal función, puesto que la glosa emplea, como es lógico, la misma rima del villancico. Creo que hay que relacionar propiamente este tipo de versos con el procedimiento culto del *mot-rime* (cf.
Le Gentil, *La poésie*, t. 2, pp. 250, 268, *passim*) más que con el *encade-
nado* de que habla Juan del Encina (Asensio, *Poética*, p. 211), pues este
último afecta a la relación entre verso y verso de un poema, y no —se-

enlace conceptual entre la estrofa y el villancico; es sólo un
relleno para la primera frase musical, en la cual, por algún
motivo, no se quería repetir el verso inicial del villancico.
El mismo carácter tienen otros versos-sustitutos que no emplean esa técnica (ej., F, 131).

b) *Despliegue parcial*

§ 4. Cuando el villancico tiene *tres* versos, la copla tiene
cinco, puesto que sólo los dos primeros se desdoblan:

> ¿Agora que sé d'amor
> me metéis monja?
> ¡Ay Dios, qué grave cosa!

> *¿Agora que sé d'amor*
> de caballero,
> agora *me metéis monja*
> en el monesterio?
> *¡Ay Dios, qué grave cosa!* (F, 120).[12]

En el mismo caso está «Encima del puerto» (A-B, 177); en
cambio, la glosa de «Quien amores ten / afinque-los ben»
(F, 230) añade dos versos más.

§ 5. El villancico de *cuatro* versos da, al desplegarse, una
copla de *seis:*

> Quien amores tiene
> ¿cómo duerme?
> —Duerme cada cual
> como puede.

---

gún parece— a la relación entre la glosa y su villancico (véase Juan del
Encina, *Arte de poesía castellana*, VIII).

[12] Este cantarcillo de la *Recopilación* de Vásquez suele escribirse en
versos largos (Henríquez Ureña; Anglés; A-B, 99). Interpretado así per-
tenecería al tipo de despliegue estudiado en el § 6. Cf. nota siguiente.

> *Quien amores tiene*
> de la casada
> *¿cómo duerme*
> la noche ni el alba?
> *—Duerme cada cual*
> como puede.[13]

Igual estructura en «Decilde al caballero» (*supra*, p. 247), «¿Si nos dais posada, / la mesonerica?» (Cotarelo, *Colección*, t. 2, 493*a*) y —con leve variación textual— «Señora la de Galgueros» (F, 444; otra versión en *El pretendiente al revés* de Tirso, I, 6).

§ 6. En cuatro cantares cuyo villancico es un dístico, el primer verso se divide en dos partes, que al desdoblarse dan lugar a los dos primeros versos de la copla; tras ellos, se repite el segundo verso del villancico, de modo que la estrofa es de tres versos: «Gritos daban en aquella sierra», «Salga la luna, el caballero» (*supra*, p. 183), «Abaja los ojos, casada» (F, 186, 367, 179) y el siguiente texto, que siempre se había impreso sin la repetición del final del villancico, atestiguada por la música:

> Dicen a mí que los amores he:
> con ellos me vea si tal pensé.

> *Dicen a mí* por la villa
> *que traigo los amores* en la cinta:
> *con ellos me vea si tal pensé* (F, 269).

Se verá que hay un cambio verbal («que traigo los amores» por «que los amores he»). De hecho, ninguno de estos can-

---

[13] También esta canción de Juan Vásquez (y «Decilde al caballero») se suele escribir en versos largos, o aun dividiendo en tres versos el villancico («Quien... / cómo... / Duerme...»). Escribiéndolo como he hecho se subraya la simetría métrica —6 + 4, 6 + 4— y verbal (*cómo duerme: como puede)* del villancico, apoyada por el ritmo musical (compases 3-5 : 31-33) [cf., sin embargo, *supra*, pp. 148 *ss.*]. Nuevamente es cuestión de interpretación; escrito en versos largos, este texto pasaría a la categoría siguiente.

tares sigue el esquema rígidamente. Los otros tres invierten, al desdoblarlos, los elementos del verso inicial, y aun omiten o cambian los artículos: «Salga la luna, el caballero... // *Caballero* aventurero, / *salga la luna* por entero».[14]

El mismo procedimiento vemos en «Salteóme la serrana», «Desciende al valle, niña» (F, 375, 362) y «A mi puerta nace una fonte» (*supra*, p. 133), con la diferencia de que la estrofa añade además un verso (en las dos primeras canciones) o dos versos (en la tercera).

También se fracciona y amplía con variaciones el primer verso del villancico *trístico* «Meu naranjedo non ten fruta...» (F, 343): «Meu naranjedo florido, / el fruto no l'es venido»; el resto del trístico se repite sin adiciones.

§ 7. La repetición forzosa del último o de los dos últimos versos del villancico inmediatamente después de desdoblarse sus dos primeros elementos da a las glosas con «despliegue parcial» una estructura distinta de la que hemos observado en los casos de despliegue total. Porque ese final del villancico queda ahora conceptualmente integrado a la copla misma. La estrofa con despliegue total termina con el cuarto verso, de rima distinta de la del villancico; para redondear la composición es indispensable repetir después el villancico (ya hemos visto en qué forma). En cambio, la estrofa con despliegue parcial termina con el final del villancico, y no hace falta nada más. La música subraya la redondez del poema, pues el final de la estrofa se canta con la música del villancico. Este puede repetirse luego íntegro (F, 375; Vásquez, *Recopilación*, II, núms. 2, 15, 18), pero la repetición no es forzosa.

---

[14] Perfectamente heterodoxo es el gracioso cantar «Morenica m'era yo, / dicen que sí, dicen que no» (*supra*, p. 188), en que, sin duda por capricho personal del poeta, se fracciona no el primer verso, sino el segundo, cuyos hemistiquios se repiten, no en los versos impares, sino en los pares, dando al traste, de pasada, con la rima habitual.

Técnica de la ampliación en el despliegue (total y parcial)

§ 8. La obligada reaparición del villancico dentro de la glosa determina el carácter de ésta: le marca fronteras, le impone una especie de freno. Apenas ha iniciado el vuelo la fantasía, se le cortan las alas; nunca va muy lejos, aunque su breve recorrido suele estar lleno de poesía.

En los versos o hemistiquios nuevos el poeta califica a los personajes y a las cosas con adjetivos y epítetos, o añade un paralelo, o introduce una acción. Le gusta sobre todo *concretar* lo abstracta y vagamente dicho en el villancico, precisar el lugar y el momento, la persona y el instrumento. [15] En unos cuantos casos la ampliación va más allá. F, 81, 230, 362 y 375 están ya cercanos al procedimiento que estudiaremos a continuación. Pero en general lo añadido se mantiene dentro de límites estrechos, y el «despliegue» parece por lo tanto la técnica ideal para la improvisación y para la imitación de glosas de tipo popular.

2. *Desarrollo*

§ 9. Muchos puntos de contacto tiene con el despliegue el procedimiento que he llamado «desarrollo». Como en aquél, la glosa amplía lo dicho en el villancico, se mantiene dentro de su órbita y aun suele acoger parte de su vocabulario. La diferencia esencial está en que ahora no se repiten todos los elementos del villancico, de modo que desaparece, de paso, el casi geométrico esquematismo de la glosa. Esto hace posible un desenvolvimiento más extenso que el permitido en

---

[15] He aquí unos ejemplos, a los que pueden añadirse los ya citados: «Casada, *pechos hermosos*, / abaja tus ojos *graciosos*» (F, 179); «Decilde al caballero, / *cuerpo garrido*, / que non se queje / *en ascondido*» (F, 155); «Si nos dais posada / *en vuestro mesón*, / la mesonerica, / *blanca como el sol*» (Cotarelo, *Colección*, t. 2, 493*a*); «En aquella sierra *erguida* / gritos daban *a Catalina*» (F, 186); «Quien bien hila / *y devana aprisa* / bien se le parece / *en la su camisa*» (F, 429); «Quien tal árbol pone / *fuera de su casa*, / bien tiene que llore / *toda la semana*» (CMP, 187).

el despliegue. La glosa, no sujeta ya al cañamazo del villancico, goza de mayor libertad —no siempre aprovechada— para añadir situaciones y personajes nuevos, para enriquecer el tema sucinto del villancico explicándolo o iluminándolo con nueva luz. Por ello mismo los esquemas y los tipos de desarrollo se multiplican.

§ 10. El desarrollo es el procedimiento más frecuente en el *corpus* de glosas estudiadas: lo encontramos en cincuenta y cuatro cantares [16] (33 por 100 del total). En la mitad de los casos las estrofas arrancan del comienzo del primer verso del villancico, repetido textualmente y adicionado (para completar el verso) con elementos más o menos estereotipados (cf. § 23); dieciocho glosas repiten íntegro el primer verso (entre ambos comienzos de estrofa hay, en realidad, poca diferencia); las restantes varían un tanto esa técnica.

§ 11.   He aquí un ejemplo muy sencillo (F, 342):

> En clavell, si m'ajut Déu,
> tan belles olors aveu!
>
> En clavell verd i florit,
> ma señora·us ha collit.
> Tan belles olors aveu!

La glosa es un brote del villancico; desarrolla la alocución a don clavel en forma brevísima pero a la vez significativa, puesto que ahora comprendemos que el poeta elogia la flor porque su amada la ha cortado.

Este fácil sistema de ampliación —el primer verso de un villancico dístico da lugar a dos versos, tras los cuales se repite el segundo del villancico— es el más frecuente. Lo encontramos idéntico en «Miño amor, dexistes "¡ay"», «Por vos mal me viene» (*supra*, p. 52), «Ya florecen los árboles, Juan» (*supra*, pp. 179 s.), «D'aquel pastor de la sierra» (F, 152,

---

16 [A los cuales hay que añadir ahora el ejemplo *b* citado *infra*, p. 315.

313, 72; A-B, 126), «Una senyora que açí ha» (Romeu, *Catál.*, 6) y, si lo escribimos en versos largos, «Por un pajecico del corregidor» (F, 194). Aparece con repetición íntegra del primer verso del villancico en «El amor que me bien quiere» (F, 103); con repetición del comienzo del villancico en el *segundo* verso de la copla: «¿De dónde venís, amores?» (F, 224), «Si viese e me levase» (*supra*, p. 183), «Sobre mi armavão guerra» (F, 187); con reiteración, no del comienzo, sino del *final* del primer verso, al comienzo de la copla: «A mi seguem os dous açores» (F, 188), o en su segundo verso: «De Monzón venía el mozo» (*CMP*, 34).

§ 12. La ejecución musical de estos poemitas es la siguiente: sólo el primer verso de la copla tiene música propia (aunque derivada de la del villancico; se canta dos veces); después se repite la música del villancico, cuya primera parte queda ocupada por el segundo verso de la copla y el resto por el segundo verso del villancico.

§ 13. El mismo tipo de desarrollo se encuentra también en algunos cantares cuyo villancico consta de tres o de cuatro versos:

> Abillat me trobaràs,
>   gentil Joana,
> del carbó que n'he venut
> questa setmana.

> Abillat me trobaràs
> ab un giponet de gas,
>   gentil Joana,
> del carbó que n'he venut
>   esta setmana (F, 416).

Hay otras dos canciones catalanas con el mismo esquema «No us cal per ací passar» y «La cansó que n'haveu dita» (Romeu, *Catal.*, 11 y 13) y una en castellano: «Alabásteisos, caballero» (F, 272) (las dos últimas tienen villancico de tres versos).

En total son, pues, diecisiete las glosas que concentran el desarrollo en un solo verso (o en verso y medio).

§ 14.   Pero el desarrollo puede extenderse sobre dos versos (o dos y medio):

>Dícenme que tengo amiga,
>   y no lo sé;
>por sabello moriré.

>Dícenme que tengo amiga
>de dentro de aquesta villa
>y aun qu'está en esta bailía,
>   y no lo sé;
>por sabello moriré (F, 128).

Igual esquema en «Pues que no me queréis amar» *(Cantares,* p. 74), con villancico de cuatro versos, y en «Perdida teño la color» (Romeu, *Cosante,* 64), con villancico de dos versos (Romeu lo escribe en tres), el primero de los cuales se repite en la copla en orden inverso («La color teño perdida»; véase *infra,* § 34, otra glosa de ese mismo cantarcillo). Ambas canciones tienen temática cortesana. Un caso análogo, aunque el desarrollo parte de la última palabra del villancico, es «De las dos hermanas, dose» (F, 65), cantar que nos demuestra que en estas composiciones los dos primeros versos de la estrofa monorrima se cantaban con la música (repetida) de la copla, y el tercero ocupaba el lugar del primer verso del villancico en la repetición de su música.

§ 15.   Cuando la ampliación abarca tres versos, puede surgir una estrofa de cuatro versos *abcb,* seguida del final del villancico: «Volava la pega y vaise» (F, 132); con variación del comienzo: «Andava la pega»); pero más a menudo encontramos, tras las cuatro versos de la copla, un verso nuevo que, como los estudiados en el § 3, combina el final de la copla con el del primer verso del villancico:

> Mira, Juan, lo que te dije:
> no se te olvide.
>
> Mira, Juan, lo que te dije
> en barrio ajeno:
> que me cortes una rueca
> de aquel ciruelo.
> De aquel ciruelo te dije:
> no se te olvide (F, 166).

También: «Mis ojuelos, madre», «Amor falso, amor falso» (F, 182, 255), «Ojos morenos» (A-B, 103); [17] con repetición parcial del *segundo* verso del villancico, «En Valladolid, damas» (F, 448); con repetición parcial del primer verso al *final* de la cuarteta, «Sañosa está la niña» (Gil Vicente: F, 67).

§ 16.   Todos estos cantares, salvo uno, tienen villancico de dos versos. En otros, con villancico de c u a t r o versos, la estrofa es también una cuarteta, a la cual sigue el villancico íntegro: «Por vida de mis ojos» (cf. *supra*, p. 268), o sólo su final (dos o tres últimos versos): «Rodrigo Martínez», «Agora que soy niña» (*supra*, p. 247), «Aquellas sierras, madre» (F, 590, 121, 94); además, la siguiente glosa desconocida de un conocido cantar:

> Esta noche le mataron
> al caballero,
> a la vuelta de Medina,
> la flor de Olmedo.

---

[17] El texto de «Ojos morenos» está mal transcrito en la edición de la *Recopilación* de Vásquez. Su verdadera forma es: «Ojos morenos, / ¿cuándo nos veremos? // Ojos morenos, / de bonica color, / sois tan graciosos / que matáis d'amor. / *De amor, morenos*, / ¿cuándo nos veremos?» (después, como tan a menudo en Vásquez, se repite otra vez el villancico entero).

> Esta noche le mataron
> los seis traidores:
> bien es, señora mía,
> la muerte llores
> del caballero,
> a la [vuelta de Medina,
> la flor de Olmedo.]

> Esta noche le mataron
> con emboscada,
> con escopetas fieras,
> no con espadas,
> al caballero, etc.[18]

§ 17. Este tipo de desarrollo amplio del primer verso del villancico se encuentra en ciertas canciones de baile, con dos peculiaridades: los tres o cuatro primeros versos en la estrofa son monorrimos, y el último rima con el villancico (estrofa zejelesca); parte del villancico va intercalada entre verso y verso de la copla. Es el esquema de «Di qué tienes, la Catalineta», inserto en el anónimo baile de *Pásate acá compadre* (Cotarelo, *Colección*, t. 2, p. 493*b*), y de dos cantares que probablemente son de Lope de Vega: «Este niño se lleva la flor» (F, 469) y «A la viña, viñadores» (*Acad*, t, 2, página 184). Sin intercalación del estribillo: «Si merendares, comadres» (Tirso de Molina: F, 579).

§ 18. En los treinta y siete ejemplos hasta ahora aducidos, el desarrollo de la glosa parte formalmente de un elemento del villancico (por lo común el primero), aun cuando desde el punto de vista del sentido los demás versos puedan estar implícitos en el desarrollo (la glosa de «Mis ojuelos, madre»,

---

[18] Figura en una versión inédita del *Baile del Caballero de Olmedo* atribuido a Lope de Vega, y se encuentra en un cancionero ms. de 1615. A la gentileza de don Antonio Rodríguez-Moñino, dueño del valioso manuscrito —cf. su descripción en *NRFH*, 12 (1958), 181-197—, debo el conocimiento de esta pieza, que prueba a maravilla el hecho de que en el siglo XVI seguían componiéndose glosas de confección tradicional. La pieza está en el fol. 296 vº. Cf. *infra*, § 26.

F, 182, amplía la idea del segundo verso, «valen una ciudade», etc.). Nos queda ahora un grupito de cantares cuya glosa desarrolla formalmente dos (pocas veces tres) elementos del villancico, casi siempre sus dos primeros versos. Para mayor claridad pongo lado a lado el villancico y la glosa.

§ 19.   Cuando el villancico es un d í s t i c o la estrofa suele constar de dos versos, seguidos del último del villancico (estructura musical como la estudiada en el § 12):

De los álamos vengo, madre,	*De los álamos* de Sevilla,
de ver cómo los menea el aire.	*de ver* a mi linda amiga.
	De ver cómo los menea el aire
	(F, 346).

Dame el camisón, Juanilla,	*Dame el camisón* labrado,
mas dame hora, Juana, la ca-	*mas la camisa* que me has to-
[misa.	[mado:
	dame hora, Juana, la camisa
	(F, 148).

Análogo procedimiento en «Paséisme ahor'allá, serrana» y en «Este é maio, o maio é este» (F, 373, 357); el orden de los versos se invierte y el villancico se repite entero al final en «Tales ollos como los vosos» (*supra*, p. 187).

§ 20.   Puede haber adición de uno o dos versos, seguidos nuevamente por el último del villancico (estructura musical como en el § 14):

¡Ay, luna que reluces,	*¡Ay, luna* [a]tán bella,
toda la noche m'alumbres!	*alúmbresme* a la sierra
	por do vaya y venga!
	¡Toda la noche m'alumbres!
	(F, 366).[19]

---

[19] *Cancionero de Upsala*, p. 54; en la edición se repite erróneamente el primer verso del villancico después de la estrofa: la música muestra que en el lugar de ese verso va «por do vaya y venga». He puesto «atán bella» porque así suena al cantarse y la forma era usual en la época.

Lo mismo «En la fuente del rosel» (*supra*, p. 262) y «Descendid al valle, la niña» (A-B, 106; añade dos versos; véase la otra versión, estudiada en el § 6).

§ 21.   Menciono aparte tres famosos cantares, que tienen la peculiaridad de que desglosan el primer verso del villancico, convirtiéndolo en dos (como en los casos citados en el § 6): 1) F, 110, en que el segundo verso del villancico no hace sino repetir el comienzo del primero:

Al alba venid, buen amigo,   *Amigo* el que yo más quería,
   al alba venid.   *venid al alba* del día.

2) «Entra mayo y sale abril» (F, 358), que añade dos versos, y 3) la canción de la cervatica (F, 82), que, como en los casos del § 20, desarrolla además el segundo verso del villancico y agrega otro:

Cervatica, que no me la vuelvas,   *Cervatica* tan garrida,
que yo me la volveré.   *no enturbies* el agua fría,
                                   que he de lavar la camisa
                                   de aquel a quien di mi fe.

(*no enturbies*=*no me la vuelvas*; *que he de lavar...*: *que yo me la volveré*). Esta canción y «Al alba...» repiten íntegro el villancico después de cada estrofa.

§ 22.   Cuando el villancico es un t e r c e t o, hay varias posibilidades: la copla desarrolla los dos primeros versos al comienzo de la copla: «Llaman a Teresica» (F, 552), o al final de ella: «No sé qué me bulle» (F, 528) además añade dos versos nuevos y el último del villancico. O bien se desarrollan los versos 1 y 3, en orden inverso: «Quién vos había de llevar» (F, 159). También puede haber desarrollo de los tres versos, como en F, 295:

Y la mi cinta dorada,   *La mi cinta* de oro fino
¿por qué me la tomó   *diómela* mi lindo amigo [v. 3],
quien no me la dio?   *tomómela* mi marido [v. 2].
                                  ¿Por qué me la tomó...?

Algo análogo ocurre con «Levantóse un viento» (A-B, 303), si acaso se trata de un villancico con su glosa y no de dos cancioncitas distintas.

Técnica estilística del desarrollo

§ 23. Se ha visto que muchas glosas del presente grupo repiten el comienzo del primer verso del villancico y le añaden un elemento nuevo. Se procede aquí con bastante uniformidad. Cuando en ese comienzo se menciona una persona o una cosa, las más veces el nuevo elemento será un calificativo: «A la viña tan *garrida*» (es el adjetivo preferido), «Una senyora *del cors gentil*», etc. (F, 78, 82, 152, 295, 342...). Cuando el elemento que se conserva del primer verso es un verbo, su sujeto o su complemento original es sustituido por otro análogo o distinto: «Ya florecen los árboles»: «los almendros» (F, 72); «Sobre mí armávão guerra»: «ármão prefia» (F, 187); «Paséisme ahor'allá, serrana»: «Paséisme ahor'allende el río» (F, 373); «Alabásteisos, caballero»: «Alabásteisos en Sevilla» (F, 272).

§ 24. En cuanto a los demás elementos del desarrollo, su importancia varía, sin que ello dependa necesariamente del número de versos de la copla: un solo verso puede decir lo que no dicen cuatro. Así, algunas glosas, más que desarrollar, sólo repiten de otra manera la idea contenida en el villancico: es el caso de «Por vida de mis ojos» (F, 156), el de «Dame el camisón, Juanilla» (§ 19), «Este é maio...», «¿De dónde venís, amores?», «Al alba venid, buen amigo» (estrofas 1-2), «Tales ollos como los vosos», y hasta cierto punto, también de «Agora que soy niña». Otras veces la glosa se limita a añadir un paralelo a la acción expresada en el villancico: a «peiné mis cabellos», «me puse camisa labrada de negro» (A-B, 242); a «pues que no me queréis amar», «y así me queréis olvidar...» (*Cantares*, p. 74).

§ 25. Casi siempre, sin embargo, la función de la glosa es más importante. Suele, por ejemplo, precisar aquello que el villancico ha expresado de manera vaga y general. El procedimiento se parece a veces al estudiado en el § 8, como cuando el carbonero describe la prenda de vestir que ha de comprarse («Abillat me trobaràs», § 13), cuando se concreta el lugar en que están la amiga desconocida («Dícenme que tengo amiga», § 14) o los dos azores (F, 188), o se dice quiénes y cómo mataron al caballero (§ 16), quién y cómo es el rey (F, 448), cómo son los ojos y qué premio merecen (F, 182), etcétera.

Otras glosas, además de emplear esos elementos, son más generosas. Si el villancico ha aludido vaga o aun misteriosamente a un hecho, las estrofas revelan cuál es: ¿de qué se ha alabado el caballero aragonés? (F, 272), ¿qué es lo que Juan no debe olvidar? (§ 15). Del mismo modo se nos explica por qué silba Rodrigo Martínez a las ánsares (F, 590) y la oscura súplica a la cervatica (§ 21). Estas glosas están emparentadas con las glosas explicativas que se estudiarán adelante, y «Por vos mal me viene» (*supra*, p. 52) guarda relación con las examinadas en el § 29, puesto que el villancico anuncia el parlamento de la glosa («niña, y atendedme»).

Los elementos nuevos de la glosa suelen añadir intensidad y énfasis emotivo, a veces por medio de un curioso procedimiento: el villancico ha evocado o invocado al clavel, a los álamos, a la sierra, y como por sorpresa la glosa asocia con ellos al ser amado: la señora, la linda amiga, los amores (§§ 11 y 19; F, 94). Es decir, que la glosa contiene una especie de *pointe*. No se trata ya del desenvolvimiento de las ideas implícitas en el villancico, sino de la adición de un elemento inesperado e importante, que proyecta nueva luz sobre el villancico.

Así, en varios casos de desarrollo la glosa deja de ser esclava sumisa del villancico; adquiere cierto peso y dignidad. Sin embargo, aun ahí sigue ligada al villancico, no sólo por la repetición de sus primeras palabras, sino también porque

conserva su tono y su espíritu, porque, como él, describe
o relata, lamenta o confiesa, reprocha o pregunta. [20]

2. *La glosa es una entidad aparte*

§ 26. De las ciento sesenta y cuatro glosas estudiadas en
este trabajo, ochenta y dos, o sea la mitad, constituyen una
versión ampliada del villancico, ya porque despliegan sus dos
primeros elementos, ya porque lo desarrollan, partiendo casi
siempre de su comienzo. Las glosas restantes no surgen ya
orgánicamente del villancico, sino que constituyen, por decir
así, una entidad aparte de él. Sigue en pie, por supuesto, la
relación temática (salvo en los casos examinados en el § 39
y en algunos del § 41), y a veces se mantiene también parte
del vocabulario del villancico. En la gran mayoría de los
casos éste continúa siendo, además, el punto de arranque,
el germen esencial de la composición. La diferencia está en
que la glosa, al no depender textualmente del villancico, cobra
frente a él un relieve muy especial.

Volvamos sobre la canción del caballero de Olmedo re-
producida en el § 16: las estrofas parten del primer verso,
«Esta noche le mataron», y precisan las circunstancias de
esa muerte (los causantes, las armas empleadas, la embosca-
da). Comparemos esa versión con la otra, ésa sí conocida,
que Lope incluyó en su famosa comedia (F, 323):

[20] Sólo en «Rodrigo Martínez» (F, 590) el relato pasa de la tercera
persona (villancico) a la segunda. Un caso anómalo es el de «Buen
amor, no me deis guerra» (F, 555): la copla repite, variándola, la idea
implícita en el villancico, pero sin que haya entre ambas partes más
coincidencia textual que la palabra *noche*. Por otro lado, hay algunas
canciones cuya glosa comienza con las primeras palabras o aun con el
primer verso del villancico y que sin embargo no pueden considerarse
como casos de «desarrollo» (en el sentido que aquí damos a la palabra).
Ni de «Tres morillas m'enamoran» (incluida en el § 28), ni de «En Avila,
mis ojos», «Teresica hermana», «Perdí la mi rueca» y «Señor Gómez
Arias» (mencionados en el Apéndice) puede decirse que la glosa sea
«versión ampliada» del villancico.

Que de noche le mataron
al caballero,
la gala de Medina,
la flor de Olmedo.

Sombras le avisaron
que no saliese
y le aconsejaron
que no se fuese.
El caballero,
la gala de Medina,
la flor de Olmedo.

Nótese que la glosa constituye un texto aparte, que presupone el del villancico, pero que no toma de él, en este caso, ni una sola palabra; lo que hace es c o n t i n u a r por su propia cuenta el relato inicial, en el mismo metro, con el mismo tono narrativo. Se produce, pues, una especie de nivelación estilística y conceptual entre ambos elementos. Si no fuera por la repetición final y porque nos consta que la primera cuarteta era un cantar independiente, susceptible de ser glosado de varias maneras, diríamos que en vez de un villancico con su glosa tenemos aquí dos estrofas paralelas y estructuralmente equivalentes.

§ 27.   Pero éste no es, en realidad, sino un tipo posible —poco común además— de glosa-entidad aparte. Otra manera de ponerse a la altura del villancico consiste en dialogar con él, de tal modo que glosa y villancico constituyan un solo cuerpo continuo. En ambos casos puede decirse que la glosa es un complemento del villancico. Con mucha mayor frecuencia, sin embargo, esas glosas cumplen una función distinta: la de e x p l i c a r , casi siempre con un relato, el por qué de lo dicho en el villancico. Desaparece aquí la nivelación de ambas partes y aun surge una radical oposición estilística entre ellas: frente al lirismo del villancico, la narración casi «épico-lírica» de la glosa, cuya técnica, metro y distribución de rimas hacen pensar a menudo en los romances y romancillos viejos, aunque, desde luego, los versos se agrupan siem-

pre en estrofas (cuartetas o en ocasiones sextillas) y las más
veces ocurre un cambio de asonancia de estrofa en estrofa.

Entre las glosas que complementan al villancico y las que
lo explican narrativamente hay, pues, diferencias fundamentales, pero ambas coinciden en su independencia textual respecto del villancico, independencia que, en cuanto al sentido,
les confiere mayor importancia dentro del conjunto de la
composición. Salvo en casos como «Que de noche le mataron», la diferencia textual tiene como corolario una diferencia
métrica. La estructura estrófica de las coplas ya no es consecuencia de la del villancico o del grado en que éste se ha
desarrollado: es independiente y, por lo tanto, no interesa
para el estudio de las relaciones entre glosa y villancico. [21] Así
pues, el enfoque deberá ser distinto del empleado hasta ahora.
Lo que haremos será confrontar el contenido y el carácter
de las estrofas con los del cantar inicial.

1. *La glosa es complemento del villancico*

a) *Glosa continuadora*

§ 28. No son muchas las glosas que, como la del caballero de Olmedo, prolongan el villancico conservando su estilo
y su forma métrica: «Si dormís, doncella» (F, 369), «No me
habléis, conde» (F, 84), «Al tu amor, Juanica» *(Cartapacios*

---

[21] Por lo demás, las formas estróficas de estas glosas son bastante
uniformes. Predominan, como he dicho, las cuartetas romanceadas, y
entre ellas, las hexasilábicas. La otra forma importante es la copla monorrima, casi siempre octosilábica; el dístico domina con mucho sobre
el terceto y la cuarteta; el zéjel es poco común. [Cf. el artículo que sigue a éste.] En cuanto a la repetición del villancico al final de las estrofas, se corrobora lo observado en nuestro primer grupo: mucho más
frecuente que la repetición íntegra es la de su final, quedando la música de su comienzo ocupada por una parte de la glosa, o por uno o
dos versos nuevos.

salmantinos, p. 312) y un curioso cantar del cual conozco
dos versiones. [22]

Non boteis a mi nina fora,
miña mai, que ela se irá:
que es de note y face obscuro
e mi nina se perderá.

Daisme, miña mai, cariño,
y despois votáisme fora.
¿Dónde irá mi nina agora
que no cheve mal camiño?
Si ficiere un desatiño,
a culpa vosa será:
que es de note y face obscuro
e mi nina se perderá.

[... ... ...
... ...
que é di noite, chove e faze
                    [escuro
[e] mi niña [se] perderá.]
5 Vos, miña mai, e detaisme
                    (fora
e depois pelejais conmigo:
¿donde me irei eu triste ago-
                    (ra,
que não corr[a] algun peri-
                    (go?
Si me furtão no [?] camiño
10 a culpa ¿cúya será?
que é di noite, chove e faze
                    (escuro
[e] mi niña [se] perderá.
Vos, miña mai, e sois muito
                    ([sañosa]
e muito má de sofrer,
15 que se eu me for a perder,
vos sereis a perdidosa.
Ollai, mai, que sou fermosa,
algun me podrá hurtar:
que [é] de noite...

---

[22] La más breve está en el *Baile del Sotillo de Manzanares* (Cotarelo, *Colección*, t. 2, p. 481*ab; corrijo *noite* por *note* a base de la ed. original del *Baile*). La más larga y corrompida figura en la p. 107 de la copia que B. Croce hizo del *Cancionero del Duque de Alba* (1622-1635), conservada en la Bibl. Nac. de Nápoles, sign. I-E-65 (cf. B. Croce, *Illustrazione di un canzoniere manoscritto italo-spagnuolo del secolo xvii*, Napoli, 1900, que no he podido consultar). A base de la otra versión escribo este texto en versos largos; hago además algunas correcciones: 12 decía *a mi niña perdená; v. 5 repetía *vos miña mai; v. 8 decía *naon corre; v. 9 *furtaon; v. 13 *muito forte* (imposible por la rima). En el v. 20 leo *comeste chapi* (?).

> 20 Se lá vou com este...
> eu vos faré vir chorando:
> moça que não faz o qu'eu
>   (mando
> en miña casa no entrará
> Que [é] de noite...

Creo que con este tipo de cantares puede asociarse el famoso de las «Tres morillas» (F, 101), cuyas coplas comienzan con repetición textual del principio del villancico, pero continúan con una serie de símbolos eróticos el «m'enamoran» del villancico.

§ 29. En algunos cantares el villancico anuncia un parlamento, que luego aparece en la glosa:

> Não me firais, madre,
> que eu direi a verdade:
>
> Madre, um escudeiro
> da nossa rainha
> falou-me d'amores, etc.[23]

Lo mismo en «Por amores lo maldijo» (F, 322).

§ 30. También puede ocurrir lo contrario: el parlamento está en el villancico; la glosa lo anuncia de manera tácita o expresa presentando al personaje que lo emite; véase este ejemplo (F, 76):

> Gentil caballero,
> dédesme hora un beso,
> siquiera por el daño
> que me habéis hecho.

---

[23] G. Vicente, F, 137. La otra versión de este cantar, recogida por Juan Vásquez, tiene distinto carácter y se menciona *infra*, § 36. Asensio, *Poética*, pp. 171-172, cree «más cercana al arquetipo» la versión de Vásquez y ve en la de Gil Vicente una elaboración personal.

Venía el caballero,
venía de Sevilla,
en huerta de monjas
limones cogía,
y la priorésa
prenda le pedía...

«Gentil caballero...» es lo que dice la prioresa al intruso. Desde el punto de vista del sentido, el villancico debería ir después de la copla. Otro tanto ocurre con «Aquella mora garrida» (*supra*, p. 219) y posiblemente con «Aquí no hay / sino ver y desear» (*supra*, p. 185) y con «Vayámonos ambos» (F. 98: *supra*, p. 197), si admitimos que las palabras del villancico son pronunciadas, respectivamente, por el caballero desairado y por Felipa y Rodrigo. En «Pues bien, ¡para ésta!» (F, 114) tenemos otro caso de posposición semántica del villancico, [24] y lo mismo en «Quem é a desposada» de Gil Vicente (*Copilaçam*, fol. 30 rº).

b) *Diálogo entre villancico y glosa*

§ 31. Puede haber una especie de diálogo entre villancico y glosa aun cuando ambas partes están puestas en boca de una misma persona: «¿Con qué la lavaré...? : ...con ansias y dolores» (*supra*, p. 197), «¿Por qué me besó Perico...?: Dijo qu'en Francia se usaba...» (A-B, 94), o bien:

[24] Es una composición más compleja que las estudiadas aquí. «Pues bien, ¡para ésta! / que agora venirán / soldados de la guerra, / madre mía, / y llevarme han» (villancico) es lo que exclama la niña después de protestar (estrofa 1.ª) porque no la han casado; el primer verso y el comienzo del segundo se van sustituyendo, al repetirse el villancico tras cada estrofa, por otros concordes con el sentido de ésta (procedimiento frecuente en las glosas cultas): «—...hija, por tu vida, espera... / —¿Que espere, que sufra? / pues agora venirán...» (estrofa 2), etc. En las estrofas 2 y 4 se establece entre la copla y la letra cantada con la música del villancico un diálogo (madre e hija) parecido al que examinaremos en seguida.

Por una vez que mis ojos alcé
dicen que yo lo maté.

Ansí vaya, madre,
virgo a la vegilla
como al caballero
no le di herida... (F, 181).

Pero es más frecuente el diálogo efectivo de una persona
con otra: «—Donde vindes, filha...? —De lá venho, madre»
(F, 92; Asensio, *Poética*, p. 173, la cree del dramaturgo),
«—Cobarde caballero, / ¿de quién habedes miedo? —...De
vos, mi señora...» (F, 149). [25] Invirtiendo el orden (de nuevo
el villancico se coloca conceptualmente detrás de la copla):
«—Mi ventura... —¿Quién os trajo...?» (A-B, 33); «—Que no
me desnudéis... —...dejaredes la prenda...» (*supra*, p. 191 s.).
En este último caso no hay ya pregunta y respuesta, sino que
el villancico contiene la réplica de una persona a las palabras
que otra le dirige en la copla. Otro tanto vemos en un desconocido cantar, que el músico Cárceres incrustó en su ensalada *La trulla* (Flecha, *Ensaladas* 1581, fols. 33 vº-34 rº;
F, 433):

—Solo, solo,
¿cómo lo haré yo todo?

—Doñabad, a mi casa iredes,
mi mujer vos la visitaredes,
la mi gente vos me la manternedes,
mis hijuelos vos me los criaredes.

---

[25] Se ha malinterpretado la estructura de este cantar. La música de
Juan Vásquez muestra a las claras que debe leerse así: «—Cobarde caballero, / ¿de quién habedes miedo? // *(glosa:)* ¿De quién habedes miedo, / durmiendo conmigo? / —De vos, mi señora, / que tenéis otro amigo. / —¿Y d'eso habedes miedo, / cobarde caballero? / Cobarde caballero,
/ ¿de quién habedes miedo?» La edición moderna de la *Recopilación*
de Vásquez, p. 41, incorpora erróneamente «durmiendo conmigo» al villancico, dejando una estrofa informe. Romeu, *Cosante*, p. 46, nota 2,
culpa a Juan Vásquez, pero Fuenllana (fols. 162 vº - 163 rº) no hizo sino
adaptar para voz sola y vihuela el cantar polifónico «de Iuan vazquez».

—Alahévos, solo todo:
solo, solo,
¿cómo lo haré yo todo?

—El comer esté aparejado,
con sazón lo cocido y asado,
y el corral bien barrido y regado,
y si hay falta, vos habréis mal recaudo.
—Alahévos, solo todo, etc.

§ 32. El villancico anterior se encuentra también sin esta glosa en Fernández de Heredia y en el *Vocabulario* de Correas. Parece, sin embargo, que esas coplas, milagrosamente conservadas, explican su existencia. ¡Cuántos de aquellos breves villancicos que la literatura del Siglo de Oro nos conserva sueltos o con glosas de tipo culto nacerían acompañados de estrofas que los justificaban! Ese «No quiero ser monja, no, / que niña namoradica so», por ejemplo, ¿no se concibe como respuesta al parlamento de una madre demasiado celosa? Dada la evidente pérdida de muchas glosas antiguas, hay que tener presente, al menos, esa posibilidad. Y nótese que en los casos que acabamos de mencionar, y muy especialmente en los de los §§ 30 y 31, la «glosa» —el nombre resulta aquí inadecuado— es tan indispensable como el villancico mismo y más parece ser el origen de ese villancico que no un apéndice o derivado de él. En este sentido, varias de las glosas que complementan el villancico (son veintidós en total) difieren radicalmente, no sólo de las que lo despliegan o desarrollan, sino también de las glosas explicativas que se examinan en seguida.

2. *La glosa explica lo dicho en el villancico*

§ 33. Más que explicar lo dicho en el villancico (su idea), explica el *porqué* de lo dicho: «Un amigo que yo había / "sega la herba" me decía» nos está relatando el hecho que

motivó la enfática exclamación del villancico: «¡No me llaméis "sega la herba", / sino morena!» (*Supra*, p. 189.)

Son nada menos que treinta y cuatro (el 20,7 por 100 del
total) las glosas explicativas de nuestra colección. Su carácter narrativo, a menudo circunstanciado, «holgado» podríamos decir, contrasta con el lirismo y la concentración de los
villancicos. Esa ruptura de tono, tanto más notable cuanto
que el hablante es siempre el mismo en ambos elementos,
distingue a estas glosas de todas las demás, salvo las incluidas en el § 30.

§ 34.   La diferencia salta a la vista aun cuando el villancico mismo relata o describe:

> Malferida va la garza
>   enamorada,
> sola va y gritos daba.

> A las orillas de un río
> la garza tenía el nido;
> ballestero la ha herido
>   en el alma:
> sola va y gritos daba (F, 309).

Manteniendo el simbolismo del villancico, la glosa explica el
origen de la herida y de los gritos y precisa las circunstancias. Al mismo tipo pertenecen «Perdida traigo la color»
(cf. § 14), «Gritos daba la morenica», «Del rosal vengo, mi
madre» (F. 139, 321, 344), «Peinadita traigo mi greña» (*infra*,
página 318), «Que ya as doncelas de León» (Tirso de Molina, *Habladme en entrado*, I, 11).

§ 35.   Veamos qué ocurre con otros tipos de villancico,
por ejemplo con los que contienen una interpelación. [26]

---

[26] No considero como villancicos interpelativos los que llevan en sus
primeros versos la palabra *madre* cuando es evidente que se trata de
un mero *cliché*, que no supone de manera alguna un «diálogo» con la
madre (como cree Le Gentil, *La poésie*, t. 2, p. 258). Sólo cuando ésta
desempeña un papel efectivo dentro de la canción (como en F, 136, y
en el texto cit. *supra*, § 28) puede concederse valor real a la palabra.

Llamáisme villana:
¡yo no lo soy!

Casóme mi padre
con un caballero,
a cada palabra
«hija de un pechero».
¡Yo no lo soy! (F, 290).

Después de dirigir su protesta al marido, tal parece como si la malcasada se volviese a un supuesto público para explicarle en alta voz por qué ha dicho aquello. La misma impresión nos causan otros cantares castellanos: «No me las enseñes más», «No me llaméis "sega la herba"», «¿Qué razón podéis tener?» (F, 180, 205, 254), «Vos me matastes», «Labradorcico amigo», «No querades, fija» (F, 161, 335, 285), «Ardé, corazón, ardé» (F, 298; glosa más lírica), y también un cantar portugués: «Apartar-me-ão de vós» (F, 239). [27]

§ 36. Pero el hablante no siempre vuelve las espaldas a la persona interpelada: a ella misma puede darle la explicación. Así, en «Buscad, buen amor, / con qué me falaguedes, / que mal enojada me tenedes: // Anoche, amor, / os estuve aguardando..., / y vos, buen amor, / con otra holgando» (F, 225; *supra*, p. 196); o también: «No me firáis, madre» (*supra*, p. 185); cf. la otra versión, § 29), «Si lo dicen, digan» (A-B, 36). (Estos cantares tienen ciertas semejanzas con los de glosa continuadora, la cual, empero, no explica al villancico.)

§ 37. En el grupo más nutrido de cantares con glosa explicativa el villancico no contiene, sin embargo, un relato objetivo o una interpelación, sino un grito lanzado al aire:

¡Olvidar quiero mis amores,
que yo quiérolos olvidar!,

27 [Ver ahora también el «Não me quer casar minha may», cit. *infra*, pp. 315 s.]

y luego, como si dijera «quiero olvidarlos porque ha ocurrido lo siguiente»:

Los mis amores primeros
no me salieron verdaderos,
sino falsos y lisonjeros:
que yo quiérolos olvidar (F, 267).

Y así hay otros quince cantares más. Casi todos tienen un villancico exclamativo o enfático: «¡Ay, que non hay...!» «Corten espadas afiladas», «Dentro en el vergel», «Por mi vida, madre», «Que yo, mi madre, yo», «Quiero dormir y no puedo», «Si me llaman, a mí llaman» (F, 318, 235, 91, 270, 184, 150, 185), «¡Cuándo saldréis, alba galana!» (F, 360; y las versiones de *Romancerillos de Pisa*, 89, y B.N.M., ms. 3913, fol. 50 vº), «Já não quer minha senhora» y «Volvido nos han, volvido» (G. Vicente, *Copilaçam*, fols. 174 rº y 204 rº). Algunos preguntan: «¿Cuál es la niña?» (F, 74), «¿Dó va la niña?» (*Romancerillos de Pisa*, 36). «¿Qu[é] habrá sido mi marido?» (F, 558: canción picaresca); otro sentencia: «El que amores no sirve...» (*Cantares*, pp. 65-66); otro simplemente afirma: «Que non sé filar...» (F, 537).

Glosa narrativa no explicativa

§ 38.   Hay una serie de cantares que siguen los procedimientos descritos en los párrafos anteriores —villancico: interpelación o grito lanzado al aire; glosa: relato de un suceso— y en que, sin embargo, las coplas no explican propiamente lo dicho en el villancico, aun cuando conservan relación con él: «Na serra de Coimbra / nevava e chovia» no explica el refrán del villancico: «Quando aqui chove e neva, / que fara na serra?» (G. Vicente, *Copilaçam*, fol. 172 rº). En Gil Vicente encontramos varios otros casos como ése: «Qué fermosa caravela!», «Blanca estáis, colorada», «Estánse dos hermanas» (con estribillo pospuesto) (*Copilaçam*, fols. 148 rº, 37 vº, 106 rº), «Vanse mis amores, madre», «Mal haya quien los envuelve» (F, 243, 234). En la última canción, villancico y glosa hablan de cosas muy distintas, y el nexo entre ambos parece reducido a la frase «los mis amores». Pero no sólo en Gil Vicente encontramos ese tipo de glosas muy laxamente unidas al villancico: «No pueden dormir mis ojos» y «Niña y viña, peral y habar» (F, 308, 73) son casos análogos.

§ 39. Y aún falta ver un grupito de cantares en que el lazo de unión entre villancico y glosa desaparece por completo:

> Pase el agoa,
> ma julieta dama,
> pase el agoa,
> venite vous a moi.
>
> Ju m'en anay en un vergel,
> tres rosetas fui culler.
> Ma julioleta dama,
> pase el agoa,
> venite vous a moi.[28]

¿Qué relación hay asimismo entre «No puedo apartarme / de los amores, madre...» y «María y Rodrigo / arman un castillo» (F, 126), entre «Aunque me vedes...» y «Una madre que a mí crió...» (*supra*, p. 133)? ¿Qué tienen que ver los barcos que «no me valen» con las mozuelas lavanderas (F, 386)?, ¿qué el galán de F, 443 con el baile del polvico? ¿Cómo se explica el rechazo de la niña (F, 80) si luego se va a bañar con el caballero?

En estos casos es difícil saber si la falta de conexión entre villancico y glosa se debe al estado fragmentario de ésta o a una «contaminación» de dos textos diversos. [29] Y aun hay,

---

[28] *CMP*, 363. Barbieri desconoció su estructura, revelada por la música. El segundo verso proviene sin duda de un «ma joliette dame»; la fragmentaria glosa es, además, típicamente francesa por su tema.
[29] Lo primero puede haber ocurrido con «Pase al agoa», «No puedo apartarme», «Caballero, queráisme dejar»; lo segundo, con «Aunque me vedes», «Vi los barcos, madre», «Pisá, amigo, el polvillo». Abajo, nota 33, apunto otra posible explicación de ese fenómeno.

para ciertos casos, otra hipótesis plausible: un poeta del siglo XVI ha imitado hábilmente esa ocasional incoherencia de las antiguas canciones. ¿No es curioso que en el teatro de Gil Vicente encontremos, además de las seis glosas narrativas no explicativas, cuatro cantares cuya glosa está temáticamente disociada del villancico? Me refiero a «En la huerta nace la rosa», «E se ponerei la mano em vos», «Quien maora ca mi sayo» (F, 99, 100, 96), «Mor Gonçalves», (Copilaçam, fol. 188 r°). No creo arriesgado suponer que Gil Vicente gustó de esa anarquía conceptual como gustó, por ejemplo, del paralelismo, y que la empleó a manera de recurso estilístico para sugerir la antigüedad y aun corrupción de los cantares que insertaba en su teatro. [30]

He dejado para el final la mención de dos tipos de glosas escasamente representados, pero que tienen visos de haber sido más frecuentes.

§ 40. Uno es la «e x p l i c a c i ó n p o r a n á l i s i s», que encuentro en algunas canciones burlescas recogidas por Correas; por ejemplo, Vocabulario, p. 512a:

> Tres camisas tengo agora:
> no me llamarán mangajona.
>
> Una tengo en el telar,
> y otra tengo dada a hilar,
> y otra que me hacen agora:
> no me llamarán mangajona.

---

[30] Sobre «Quién maora ca mi sayo» cf. mi nota supra, pp. 212-220 (no mencioné ahí la posibilidad de que Gil Vicente usara conscientemente una glosa disociada del villancico). — Parece, pues, que el estudio de las glosas nos permite distinguir ciertos procedimientos seguidos por el dramaturgo portugués en su recreación de cantares populares. Ya hemos visto también (§§ 11 y 15) cómo varía los sistemas de desarrollo. No deja de ser notable, asimismo, la ausencia de glosas con despliegue; la única vez que emplea la técnica, en un cantar de circunstancias («Par Deos bem andou Castela...», Copilaçam, fol. 164 v°), tiene buen cuidado de variarla (cf. Asensio, Poética, pp. 174-175).

Muy parecida a ésta es «Aunque me veis que descalza vengo» (*infra*, p. 319) —hay otra versión en la tercera jornada (de Rojas Zorrilla) de la comedia *La Baltasara*, compuesta por tres ingenios—, y el esquema reaparece en «Niña, si quieres ventura» (*infra*, p. 319) y «Aunque soy viejo y cansado» (p. 239*b*, 33*b*).

§ 41. El otro es la glosa en e s t i l o d i r e c t o después de un villancico del tipo de los examinados en el § 37. Aquí entran tres glosas que comienzan con una fórmula típica del romancero:

> ¿Dólos mi amores, dólos,
> dónde los iré a buscar?

> *Dígasme tú, el marinero,*
> que Dios te guarde de mal,
> ¿si los viste a mis amores,
> si los viste allá pasar? (F, 252);

«Puse mis amores / en Fernandico» (F, 253), «Si el pastorcico es nuevo» (A-B, 104). [31] Y entran dos glosas que no parecen tener paralelo: la de «Esta sí que es siega de vida» (F, 410), que podría ser de Lope, y la de «Las mi penas, madre» (F, 302), totalmente disociada del villancico.

La «glosa» es el núcleo de la composición (apéndice)

§ 42. Lo que desconcierta en los cantares citados en los §§ 38 y 39 es que por la índole de los villancicos esperaríamos verlos explicados en las glosas narrativas que los acompañan: cosa que no ocurre. Hay, en cambio, algunos villancicos con glosa narrativa que, por su naturaleza, no son

---

[31] En estos dos cantares el nexo entre villancico y glosa se reduce, respectivamente, a la mención de Fernandico y del pastorcico.

explicables, porque no hacen más que presentarnos un paisa-
je o unos personajes. En esos casos la glosa nos refiere lo
ocurrido en él o con ellos. Nos dicen qué pasó «dentro en
Avila» o «so la mimbrereta» o en «la sierra alta y áspera de
sobir» (F, 320, 97, 93); de haber sido más completa la canción
de las «cañas de amor» (G. Vicente, *Copilaçam*, fol. 217 vº),
quizás nos hubiera contado una aventura ocurrida entre ellas.
Del «niño chequito, bonito» sabemos que su agüela le vistió
fajuela; de «los dos amores», que «ambos vuelven el agua
clara» (F, 479, 79).

§ 43. Aquí es evidente que la glosa nos está diciendo
mucho más que el villancico; de modo que, aunque estruc-
tural y musicalmente sigue sujeta al cantar inicial, por su
contenido adquiere un rango dominante. Más aún lo adquiere
cuando es ella la que da y desarrolla el tema de la canción,
mientras que el villancico, desprovisto de significado, queda
reducido a mero estribillo rítmico-musical. Alguna vez repite
como un eco cierto elemento de la canción:

> Teresica hermana
> de la fariririrá,
> hermana Teresá.
>
> —Teresica hermana,
> si a ti pluguiese,
> una noche sola
> contigo durmiese.
> De la faririrunfá,
> hermana Teresá.
>
> —Una noche sola
> yo bien dormiría,
> mas tengo gran miedo
> que me perdería.
> De la fariririrá,
> hermana Teresá.

(Fuenllana: F, 551; cf. *Cancionero de Upsala*, 36). Lo mismo
el «Ño, ño, ño...» del cantarcillo vicentino (F, 434) y, hasta

cierto punto, «Por beber, comadre», del *CMP* (F, 576). Otras veces la frase elemental del estribillo —acompañada o no de sílabas sin sentido— sólo se relaciona vagamente con el texto: «Abalas, ábalas, hala» (F. 438: la «frol y la gala» son sin duda las serranas), «Anda, amor, anda» (F, 440: referencia al baile), «Chapirón de la reina» (F, 563: el rey), «Sol, sol, gi, gi, a, b, c» (A-B, 54: enamoramiento). O no parece haber relación alguna: «Tibi, ribi, rabo», «Pinguele, respinguete», «Falalalán, falán, falalalera, / falalalán de la guarda riera» (F, 593, 559; A-B, 148). [32] No faltan casos de estribillo puramente rítmico y onomatopéyico:

> Dongolondrón con dongolondrera.
>
> Por el camino de Otera
> rosas coge en la rosera.
> Dongolondrón con dongolondrera

(Camões, *Amphytriões*, II, 5), o, análogamente, «Al drongolondrón, mozas» (F, 439).

§ 44. De elemento que determina la estructura de las estrofas (despliegue), su estilo, tono y métrica (despliegue, desarrollo; glosa complementaria), su contenido (glosa explicativa), el villancico ha pasado a ser mero apéndice de una o más estrofas que *son* la canción y que, por lo tanto, no son ya «glosa». En esta categoría entran los romances o romancillos con estribillo, como «So el encina» (F, 95) y «Díndirin, díndirin dindirindaina» *(CMP; F, 296)*, o las endechas de «Los comendadores», de «Señor Gómez Arias» (F, 62, 324), de «Casamonte alegre» (cf. *supra*, p. 242, nota) y, en general, todas las canciones compuestas de muchas estrofas que relatan una historia (a menudo humorística): «La zorrilla con el gallo», «Si habrá en este baldrés», «Pero González» *(CMP, 348,*

---

[32] [Añádase ahora el «Junco menudo, junco» cit. *infra*, p. 316.]

179 y 387), «Perdí la mi rueca» (F, 575). [33] El estribillo de
estos cantares suele constituir una como condensación lírica
del relato; además de su función rítmica y musical, desempeña entonces una función poética.

Conviene, para terminar, hacer una aclaración. Si muchas
de las glosas mencionadas en este trabajo parecen completas,
perfectamente «redondas», en otras es concebible un desarrollo más amplio. Varios cantares en que ahora vemos un villancico ampliado o explicado por una breve glosa pudieron
ser originalmente largos relatos con estribillo intercalado,
a manera de apoyo, entre estrofa y estrofa.

[33] En este grupo podrían incluirse también algunos cantares con
«glosa narrativa no explicativa» mencionados en el § 39, suponiendo
que su glosa se nos conserva en estado fragmentario (cf. nota 29). La
disociación entre villancico y glosa se debería entonces al hecho de que,
dentro de un texto extenso, el cantarcillo tiene escasa importancia conceptual, puesto que —ya lo hemos visto— sólo está destinado a marcar
una pausa entre estrofa y estrofa.

EL ZEJEL: ¿FORMA POPULAR CASTELLANA?

*A Hans Flasche**

Personaje importante en las discusiones sobre el nacimiento de la lírica europea, el *zéjel* sigue preocupando hoy a los estudiosos. Recordemos su forma básica: un estribillo inicial seguido de varias estrofas de tres versos monorrimos *(mudanza)* más un verso que rima con el estribillo *(vuelta):* AA bbba (AA) ccca (AA) ..., AB cccb (AB) dddb (AB) ... Este esquema y sus variaciones se encuentran en la lírica hispanoárabe *(zaǧal, muwaššaha),* en la poesía medieval hispánica, lírica y narrativa (ciertas *cantigas* gallego-portuguesas, la mayoría de las *Cantigas de Santa María* de Alfonso X, poemas del *Libro de buen amor, estribotes* y *villancicos* castellanos desde fines del siglo xiv), en la poesía de Francia *(virelais* y *ballades* francesas, *dansas* y *baladas* provenzales) y en la de Italia *(laude, ballate, frottole).*[1]

Ha inquietado la relación que pueda haber entre las manifestaciones árabes y las románicas: ¿derivan éstas de aquéllas?, ¿surgieron independientemente?[2] Inquieta el origen

* En *Studia iberica. Festschrift für Hans Flasche*, Bern-München, 1973, pp. 145-158.

1 Cf. R. Menéndez Pidal, «Poesía árabe y poesía europea», en su libro del mismo título (Colección Austral), Buenos Aires, 1941, pp. 42-46 [abreviaré *Poesía árabe*], y sus *Cantos*, p. 255.

2 Cf. sobre todo Le Gentil, *Le virelai*. La poligénesis, por la que abogaban Le Gentil (pp. 212-218) y E. Li Gotti (*La «tesi araba» sulle «origini» della lirica romanza*, Firenze, 1955, p. 34), ha sido recientemente defendida otra vez por P. Dronke, *Medieval Latin and the Rise of European Love-Lyric*, 2.ª ed., Oxford, 1968, t. 1, pp. 52 s. Contra ella, A. Ron-

mismo de la forma: ¿se trata de una estructura métrica conocida en España antes de la invasión árabe, como supuso Julián Ribera y como pensaba Menéndez Pidal en 1919 y todavía en 1938?[3] ¿Deriva de las formas románicas aaaB, aaB?[4] ¿O del *rondeau*?[5] ¿Procede del *musammat* árabe?[6] ¿O de la poesía litúrgica judía?[7] ¿Es, en fin, un producto híbrido del trístico monorrimo más una vuelta añadida en España por

caglia, «La lirica arabo-ispanica e il sorgere della lirica romanza fuori della penisola iberica», en *Accademia Nazionale dei Lincei. Atti dei Convegni* 12 (Roma, 1957), pp. 321-343 (traducción alemana «Die arabischspanische Lyrik und die Entstehung der romanischen Lyrik außerhalb der Iberischen Halbinsel», en *Der provenzalische Minnesang. Ein Querschnitt durch die neuere Forschungsdiskussion*, ed. R. Baehr, Darmstadt, 1967, pp. 231-262); también I. M. Cluzel, «Les jaryas et *l'amour courtois*», *CuN*, 20 (1960), pp. 233-250.

[3] Cf. R. Menéndez Pidal, *La primitiva poesía*, pp. 255-344. En este ensayo opinaba Menéndez Pidal que la estrofa zejelesca podía ser forma primitiva de toda la Romania, aunque con más arraigo en España (cf. pp. 311 y 333); de ser esto así, se explicaría la difusión europea de la estrofa sin necesidad del influjo árabe. En *Poesía árabe*, p. 46, se enfrentó después abiertamente a esta posibilidad, pero la rechazó por falta de pruebas documentales. Cf. *Cantos*, pp. 247, 257; *Poesía juglaresca y orígenes de las literaturas románicas*, Madrid, 1957, p. 213 [abrevio *Juglaresca*]; «La primitiva lírica europea. Estado actual del problema», *RFE*, 43 (1960), pp. 279-354 [abrevio *Lírica europea*], sobre todo, p. 320. Otros partidarios del origen románico de la forma han sido M. Rodrigues Lapa, *Lições de literatura portuguesa. Epoca medieval*, 6.ª ed., Coimbra, 1966, p. 45; I. M. Cluzel, p. 239; B. Dutton, *BHS*, 42 (1965), pp. 73-81; P. Dronke, *The Medieval Lyric*, London 1968, pp. 191 ss. Cf. también S. M. Stern, *Al-An*, 13 (1948), p. 301; Alonso, *Cancioncillas*, p. 345; W. Mettmann, *RF*, 70 (1958), p. 18.

[4] Cf. A. Jeanroy, *Les origines de la poésie lyrique en France au moyen âge*, 3.ª ed., Paris, 1925 (reprod. fotogr. París, 1965), pp. 398-401, y *La poésie lyrique des troubadours*, t. 2, Toulouse-Paris, 1934, p. 77. Cf. Le Gentil, *Le virelai*, pp. 125-126, 184-186.

[5] Cf. F. Gennrich, *Das altfranzösische Rondeau und Virelai im 12. und 13. Jahrhundert*, Langen b. Frankfurt, 1963, p. 78.

[6] Tesis de Hartmann, apoyada por Nykl. Cf. S. M. Stern, *Al-An*, 13 (1948), pp. 300-301; E. García Gómez, *Al-An*, 21 (1956), pp. 315, 406, 414; F. Cantera, *La canción mozárabe*, Santander, 1957, pp. 10 s.; A. Roncaglia, p. 247 (trad. alemana).

[7] J. M. Millás Vallicrosa, *La poesía sagrada hebraicoespañola*, Madrid, 1940, pp. 31-33, 56-70; Cantera, pp. 11-13. Cf. para todo este problema K. Heger, *Die bisher veröffentlichten Hargas und ihre Deutungen*, Tübingen, 1960, pp. 4-11.

los poetas árabes, a base de la casida, como supuso Menéndez Pidal a partir de 1951,[8] o sea, una creación hispanoárabe, divulgada después en la poesía románica?

Sólo el descubrimiento de un «zéjel» latino o románico anterior al siglo X podría quizá resolver estas cuestiones. El de las monostróficas jarchas mozárabes, desde luego, no ha contribuido a esclarecerlas. Las canciones de la tradición oral que parecen haber inspirado a las jarchas, si no se reducían a una sola estrofa, como piensa Toschi[9], deben de haberse cantado con algún tipo de desarrollo; ¿pero cuál? «¿Cómo prolongaban o desarrollaban este núcleo ... los cantores de Córdoba, de Granada, de Toledo, de Sevilla? ¿Con la fuerte y marcada consonancia zejelesca? ¿Con un primitivo sistema paralelístico?... Todo lo que digamos serán conjeturas.»[10]

O glosa zejelesca o ampliación paralelística. Esta dicotomía, muchas veces repetida, tiene su origen en la famosa conferencia leída por Menéndez Pidal en 1919 ante el Ateneo de Madrid. Decía ahí que «la primitiva lírica peninsular tuvo dos formas principales. Una más propia de la lírica galaico-portuguesa, y otra más propia de la castellana»; la primera, paralelística, la segunda, zejelesca.[11] La idea se impuso y sigue vigente en nuestros días. Aun aceptando las contundentes

---

[8] *Cantos*, pp. 257-259; *Lírica europea*, p. 320: «...la monorrima de la casida explica perfectamente la vuelta unisonante de todas las estrofas del zéjel, unisonancia extraña a la estrofa trística latina medieval; ... De modo que se nos presenta como hipótesis de gran verosimilitud, que el inventor del zéjel sumó a la casida monorrima con *tasmit* de cuatro miembros, más el trístico con estribillo neolatino-bético; la vuelta sería árabe, el estribillo sería románico y el trístico sería a la vez árabe y románico.» Han aceptado esta hipótesis R. M. Ruggieri, «Protostoria dello strambotto romanzo», *Studi di Filologia Italiana*, 11 (1953), p. 371 (publ. también en sus *Saggi di linguistica italiana*, Firenze, 1962) [abrevio *Strambotto*], y Le Gentil, «La strophe zadjalesque, les khardjas et le problème des origines du lyrisme roman», *Romania*, 84 (1963), p. 16.

[9] P. Toschi, «La questione dello strambotto alla luce di recenti scoperte», *Lares*, 17 (1951), pp. 79-91 (publ. también en su «*Rappresaglia*» *di studi di letteratura popolare*, Firenze, 1957).

[10] Alonso, *Cancioncillas*, p. 342.

[11] *La primitiva poesía*, p. 332; cf. pp. 310-311, 333.

demostraciones de Eugenio Asensio sobre la antigüedad y difusión del paralelismo en Castilla, [12] Menéndez Pidal reiteró en 1960 la antinomia: «En la lírica portuguesa... la glosa se hace en estrofas paralelísticas y rara vez zejelescas; mientras en la lírica castellana... la glosa se hace en estrofas zejelescas, rara vez paralelísticas.[13]» Y es que para don Ramón el zéjel era «el metro más usado en los cantos populares de Castilla hasta en el siglo xvi».[14]

Prescindiendo ahora del desarrollo paralelístico, atendamos a esta idea de que el zéjel era la forma popular castellana por excelencia. Algunas voces se levantaron contra ella: «essa forma andaluza não a consideramos verdadeiramente popular, na estrita acepção do têrmo», dijo Rodrigues Lapa en 1929.[15] Dámaso Alonso lo apoyó veinte años después y llamó al zéjel forma «artificiosa»,[16] como lo había hecho poco antes Eduardo M. Torner: «... este tipo de poesía ofrece... cierta artificiosa dificultad de composición que impidió su arraigo en el pueblo.»[17] Pero la idea pidaliana goza de general aceptación: P. Le Gentil, por ejemplo, llama al estribote (= zéjel) del siglo xv «forme archaïque et *populaire*, proche encore de la chanson de danse ou de la chanson chorale».[18] En su excelente libro sobre el villancico, A. Sánchez Romeralo recuerda el juicio de Torner y, refiriéndose a la poesía de los siglos xv y xvi, dice: «Es cierto que casi todas las glosas de tipo zejelesco conservadas (con

---

[12] E. Asensio, «Los cantares paralelísticos castellanos. Tradición y originalidad», *Poética*, pp. 181-224.

[13] *Lírica europea*, p. 309; cf. pp. 348, 290-291. Véase también *Poesía árabe*, pp. 61, 64-66, y *Cantos*, pp. 248-249.

[14] *Juglaresca*, p. 213. Cf. *La primitiva poesía*: «La forma más arcaica de la glosa..., más propia y corriente de la lírica popular castellana» (p. 310), «más simple y elemental» (p. 311). Y cf. *Poesía árabe*, pp. 15, 38, 66-67.

[15] M. Rodrigues Lapa, *Das origens da poesia lírica em Portugal na Idade-Média*, Lisboa, 1929, p. 47.

[16] Alonso, *Cancioncillas*, p. 335.

[17] Torner, *Lírica*, p. 16; cf. p. 415.

[18] P. Le Gentil, *La poésie*, p. 237 (subraya él).

su precisión consonántica) son de elaboración culta, pero
no faltan las populares tradicionales.»[19]

¿Qué ejemplos se han aducido para probar el arraigo
popular de la forma? Menéndez Pidal citó las canciones
«Entra mayo y sale abril», del *Cancionero musical de Palacio* (F, 358), y «Esta sí que es siega de vida», que figura
en *El vaquero de Moraña*, de Lope de Vega (F, 410)[20]; ambas
son, sí, zéjeles perfectos. ¿Lo es también la famosa canción
de las «Tres morillas» (F, 101)? De ella decía Menéndez
Pidal:[21] «Este zéjel es un eco de muchos siglos de convivencia entre cantores moros y cristianos»; a la vez aclaraba
que la forma «se hallaba algo alterada: una parte del estribillo se había confundido con la vuelta». De hecho, *no
hay vuelta* en esa canción: las estrofas son tercetos monorrimos seguidos directamente del final del estribillo («en
Jaén, / Axa y Fátima y Marién»), procedimiento, como veremos, muy frecuente en este tipo de composiciones. Otro
tanto ocurre con «Quién vos había de llevar» (F, 159), según Menéndez Pidal «glosada en estrofas zejelescas»;[22] y
trístico sin vuelta es también «Y la mi cinta dorada» *(supra,*
p. 289, de desenvolvimiento «claramente zejelesco» para
Sánchez Romeralo.[23] Recordemos que Menéndez Pidal insistió varias veces en que «lo esencial de la estrofa zejelesca... [es] aquel cuarto verso de vuelta» y en la necesidad
de distinguir el zéjel del simple trístico monorrimo, que

[19] A. Sánchez Romeralo, *El villancico. (Estudios sobre la lírica popular en los siglos XV y XVI),* Madrid, 1969, p. 31 [abrevio *Villancico*].
Cf. p. 175: «hasta los más arraigados [desdoblamientos estróficos],
como los paralelísticos y zejelescos»; p. 340: «¿No habrá sido el zéjel
y su ejemplo —recordemos su expansión y vitalidad...— el origen de la
fórmula: villancico + glosa...?».

[20] Para las dos citas, cf. Menéndez Pidal, *La primitiva poesía*, p. 310,
y *Poesía árabe*, p. 39.

[21] *Poesía árabe*, pp. 39-40; cf. *Cantos*, p. 221.

[22] *Cantos*, p. 221.

[23] *Villancico*, p. 33; también considera zéjel «Tres morillas me enamoran».

existía, se supone, en toda la Romania preliteraria desde
épocas remotas.[24]

¿Cómo se explica que entre los escasos ejemplos aducidos en prueba del arraigo popular del zéjel en la Castilla
medieval varios carezcan precisamente del elemento dis-
tintivo de esa forma? ¿Cómo se explica, por otra parte, que
no se haya reparado en que del terceto monorrimo *sin*
vuelta hay suficientes ejemplos castellanos populares para
eliminar la posibilidad de que se trate de «alteraciones»
del zéjel?

Lo que pasa es que hasta ahora no se ha atendido a las
formas estróficas de esa lírica medieval castellana que se
supone predominantemente zejelesca. Es sabido que desde
la segunda mitad del siglo XV, y hasta mediados del siglo XVII, aparecen en fuentes literarias y musicales españolas una serie de cantarcillos que hemos dado en llamar
«populares» o «tradicionales». El principal motivo para llamarlos así es que tienen poco o nada que ver, en cuanto a
estilo, formas métricas, temas, con la lírica cortesana que
se cultivaba en el siglo XV; aún más, se oponen a ella por
su sencillez, su emotividad, lo irregular de su versificación,
la abundancia de rimas asonantes, etc. Y, cosa muy importante, tienen como toda poesía folklórica, un repertorio
concreto de recursos, de tópicos, de fórmulas fijas, que se
repiten una y otra vez; constituyen una «escuela poética
popular», para usar el eficaz término de Baldi. Que esta «escuela» vivió durante bastante tiempo —cuánto, no lo sabemos— en la tradición oral es más que probable; también
lo es su difusión por toda o gran parte de la Península,
pues se nos conservan, con idénticas características, cantarcillos castellanos, catalanes, gallegos y portugueses.[25]

---

[24] *Poesía árabe*, p. 27, y cf. p. 16; *Cantos*, p. 258; véase arriba, nota 8.
Sobre la antigüedad del trístico, cf. entre otros Le Gentil, *Le virelai*,
p. 173; Ruggieri, *Strambotto*, p. 369.

[25] No nos consta que todos los textos conservados fueran auténticos (cf. *supra*, «La autenticidad folklórica de la antigua lírica "popular"»). Muchos serían pastiches afortunados. Pero poco importa: mientras se ajusten a los procedimientos de escuela, pertenecen a ella.

La mayoría de los textos que conocemos son breves cantarcillos sueltos, sin desarrollo de ninguna especie, y por lo tanto, como las *jarchas*, inútiles para lo que ahora nos importa. Pero también se conocen no pocos textos formados por un cantarcito seguido de una o más estrofas de tipo popular, por un «estribillo» o «villancico» y su «glosa». Son estas «glosas» las que deben darnos la respuesta; ahí están cerca de doscientas composiciones, en gran parte publicadas en antologías, esperando que se compruebe en ellas si es verdad lo del carácter popular del zéjel: ¿predominan acaso los tercetos monorrimos con vuelta?

Antes de seguir adelante conviene recordar brevemente cómo son esas glosas populares,[26] cuál es su peculiar modo de ser, o digamos mejor, sus modos, pues hay varios tipos. Hay las glosas que despliegan el estribillo, repitiendo sus versos y añadiéndoles un elemento nuevo, y las que, partiendo del comienzo del estribillo, desarrollan y amplían la idea contenida en él, todo ello siguiendo ciertas técnicas:

a Mucho pica el sol:
más pica el amor.

Mucho pica el sol
con flechas de fuego;
más pica el amor,
que hiere más recio.
Mucho pica el sol:
más pica el amor (F, 337).

b Dos ánades, madre, que van
(por aquí
malpenan a mí.

Dos ánades, madre, del cuer-
([po gentil]
al campo de flores iban a dor-
(mir.
malpenan a mí.

Están las que explican, con un texto narrativo, el porqué de lo dicho en el estribillo y las que narran brevemente un suceso que a veces no tiene conexión con él:

c —Nam me quer casar minha may.
—Ora folgay.

---

[26] Remito a mi estudio sobre las «Glosas de tipo popular en la antigua lírica», *supra* [abrevio *Glosas*].

—Tres hermanas de Lisboa
éramos en hora boa,
ya's duas casar con loa,
y a mi monia querer mon pay.
—Ora folgay...

d   Junco menudo, junco,
                 junco menudo.

Nuevas han traídas   de la ciudad de Granada
que se case cada uno   con la que más amaba:
no haré yo, triste mezquino,   que la mía ya es casada.
                 Junco menudo.
Nuevas han traídas   de la ciudad de Sivilla
que se case cada uno   con la que más servía:
no haré yo, triste mezquino,   que ya es casada la mía.
                 Junco menudo.[27]

Y hay algunos otros tipos, igualmente sujetos a técnicas precisas. La congruencia de los procedimientos y del espíritu que anima a estas glosas se constata teniendo a la vista todos los textos conocidos; y el arraigo popular del género, por las razones expuestas arriba y por ciertas notables analogías que respecto de él presentan muchas canciones de boda judeoespañolas.

Los cuatro ejemplos citados nos muestran los tipos principales de estructura estrófica de las glosas populares: 1) el dístico monorrimo, que puede ser de versos breves («A riberas d'aquel vado / viera estar rosal granado») o de versos largos (ejemplo b),[28] o que puede desdoblarse,

---

[27] No conocía yo estas cuatro glosas al publicar el mencionado artículo. Sus fuentes son: a: *El poeta castellano Antonio Balvas Barona...*, Valladolid 1627, fol. 100; b: CMP, núm. 117; c: Cárceres, ensalada «La trulla», Bibl. Central de Barcelona, ms. 588/1, Altus, f. 9; d: ms. barcelonés ca. 1510, *apud* J. Romeu Figueras, *AnM*, 16 (1961), pp. 89-97.

[28] Estos versos largos se han venido escribiendo, desde el siglo xv, en dos versos breves. Preparo un trabajo sobre la «Reinterpretación métrica del villancico»; me parece necesario distribuir los versos de esas poesías siguiendo un criterio que esté de acuerdo con su naturaleza, y no perpetuar hábitos gráficos (¡y ópticos!) que van en contra de ella. «Cogía la niña la rosa florida; el hortelanico prendas le pedía» es

por rima interna, en cuatro versos (ej. *a);* 2) el trístico monorrimo, que, igualmente, puede constar de versos largos (ej. *d)* o breves («Y los dos amigos / idos se son, idos, / so los verdes pinos», F, 97); 3) el terceto monorrimo con verso de vuelta (zéjel, ej. *c).* Aún hay que añadir: 4) la estrofa monorrima de cuatro, cinco o seis versos, variante de 2, y dos variedades de 3; 5) el zéjel de dos versos, a veces desdoblados por rima interna, y 6) el zéjel de cuatro versos monorrimos.[29] Todas estas estrofas pueden rematar, ya con una repetición parcial del estribillo (ejs. *b, c, d),* que es lo más frecuente, ya con su repetición íntegra (ej. *a).*[30]

¿Cómo se distribuyen numéricamente estos tipos estróficos dentro del conjunto de las glosas populares? Un recuento de 193 textos muestra lo siguiente: casi las tres cuartas partes (73 %) constan de dísticos; un 13 %, de trísticos monorrimos; 3,5 %, de estrofas monorrimas de cuatro, cinco o seis versos; 3,5 %, de zéjeles y 7 %, de variantes del zéjel (bba y bbbba). Es evidente que las glosas conservadas constituyen una parte mínima de las que circulaban en la tradición oral entre los siglos XV y XVII. Sin embargo, los porcentajes deben de corresponder de algún modo a la realidad. Sobre todo en cuanto al zéjel: siendo, como veremos, una forma bien conocida en la poesía del siglo XVI, de haber existido en muchas más canciones populares, no tendríamos ahora entre manos tan escaso número de ejemplos. Parece que, por lo menos a partir del siglo XV, la forma no sólo no era «el metro más usado en los cantos populares», sino que *constituía uno de los metros menos usados en esos cantos.* El trístico sin vuelta parece haber sido bastante más frecuente.

---

un dístico con el mismo derecho que «La moza guardaba la viña, / el mozo por ahí venía». Cf. también, arriba, «Problemas de la antigua lírica popular», pp. 148 *ss.*

[29] Al registrar las variedades del zéjel, Menéndez Pidal (*Poesía árabe,* pp. 42-45) consignaba el aumento de versos monorrimos, pero no su reducción a dos, que se da claramente en la poesía que aquí nos ocupa.

[30] A veces el primer verso del estribillo se reemplaza con un verso «de relleno», que difiere del verso de vuelta. Publicaré próximamente un estudio detallado de esas formas estróficas y de los tipos de remate.

Los pocos zéjeles que puelen asociarse a la escuela de
las glosas populares son en su mayoría desarrollos de la
idea contenida en el estribillo, con repetición de algunos de
sus elementos:

> e Cervatica, que no me la vuelvas,
>   que yo me la volveré.
>
> Cervatica tan garrida,
> no enturbies el agua fría,
> que he de lavar la camisa
> de aquel a quien di mi fe.
>
> Cervatica, [que no me la vuelvas,
>   que yo me la volveré.]
>
> Cervatica tan galana,
> no enturbies el agua clara,
> que he de lavar la delgada
> para quien yo me lavé.
>
> Cervatica, [que no me la vuelvas,
>   que yo me la volveré.] (F, 82).

f Peinadita traigo mi greña,
  peinadita la traigo y buena.

La mi greña, madre mía,
peine de marfil solía
peinármela cada día;
y agora por mano ajena
peinadita la traigo y buena.

g Malferida va la garza
  enamorada,
  sola va y gritos daba.

A las orillas de un río
la garza tenía el nido;
ballestero la ha herido
  en el alma.
Sola va y gritos daba

F, 309) 31

---

31 *e:* Romance «La jabonada ribera», B.N.M., ms. 3913, f. 70 r°-v°;
f: ibid., f. 71 r°; *g:* Gil Vicente, *Auto de Inês Pereira,* ed. crít. en: I. S.
Révah, *Recherches sur les œuvres de Gil Vicente,* t. 2, Lisboa, 1955, p. 157.
La misma técnica de desarrollo encontramos en algunos otros zéjeles:
en «Entra mayo y sale abril» (F, 358) y en dos textos un tanto atípicos,
que podrían ser de Lope y que no he incluido en el recuento: «A la
viña, viñadores» *(El heredero del cielo)* y «Este niño se lleva la flor»
(A-B, 450; F, 469); ambos intercalan una parte del estribillo entre los

Otra pequeña familia está constituida por cantares burlescos cuya glosa, las más veces de dos versos monorrimos seguidos de vuelta, va analizando lo globalmente expuesto en el estribillo:

h Aunque me veis que descalza
      [vengo,
tres pares de zapatos tengo:

Unos tengo en el corral,
otros en el muladar,
y otros en cas del zapatero.
Tres pares de zapatos tengo
                    (F, 535).

i Niña, si quieres ventura,
tómale clérigo, que dura.

El casado se va a su casa,
y el que es soltero se casa,
y el fraile también se muda:
tómale clérigo, que dura.[32]

El mismo esquema bba tiene la glosa de una canción amorosa gallega recogida por Luis Milán: «Leváime, amor, d'aquesta terra» (A, 268) y el pequeño cuadro rústico que comienza «Abalas, ábalas, hala», registrado por Sebastián de Horozco (F, 469). Desdoblado, con rimas bcbcba, bccbba y xbzbba, aparece en tres canciones, muy diferentes entre sí.[33] Finalmente,[34] encontramos el esquema bbbba en la curiosa e irregular glosa de «Solo, solo, / ¿cómo lo haré yo todo?»[35]

---

versos de la estrofa. También podría ser de Lope la glosa zejelesca de «Esta sí que es siega de vida» (F, 416), que no se rige por las técnicas populares.

[32] *h:* Correas, *Vocabulario*, p. 34*b*; *i:* ibid., p. 239*b*. Pertenecen al mismo tipo «Tres camisas tengo agora» (*supra*, p. 304) y «Aunque soy viejo cuitado [viejo y cansado]», en la versión (bbba) del *Cancionero* de Sebastián de Horozco, p. 9, y en la más breve (bba) de Correas, p. 33*b*. Cf. *Glosas*, pp. 304 *s.*

[33] «Tibi ribi rabo» (F, 593), «Non botéis a mi nina fora» (*Glosas*, p. 295) y «Labradorcico amigo» (F, 335).

[34] En cuanto a las glosas zejelescas sobre todo, mi selección puede ser un tanto personal y diferir de la de otros autores. Ya sabemos que estas cosas tienen que ocurrir, dadas las fluctuantes fronteras de la escuela poética popular y las imperfecciones de nuestra propia perspectiva.

[35] *Supra*, pp. 298 *s.* Mismo esquema, con estribillo intercalado, en la poco típica canción «Di qué tienes, la Catalineta», mencionada en *Glosas*, p. 287.

Quedan aparte muchísimas composiciones zejelescas de los siglos XV y XVI que *no* tienen rasgos característicos de las glosas populares. Hay, en primer lugar, varios cantares narrativos, más o menos extensos, que parecen proceder de la tradición oral; algunos son relatos trágicos: las famosas «endechas» de «Los comendadores» (bbbba), las de «Señor Gómez Arias» (bbba) y las de «Casamonte alegre» (bbba);[36] otras tiran a lo cómico: la historia de «La zorrilla con el gallo» (xbzbba, bcbcca, bccbba), la del palurdo cornudo Pero González (bbba, bbaa), el relato del pastor Pedro (bbba).[37]

La vena cómica, más aún, chocarrera y aplebeyada, caracteriza a toda una serie de zéjeles que comienzan a aparecer en las fuentes musicales de fines del siglo XV. Son canciones sobre comadres borrachas, sobre viejas libidinosas, clérigos concupiscentes, maridos engañados. Suelen constar de varias estrofas que dan vueltas en torno al mismo tema. He aquí unos ejemplos:

j Allá irás, doña vieja,
    con tu pelleja.

Sospira como mozuela,
dice que amor la desvela,
non tiene diente ni muela,
rumia [a]l comer como ove-
(1 estrofa)   [ja (A, 46).

k D'aquel fraire flaco y cetrino,
guardáos, dueñas, d'él, qu'es
    [un malino.

Ni deja moza ni casada,
beata, monja encerrada
que d'él no ha sido tentada,

y ést'es su oficio de contino...
    (8 estrofas)

l Aquella buena mujer
¡cómo lo rastrilla tan bien!

Una mujer muy ufana,
qu'otros tiempos fue galana,
ni deja lino ni lana
que no empeña por beber.

De su casa a la taberna
tiene fecha una tal senda,
que ni deja nacer hierba,
y ella quiere nacer...
    (7 estrofas)

[36] «Los comendadores»: A, 6 (versión de Durán); F, 62 (versión de un pliego suelto); cf. mi estudio «Un desconocido cantar...», *supra*; «Señor Gómez Arias»: F, 324; «Casamonte alegre»: *supra*, p. 242, nota.

[37] La primera, en *CMP*, 348; la segunda, *CMP*, 387 (F, 560); la tercera, que comienza «Falalalán, falán, falalalera», en el *Cancionero de Upsala*, 33 (A-B, 148).

m Cucú, cucú, cucú.
¡Guarda no lo seas tú!

Compadre, debes saber
que la más buena mujer
rabia siempre por h[oder]:
harta bien la tuya tú.

Compadre, has de guardar
para nunca encornudar;
si tu mujer sale a mear,
sal junto con ella tú.
(2 estrofas).[38]

La forma AA bbba ... (o AB cccb ..., ABB cccb ..., etc.) parece haber sido el molde *ad hoc* para esa clase de canciones.[39] Las encontramos a lo largo del siglo XVI en pliegos sueltos, cancionerillos y cancioneros, impresos o manuscritos.[40] No que el zéjel, tan abundantemente cultivado en ese siglo, se destinara sólo a la poesía burlesca; aparece usado también en poemas de otro tono, incluso en canciones amatorias muy graves y meditabundas, con todos los tópicos de la poesía cortesana.[41] Pero sólo la poesía populachera, ya toscamente satírica, ya ingenua y rústica, dio preferencia al zéjel típico. Si en un auto al Nacimiento se trataba de hacer cantar a los pastores, lo más probable es que se usara esa forma:

n Si el pan se me acaba,
¿qué comeré?
Sol, sol, fa, mi, re.

[38] *j*: *Cancionero musical de la Colombina*, fol. 101 (ed. G. Haberkamp, *Die weltliche Vokalmusik in Spanien um 1500*, Tutzing, 1968, núm. 86); *k*: CMP, 255; *l*: CMP, 243 y *Canc. Colombina*, 89; *m*: CMP, 94.

[39] Aunque también las hay, sobre todo en el *CMP* y el contemporáneo *Cancionero de la Colombina* (v. nota anterior), con estructuras propias de las glosas populares; por ejemplo, «Por beber, comadre» (F, 576), «Perdí la mi rueca» (F, 575), «Si habrá en este baldrés», *CMP*, 179.

[40] Las referencias podrían multiplicarse al infinito. Véase, a título de muestra: «¡Ay, que me muero y fino, / que nos ha faltado el vino! // Más nos valiera, cuitadas, / ser muertas y sepultadas / cuando por malas manadas / tan gran pérdida nos vino» (8 estrofas más), en el pliego suelto gótico, s.l.n.a., *Aqui comiençan vnos villancicos muy graciosos de vnas comadres muy amigas del vino...*, en *Pliegos poéticos B.N.M.*, t. 3, pp. 132 *s.*

[41] Pueden servir de ejemplo «Más quiero morir por veros», del *CMP*, 82 (J. del Encina), y «Aunque pensáis que me alegro», de los *Baños de Argel* de Cervantes, jornada II.

¿Qué comeré si acabo el pan
y otras cosas no me dan?
Creo, por vida de san,
que de hambre moriré.
Sol, sol, fa, mi, re.[42]

Es el estilo que pasó a muchos cantarcillos religiosos.[43]
Otros, de tono más elevado, pero a la vez deliberadamente
sencillo e inocente, adoptaban también el molde:

o De Belén vengo, pastores,
de ver muy grandes primores.

De Belén vengo admirado,
de vello cielo tornado,
de ángeles rodeado
el portal y los alcores.

Vengo de amores vencido,
de ver a Jesús nacido
y a la Virgen que ha parido,
qu'es más linda que las flo-
[res...

p Bajo de la peña nace
la rosa que no quema el aire.

Bajo de un pobre portal
está un divino rosal
y una reina angelical
de muy gracioso donaire.

Esta reina tan hermosa
ha producido tal Rosa,
tan colorada y hermosa
cual nunca la vido nadie...
(A, 307).[44]

Si a estos zéjeles vamos a llamarlos «populares», tenemos
que aclarar que la palabra tiene aquí un sentido muy distinto del que le hemos dado antes al hablar de las «glosas
populares». Son canciones que, si bien *pueden* haber circulado en la tradición oral, evidentemente no tuvieron en ella
verdadero arraigo. No pueden haberlo tenido por una razón
muy sencilla: carecen de la homogeneidad necesaria. Lo que
tienen en común es el molde estrófico y la predisposición

---

[42] Bartholomé Aparicio, *Obra del peccador*, s.l.n.a., en *Autos, come.
dias y farsas de la Biblioteca Nacional*, t. 1, Madrid, 1962, p. 21.

[43] Por ejemplo: «A correr, correr, zagales, / gozaréis cosas divina-
les. // —Dinos qué viste, Tenorio, / que tienes tal pracentorio! / ¿vienes
de algún desposorio, / que das brincos desiguales? // —Vide un cacho
de garzones, / relumbreros, volantones, / cantando nuevas canciones, /
que parecen celestiales», en *Cancionero sevillano*, fol. 87 vº.

[44] *o: Canc. sevillano*, fol. 157 vº; *p: Villancicos Para cantar en la Na-
tiuidad de nuestro Señor Jesu Christo. Hechos por Esteuan de çafra...*,
pl. s., Toledo, 1595, en *Pliegos poéticos B.N.M.*, t. 3, p. 40.

a la sencillez o a la rudeza. Quizá el estudio de muchos textos mostraría una preferencia por ciertos rasgos estilísticos; pero, en todo caso, es evidente que no hay aquí un repertorio limitado de recursos como lo tiene toda poesía folklórica. Esos zéjeles eran, sin duda, improvisaciones condenadas a corta vida.

Parece ser que ya en la Edad Media existieron en la Península Ibérica composiciones zejelescas de análogas características: ¿De dónde le vino a Alfonso X el gusto por esa forma estrófica? No hablo ahora del origen —¿hispanoárabe?, ¿francés?— de la estrofa en las *Cantigas de Santa María*, sino del hecho de que el Rey Sabio la empleara con tanta frecuencia.[45] ¿Cómo se explica que, en el siglo XIV, Juan Ruiz acudiera al esquema AA bbba para su *trova cazurra* «Mis ojos no verán luz, / pues perdido he a Cruz» (estrofas 115-120) y para los dos cantares petitorios destinados a los «escolares que andan nocharniegos»: «Señores, dad al escolar» y «Señores, vos dad a nos» (1650-55, 1656-60)?[46] Quizá nos vayamos acercando a una respuesta: *trova cazurra* era «un género de poesía de grueso humorismo, propio de la juglaría más vulgar»,[47] y esos pedigüeños escolares vagabundos eran estudiantes ajuglarados. Hacia principios del siglo XV, un bien conocido juglar cortesano escribiría un zéjel que comienza: «Señores, para el camino / dad al de Villasandino»; según el *Cancionero de Baena*, donde figura (núm. 219), se trata de un «dezir d'estribot»,

---

[45] Cf. sobre todo H. Spanke, «Die Metrik der Cantigas», en: H. Anglés, *La música de las Cantigas de Santa María del Rey Alfonso el Sabio*, t. III-1, Barcelona, 1958, pp. 189-238, principalmente pp. 225-230; Le Gentil, *La poésie*, pp. 209-216. Se equivoca S. Fiore al decir (art. cit. *infra*, nota 49) que las *Cantigas* «follow rather the muwaššaḥa pattern», o sea, AA bbbaa, etc., y que el zéjel típico es «extremely rare in Spain prior to Juan Ruiz».

[46] Además, con estribillo AAAA, los «Gozos de Santa María» (estrofas 20-32) y con versos desdoblados por rima interna, las dos cántigas religiosas 1046-58 y 1059-66. Cf. Le Gentil, *La poésie*, p. 219; Menéndez Pidal, *Juglaresca*, pp. 212-213.

[47] M. R. Lida, ed. del *Libro de buen amor*, Buenos Aires, 1941, nota 114a. Cf. Menéndez Pidal, *Juglaresca*, pp. 230-233.

y *estribote* se llaman otras dos composiciones zejelescas de
Villasandino en el mismo Cancionero: una chusca alabanza
a don Alvaro de Luna, que termina «ya vazío es mi bolsón» (núm. 196), y un burdo cantar de escarnio: «Alfonso,
capón corrido, / tajarte quiero un vestido» (núm. 141). Si
aún hubiera alguna duda acerca del carácter juglaresco de
esos zéjeles, se desvanecería al leer la confesión del propio
Villasandino: «para los juglares / yo fize estribotes, tro-
bando ladino».[48]

Villasandino escribió también una «Cantiga de Santa
María, por arte d'estribote», haciendo así algo que desde
el siglo XIII habían hecho Alfonso el Sabio, el Arcipreste
de Hita y quién sabe cuántos poetas desconocidos: aplicar
a un tema devoto ese molde zejelesco que —ya no hay
duda— pertenecía por derecho al arte profano (¡cuán profano a veces!) de los juglares.[49] Todos ellos quisieron ser
«juglares de la Virgen»; todos quisieron poner al servicio de
la religión un metro que provocaba asociaciones placenteras
en el público. También el anónimo poeta que en la segunda
mitad del siglo XV dedicó a «los devotos cristianos que

[48] *Cancionero de Baena*, núm. 546. Cf. Le Gentil, *La poésie*, pp. 227-
234; Ruggieri, *Strambotto*, pp. 347-352; Menéndez Pidal, *Juglaresca*, páginas 215, 218-220. Sobre *estribot, estrabot, strambotto, estribote* (etimologías, significados, formas), cf. entre otros F. Novati, «La canzone
popolare in Francia e in Italia nel più alto medio evo», en *Mélanges
Wilmotte*, t. 2, Paris, 1910, pp. 417-444, sobre todo 420-430; J. Corominas,
«Del Pidal de don Ramón», en *Estudios dedicados a Menéndez Pidal*,
t. 1, Madrid, 1950, pp. 30-39, y *DCEC*, s. v. *estrambote;* Ruggieri, *Strambotto;* Le Gentil, *La poésie*, pp. 224 ss.; B. Dutton, art. mencionado en
nota 3.

[49] ¿Ocurrió lo mismo en Italia, donde se adoptó el zéjel para las
laude religiosas, por lo menos desde el siglo XIII? En su artículo «Nella
preistoria della Lauda: Ballata e strofa zagialesca», en *Il movimento
dei disciplinati... Atti del Convegno Internazionale*, Perugia, 1960, páginas 460-475, Aurelio Roncaglia piensa que más que de la *ballata* profana, como se ha creído, el esquema zejelesco le viene a la *lauda* de
ciertas secuencias mediolatinas. Cf. Menéndez Pidal, *Poesía árabe*, páginas 40-42; S. Fiore, «Arabic traditions in the history of the Tuscan
Lauda and Ballata», *Revue de Littérature Comparée*, 38 (1964), pp. 5-17
(el autor parece desconocer buena parte de los estudios sobre la forma
zejelesca).

están en batalla espiritual» un poema «sobre el cantar que dicen los juglares: "Agora es tiempo de ganar buena soldada"»:[50] son dieciséis estrofas con el esquema bbba...

Creo que ahora entendemos de dónde viene la tradición de los zéjeles sobre viejas borrachas, clérigos licenciosos y maridos cornudos, que vemos aparecer a fines del siglo XV, y de dónde procede, en general, el carácter populachero y juguetón de tantas composiciones zejelescas del XVI. De paso entendemos la diferencia que existe entre ellas y las glosas populares. Son dos realidades distintas; por un lado, el arte efímero de los juglares y de sus sucesores,[51] hecho para divertir y desaparecer; por otro, canciones compuestas y cantadas por la gente, patrimonio colectivo, trasmitido de generación en generación. Sin duda hubo trasvases entre ambas formas de arte, y eso explicaría quizá por qué hay glosas populares zejelescas y por qué existen canciones juglarescamente chuscas y procaces con los procedimientos típicos de esas glosas.[52]

50 Menéndez Pidal, *Juglaresca*, p. 228. El texto figura en British Museum, ms. Eg. 939, fols. 27 vº s.

51 Más que ser «de elaboración culta», como piensa Sánchez Romeralo (*supra*, nota 19), yo diría que gran parte de los zéjeles del XVI fueron compuestos por versificadores populacheros que continuaban la tradición de los juglares medievales, o bien por poetas cultos que imitaban esa manera de poetizar.

52 Cf. *supra*, nota 39. Habría que replantear, creo, toda la cuestión de las relaciones entre poesía popular y poesía juglaresca, relaciones que deben de haber variado de género a género. Los juglares intervendrían activamente en poemas de cierta extensión, como los romances (no sólo en los «juglarescos», sino también en los «tradicionales»); quizás fueron ellos los creadores del género y, originalmente, sus principales poetas, refundidores y divulgadores. También nos los podemos imaginar componiendo esas «endechas» zejelescas de que hablábamos antes. En cambio, en cantarcitos tan breves como los que integran la lírica popular hispánica de la Edad Media su participación sistemática me parece más difícil de concebir, porque es innecesaria y porque esos cantares como que no tienen que ver con las aspiraciones profesionales del juglar; más bien pensaríamos aquí en «poetas populares» no necesariamente profesionales. Cf. para Italia, A. Pagliaro, «Poesía giullaresca e poesia popolare», en su libro del mismo título, Bari, 1958, páginas 13-64.

Llegados a este punto, podemos preguntarnos: ¿sería el zéjel, realmente, una forma ante todo castellana? Si dos de los pocos zéjeles populares están en gallego, si hay cantigas zejelescas entre las de los trovadores gallego-portugueses, [53] si eso son la mayoría de los poemas marianos del Rey Sabio, ¿no será que los juglares anónimos que poetizaban en gallego utilizaban esa forma tanto como los que poetizaban en castellano? Y otra pregunta: Si la trabazón del zéjel con Castilla se nos viniera abajo, ¿no se derrumbaría también de manera definitiva el otro extremo de la dicotomía, ya seriamente minado por Asensio: [54] paralelismo = Noroeste hispánico? No es cuestión en que podamos entrar ahora. Bástenos reconocer que 44 de nuestras 193 glosas populares emplean el paralelismo[55] y que 33 de ellas están en castellano.[56] Diferencias regionales hubo, sin duda. Pero ¿hemos de buscarlas en el empleo del paralelismo y del zéjel, generalizadamente folklórico el primero, y el segundo, por lo visto, patrimonio de los andariegos y comunicativos juglares?

---

[53] Cf. Le Gentil, *La poésie*, pp. 217-218. En el *Cancionero de Baena*, núm. 251, se incluye un zéjel gallego de Pero González de Mendoza.

[54] Cf. *supra*, nota 12. Véase también Sánchez Romeralo, *Villancico*, pp. 319-342.

[55] Otras muchas, de las que sólo se conserva una estrofa, tienen visos de haber sido o podido ser también paralelísticas. Cf. J. Romeu Figueras, «El cosante en la lírica de los cancioneros musicales españoles de los siglos XV y XVI», *AnM*, 5 (1950), pp. 15-61, en especial pp. 40 *ss*.

[56] El paralelismo se da en glosas de todas las estructuras estróficas mencionadas arriba; también en las zejelescas (cf. nuestro ejemplo *e*). Sánchez Romeralo dice (*Villancico*, p. 340) que la fórmula del zéjel aparece «unida frecuentemente al paralelismo (zéjel paralelístico o paralelismo zejelesco)». De hecho, sólo encontramos esa fusión en tres de las glosas zejelescas de mi lista (ej. *e*, «Esta sí que es siega de vida» y «Labradorcico amigo») y en la de «Allá se me ponga el sol» (*CMP*, 431), que no considero «glosa popular». Por otra parte, no pienso que «la vuelta es ajena al paradigma del cosaute», o sea, del cantar paralelístico (Romeu Figueras, en *AnM*, 22, 1967, p. 117); en principio, el fenómeno «zéjel paralelístico» no tiene nada de extraño: una vez asimilado el molde bbba, aunque en pequeña escala, a la escuela lírica popular, tenía que quedar sujeto a los procedimientos formales de esa escuela.

INDICE DE PRIMEROS VERSOS

INDICE DE PRIMEROS VERSOS

---

* Se incluyen prácticamente todos los textos hispánicos citados; los números en cursiva remiten a la página donde el texto se reproduce íntegra o parcialmente.

SE TERMINÓ DE IMPRIMIR
EN LOS TALLERES VALENCIANOS
DE ARTES GRÁFICAS SOLER, S. A.,
EL DÍA 27 DE FEBRERO DE 1978